「小さな会社」でもすぐ使える！

貿易の流れ・単語・書類のすべてがわかる

輸出入実務完全マニュアル
【最新版】

大阪市立大学　商学部講師
国際法務株式会社　代表／司法書士　行政書士
中矢　一虎

まえがき

　本書底本の初版出版から、10年以上が経過しました。現在、貿易は特定の商社だけに限らず、メーカーやその他の中小企業にとっても、国内取引の延長線として営業展開されるようになっています。その意味でも、貿易実務は特殊な業務ではなく、通常業務の一部門となってきたと言えます。

　しかし、その一方で、実務の現場では多くのトラブルも発生しています。輸出のトラブルでもっとも多いのは、販売先外国企業からの代金回収問題です。また、輸入のトラブルについては、供給先外国企業から入手した物品の品質問題です。

　国際ビジネスコミュニケーションが、Eメールや PDF 等を使って簡易にできるようになったのは大変喜ばしいことですが、取引内容を決めるのは売主・買主となる企業であり、あくまでも「商い」である以上、そこには商売上の駆け引きがあることは、充分に認識しなければなりません。

　日本国内での取引に成功した方の中には、「外国人との人間関係作り」が大切として、①当初はできるだけ譲歩する（損して得とれ）、②取引交渉は後回しにして、人間関係構築のためにアフターファイブの飲み会を最優先で実施する、といったやり方をする人もいます。

　しかし、このやり方は間違っています。外国企業から見たときに、最初から譲歩するのは、「国際取引の常識知らず」として心の底から軽蔑を受けることでしょう。また、いくらアフターファイブの飲み会で仲良くなったとしても、外国企業は「取引は取引として別もの」と考えます。一般に、外国企業との間に信頼関係が構築されるには、互いの取引関係が最低10年以上は継続する必要がある、と言われます。

では、どうすれば円滑に貿易取引を進めることができるのでしょうか。

　まず最初に、自ら貿易実務の知識を習得することです。国際取引に必ず登場する基本的な知識を身に付けましょう。本書は、この基本知識を身に付けていただくために編まれたものです。充分活用してください。

　次に、ぜひ海外に出かけて、取引先を訪問しましょう。貿易相談会では「日本に居たままで、貿易をやりたい」という方が相談にこられることがあります。個人が小遣い銭かせぎのために、インターネットに情報を掲載して売る程度ならば、インターネット貿易通販システムの利用で結構です。しかし、企業の事業として貿易をするのであれば、販売相手先企業への売り込みや、購買相手先企業の生産・供給状況の確認を実地に行うことは、インターネット時代であるがゆえに、むしろ最重要となります。インターネットには大工場の写真や動画が出ていても、実際にはペーパーカンパニーである外国企業もあるので、必ず訪問調査をしてください。

　そして、上記の基礎知識や実地調査を通じて、取引先を増やす努力をしてください。そのためにも、貿易で取り扱う商品や市場のことも研究しましょう。

　最後に、本書の出版につきましては、データ整理と校正、並びに出版社とのコミュニケーションについて、当事務所のマネージャーである峯愛さんにお手伝いをお願いしました。

　また、発行元であるすばる舎リンケージ、並びに発売元であるすばる舎編集部の菅沼真弘様と中野幸様には本書出版の機会をいただき、感謝申し上げます。このほかにも、本書の出版に多くの方々のご協力を得たことを、著者として心より御礼申し上げます。

2020 年 3 月　中矢　一虎

「小さな会社」でもすぐ役立つ
はじめての貿易取引も安心
輸出入実務完全バイブル

まえがき …………………………………………………………………… 2
ダウンロードファイルの利用法 ……………………………………………… 18

第1章　貿易取引の基礎知識と心構えを身に付ける

① 「貿易取引の3種の神器」を意識する …………………… 20
貿易取引に必須の3つの知識 ………………………………………… 20
「貿易実務知識」を身に付け、取引ルールを把握する ……………… 21
「国際商品知識」を磨いて、商品を差別化する ……………………… 21
「国際市場知識」を持って、最適な販売戦略を構築する ………… 22

② これからの貿易企業の「3つの鉄則」 …………………… 23
① オンリー・ワンの強みを持つ ……………………………………… 23
② 1つのかごに卵を全部入れるな ……………………………………… 23
③ 新しい分野を切り拓く気概を持つ ………………………………… 24

③ 貿易取引の主要なプレイヤーを把握する ………………… 25
「輸出者」と「輸入者」 ……………………………………………… 25
貨物船を運行する「船会社」 ………………………………………… 25
煩雑な船積手続を代行してくれる「海貨業者」 ……………………… 26
「税関」は輸出入される貨物の検査を行う ………………………… 28
通関手続を代行する「通関業者」 …………………………………… 28
航空輸送を行う「航空会社」 ………………………………………… 28
航空輸送を受け付ける「航空貨物代理店」と「混載業者」 ………… 30
決済機能を一手に担う「銀行」 ……………………………………… 30
貨物海上保険などを引き受ける「損害保険会社」 …………………… 31
輸出入する貨物を一時的に保管する「倉庫業者」 …………………… 31
所轄官庁としての「経済産業省」や「厚生労働省」など …………… 31
動植物による病気の持ち込みを防ぐ「検疫所」 ……………………… 31
貿易業務全般を代行する「商社」 …………………………………… 32
「ジェトロ」や「商工会議所」などの援助機関 ……………………… 32

④ 中小企業の商社との付き合い方は？ …………………… 33
直接貿易と間接貿易のどちらがよいか ……………………………… 33
一概に「どちらがよい」と言うことはできない ……………………… 33

⑤ さまざまな形の「輸入」について押さえておく ……… 35
「輸入総販売店」や「輸入総代理店」について理解する ……… 35
並行輸入は止められない ……………………………………… 36
海外の安い人件費を活用する「開発輸入」と「逆輸入」 …… 36

第2章　「貿易交渉」や「契約」の実務

① 輸出でも輸入でも、最初に「市場調査」を行う ……… 40
調査対象となる情報には2タイプある ……………………… 40
輸出と輸入の場合の調査項目の違い ………………………… 41

② ビジネス・パートナーを探す方法を知る ……………… 43
日本貿易振興機構（ジェトロ）を利用する ………………… 43
都道府県や政令指定都市の貿易振興機関を利用する ……… 44
国内および海外の国際見本市等に参加する ………………… 45
国内および海外の商業会議所・商工会議所を利用する …… 45
在日の外国総領事館や外国貿易振興機関を利用する ……… 46
海外ビジネス・コンサルタントを利用する ………………… 46
海外のハロー・ページや企業ダイレクトリーで調べる …… 46
インターネットの情報サイトで調べる ……………………… 47

③ 取引先候補が見つかったら「信用調査」を行う ……… 48
貸倒れ等のトラブルとなると、回収が難しい ……………… 48
3つのルートで得た情報を総合的に判断するとよい ……… 48
信用調査の内容は「3つのC」でチェックする ……………… 50

④ 貿易取引における「取引交渉」のルールと流れを理解する … 51
「承諾」に至るまで「申込み」を出し合って交渉を進める …… 51
別途条件を付ける申込みもある ……………………………… 53

⑤ 申込みには、必要な情報をすべて記載すること ……… 55
スムーズな取引を行うためのポイントとなる ……………… 55

⑥ 見本品などを利用して「品質条件」を確定する ……… 57
輸入品では品質に起因するトラブルが多い ………………… 57
見本品などは必ず保管しておく ……………………………… 60

⑦ どの時点の品質なのかを意識する …………………… 61
通常は貿易条件によって自動的に決まる …………………… 61
船積品質条件では「検査証明書」を求められることが多い … 62

⑧ 「価格条件」を上手に設定できれば、大きな利益を上げられる … 63
　　国内取引より必要経費が増える点に注意 …………………………… 63
　　為替変動リスクを意識して決済通貨を選択する …………………… 64

⑨ 数量については、利用する単位に注意！……………………… 66
　　数量を示す単位や略語をマスターする ……………………………… 66
　　特に「トン」は混同しやすい ………………………………………… 67

⑩ 数量についても、どの時点の数量かを意識する …………… 69
　　「船積重量条件」か「陸揚重量条件」かを決める ………………… 69

⑪ 数量条件についてのそのほかの注意点 ……………………… 70
　　数量過不足容認条件（More or Less Terms）とは ………………… 70
　　引取量の最大値あるいは最小値を設定することもある …………… 70

⑫ 商品の包装や梱包には多くの種類がある …………………… 71
　　商品の性質や輸送方法、費用等によって変わってくる …………… 71

⑬ 「支払条件」は、決済方法と支払時期の2つで特定する … 73
　　押さえておきたい主な決済方法は3つ ……………………………… 73
　　支払時期によって、どちらが有利かが大きく変わる ……………… 76
　　売掛金と買掛金の相殺取引の場合もある …………………………… 79

⑭ 「船積条件」を指定して納期を確定する …………………… 80
　　船積みの場所と期限を指定する ……………………………………… 80
　　船積みの遅れに対する免責の方法 …………………………………… 80
　　「積替え」や「分割船積」にも注意 ………………………………… 81

⑮ 保険をかけてリスクをコントロールする …………………… 83
　　貨物海上保険の締結者も貿易条件から自動的に決まる …………… 83

⑯ 貿易条件とインコタームズを理解する ……………………… 84
　　貿易条件（Trade Terms）とは何か ………………………………… 84
　　「インコタームズ2020」が最新版 …………………………………… 87
　　インコタームズ2020の理論と貿易実務の解離 ……………………… 94

⑰ インコタームズ2020の各規則を把握する …………………… 96
　　どのような輸送形式にも適した規則 ………………………………… 96
　　海上および内陸水路輸送に適した規則 ……………………………… 106

⑱ コスト計算と価格決定の実例を参照する …………………… 110
　　ブレイク・ダウン方式とコスト・プラス方式 ……………………… 110
　　輸出の場合の具体例 …………………………………………………… 111
　　輸出取引免税制度について …………………………………………… 113
　　輸入の場合の具体例 …………………………………………………… 115

⑲ 契約書作成に関する一般的なルールを知る ………………… 120
定型化された「書面方式」と「電磁的記録方式」がある ……………………… 120
簡易契約形式を利用しないケース …………………………………………… 121
契約書を作成しないケース …………………………………………………… 121

⑳ 個別契約書の記載内容（簡易契約形式） ………………… 123
双方の合意内容を形にする …………………………………………………… 123

㉑ 簡易契約形式の定型約款には何が記載されるのか？ …… 128
定型約款には「一般的取引条件」が表記される ……………………………… 128
一方的な取引条件の通知によるトラブルも多い ……………………………… 129

㉒ 「ウィーン売買条約」の理解は重要 ………………………… 130
2009年8月からすでに発効している ………………………………………… 130
ウィーン売買条約のポイント ………………………………………………… 130
ウィーン売買条約のメリット・デメリットは ………………………………… 133

第3章　貿易取引での「決済方法」を知る

① 信用状（L/C）についての基礎知識 ……………………… 136
信用状の基本的な性質は？ …………………………………………………… 136
「信用状統一規則」に則って作成・運用される ……………………………… 137

② 信用状取引で意識すべき「2つの原則」 ………………… 138
① 独立抽象性の原則 …………………………………………………………… 138
② 厳格一致の原則 ……………………………………………………………… 138

③ 信用状取引の当事者と、取引の流れを把握する ………… 140
「信用状発行時の4面関係」を理解する ……………………………………… 140
「輸入者」が発行を依頼する …………………………………………………… 141
輸入者の取引銀行が「発行銀行」となる ……………………………………… 141
輸出者に信用状の到着を知らせるのが「通知銀行」 ………………………… 141
信用状取引で一番大きなメリットを受ける「輸出者」 ……………………… 142
信用状による代金回収に関する「決済時の4面関係」 ……………………… 142
荷為替手形の買取を行う「買取銀行」 ………………………………………… 144

④ さまざまな種類の信用状がある ……………………………… 145
機能によってさまざまな名称が付けられている ……………………………… 145
取消が可能かどうかによる分類 ……………………………………………… 146
再保証が付けられているかどうかによる分類 ………………………………… 146
買取銀行が限定されているかどうかによる分類 ……………………………… 147
発行銀行による代金の支払時期による分類 ………………………………… 147
譲渡される可能性を前提とした信用状 ……………………………………… 148
繰り返し同じ取引をする場合に便利な信用状 ………………………………… 148

⑤ 輸入者による信用状の発行依頼の方法 …………………… 149
信用状の発行依頼手順 ………………………………………………… 149
信用状発行依頼の際の注意点 ………………………………………… 152
通知銀行への送付方法を選ぶ ………………………………………… 153

⑥ 信用状を受け取ったら、輸出者は細かく点検する ………… 155
信用状の有効期限と貨物の船積期限 ………………………………… 155
契約条件と合致しているかどうか …………………………………… 156
スペル・ミスの確認 …………………………………………………… 156
必要な記載の有無を確認 ……………………………………………… 157
要求される船積書類の種類 …………………………………………… 160
発行銀行自体の信用 …………………………………………………… 160

⑦ 点検で不具合が見つかった場合の「アメンドメント」 …… 161
取消不能信用状なので、再発行はされない ………………………… 161
無条件で受け入れられるわけではない ……………………………… 164

⑧ 信用状に基づいて船積書類を準備し、荷為替手形を組む … 165
「荷為替手形」とは何か？ …………………………………………… 165
荷為替手形を組むのに必要な船積書類と、その注意点 …………… 168
荷為替手形の作成にあたっての注意点 ……………………………… 170

⑨ 信用状による代金回収の仕組みを理解する ………………… 172
輸出者は手形の割引手数料についても留意しておく ……………… 172
買取銀行→発行銀行→輸入者の順番に荷為替手形が動く ………… 172

⑩ 買取銀行による検査の段階で「ディスクレ」が見つかったら … 174
さまざまな対応方法がある …………………………………………… 174

⑪ 「D/P手形」による決済を理解する ……………………………… 177
「D/P手形」による決済の基本 ……………………………………… 177
貿易保険の有無で、輸出者側銀行の対応が変わる ………………… 178
D/P手形作成の手順 …………………………………………………… 180

⑫ 「D/A手形」による決済を理解する ……………………………… 181
D/P手形よりも代金回収までの期間が長い ………………………… 181
取立と買取の判断基準はD/P手形と原則同じ ……………………… 181
D/A手形の実務上の注意点 …………………………………………… 183

⑬ 「法人向けインターネット版外国為替サービス」など …… 184
その他の新しいサービスにも素早く対応する ……………………… 184

⑭ 貿易企業を資金面からサポートする「貿易金融」 …………… 186
　さまざまな輸入金融の方式を知る ………………………………… 186
　輸出金融の概要を把握する ………………………………………… 189

第4章　「国際運輸」の知識と実務

① わが国では海上輸送が主力 ……………………………………… 192
　海に囲まれた日本では、陸上貿易はありえない ………………… 192
　運賃の安さが最大の特長 …………………………………………… 192

② 「定期船」と「不定期船」がある ………………………………… 193
　海上輸送であっても、安定的な物流が提供されている ………… 193
　「個品運送契約」と「用船契約」 ………………………………… 194

③ 「コンテナ船」と「在来船」の違いを理解する ……………… 196
　「コンテナ船」はコンテナだけを運ぶ …………………………… 196
　「在来船」は対応能力が高い ……………………………………… 198

④ 海上運賃の計算方法を知る ……………………………………… 199
　「基本料金＋割増運賃・特別料金」が基本 ……………………… 199
　コンテナ船の基本料金は、ボックス・レートが主流 …………… 199
　さまざまな割増運賃・特別料金がある …………………………… 201

⑤ 運賃の支払時期は、貿易条件で決まる ………………………… 204
　運賃には前払いと後払いがある …………………………………… 204

⑥ 定期船か不定期船かで、船内荷役費の取り扱いが異なる … 205
　定期船では「バース・ターム」が一般的 ………………………… 205
　不定期船では4つの選択肢がある ………………………………… 205

⑦ 一定の地位を築いた「航空輸送」についても理解する …… 207
　金額ベースでは、約3割が航空輸送を利用している …………… 207
　航空輸送の主要なプレイヤーは？ ………………………………… 207

⑧ 「航空輸送」での契約形態 ……………………………………… 210
　主に3つの契約形態がある ………………………………………… 210

⑨ コンテナ輸送なら、「国際複合一貫輸送」も可能 ………… 212
　コンテナによって一貫輸送が容易になった ……………………… 212
　国際複合一貫輸送の主なルートを知る …………………………… 212

- ⑩ 少量取引や重要書類送付には「国際郵便」と「国際宅配便」 … 216
  - 郵便局で利用できる「国際郵便」 … 216
  - 国際宅配業者が提供する「国際宅配便（クーリエ）」 … 217
- ⑪ 輸出書類の作成と貨物の船積み手順を把握する ………… 218
  - 船積準備から船積実行までの流れ … 218
  - 船積実行後、船積書類を送付する … 221
- ⑫ 「インボイス」の性質と記載内容を押さえる ……………… 223
  - 「インボイス」にはさまざまな呼び名・種類がある … 223
  - インボイスはすべての貿易取引で作成する … 228
- ⑬ 「梱包明細書」の性質と記載内容を押さえる ……………… 229
  - 商品の包装状態、およびその中身を明示する書類 … 229
  - 梱包明細書で重要なのは、貨物の状態を表した部分 … 229
  - 地味ながら重要なポイント「荷印（Shipping Mark）」 … 232
- ⑭ 「船荷証券」の性質と記載内容を知る………………………… 233
  - 船荷証券はさまざまな性質を持った重要書類 … 233
- ⑮ 「船荷証券」には多くの種類がある …………………………… 237
  - 「船積船荷証券」と「受取船荷証券」 … 237
  - 「指図式船荷証券」と「記名式船荷証券」 … 239
  - 「故障付き船荷証券」と「無故障船荷証券」 … 240
  - 不当に遅延した船荷証券は「期間経過船荷証券」となる … 241
  - 国際複合一貫輸送では「複合運送証券」が発行される … 242
- ⑯ 「船荷証券の裏書」を理解する………………………………… 243
  - 指図式船荷証券では原則必要となる裏書 … 243
  - 記名式船荷証券の場合は記名式裏書 … 245
- ⑰ 航空輸送の場合は、「航空運送状」が利用される ………… 246
  - 航空輸送でもっとも重要な書類 … 246
  - 混載業者を利用する際の航空運送状 … 247
  - 荷主保険が自動で付保されることが多い … 250
- ⑱ 船荷証券未着へのさまざまな対応策を知っておく ……… 251
  - 近隣国との取引では船荷証券が間に合わないことが多い … 251
  - ① 保証状（L/G）による引き取り … 252
  - ② 船荷証券（B/L）正本の一部呈示による引き取り … 253
  - ③ 元地回収（サレンダー）方式による引き取り … 254
  - ④ 海上運送状（SWB）による引き取り … 255
  - 船荷証券の形骸化が進んでいる … 257

⑲ ほかにもさまざまな種類の運送状がある ………………… 259
　どんな書類か見極めよう ……………………………………… 259
　ポイントは有価証券かどうかと、流通性があるかどうか ……… 260

第5章　貿易取引に欠かせない「保険」について把握する

① 貿易取引では「貨物海上保険」が必須！ ………………… 262
　貨物海上保険とは ……………………………………………… 262

② 貨物海上保険における「損害」の概念を押さえる ……… 263
　単独海損と共同海損の違い …………………………………… 263
　全損と分損の違い ……………………………………………… 264
　戦争やストライキ等による損害は別扱い …………………… 265

③ 貨物海上保険におけるさまざまな「保険条件」 ………… 267
　旧ICCによる保険条件 ………………………………………… 267
　新ICCによる保険条件 ………………………………………… 268
　戦争危険担保とSRCC担保 …………………………………… 271

④ 貨物海上保険の「保険金額」と「保険料」 ……………… 272
　保険金額の多くは「CIP（またはCIF）価格の110％」 ……… 272
　保険料はどのように決まるのか？ …………………………… 272

⑤ 貨物海上保険の申込方法と保険証券の入手 ……………… 273
　申込事項すべてが確定しなくても、予定保険は申し込める … 273
　海上保険申込書を作成して申し込む ………………………… 276
　海上保険証券を入手する ……………………………………… 276

⑥ 貨物海上保険の「付保区間」 ……………………………… 278
　貿易条件によって付保責任区間が異なる …………………… 278

⑦ 貨物海上保険の「裏書」についても押さえる …………… 280
　被保険者の選択と裏書 ………………………………………… 280
　裏書後の修正対応 ……………………………………………… 282

⑧ 代金回収リスクなどは「貿易保険」でカバーする ……… 283
　貿易保険とは …………………………………………………… 283
　貿易保険がカバーするのは「信用危険」と「非常危険」 …… 283
　さまざまな種類の貿易保険が用意されている ……………… 284

⑨ 国内・海外での製造物責任をカバーする「PL保険」 ……… 289
　過失がなくても賠償しなければならない可能性がある ……… 289
　輸入者も製造物責任を負っている ……………………………… 289
　輸出の場合も必要になる ………………………………………… 290

第6章　「通関」の実務と「関税」の知識

① 「輸出通関」の原則的な手順を知る ………………………… 292
　輸出するには税関長の「輸出許可」が必要 …………………… 292
　通関業者に依頼するのが一般的 ………………………………… 292

② 「輸入通関」の原則的な手順を知る ………………………… 295
　輸入の場合には、許可取得に関税等の支払いが必要 ………… 295

③ 「保税地域」と「保税運送」 ………………………………… 297
　保税地域とは？ …………………………………………………… 297
　保税地域の例外は？ ……………………………………………… 298
　本船検査と艀船検査がある ……………………………………… 299
　保税地域同士で貨物を移すには「保税運送」が必要 ………… 300

④ 通関業務に関するさまざまな特例措置 …………………… 301
　業務の実態に合わせ、さまざまな制度が用意されている …… 301

⑤ 通関業務における基本的な特例 …………………………… 302
　郵便路線の通関申告の免除 ……………………………………… 302
　携帯品の口頭輸入申告の許可 …………………………………… 302
　少額貨物の輸入申告書の作成免除 ……………………………… 302

⑥ コンテナの関税免除とコンテナ扱い ……………………… 303
　コンテナ自体の関税は特別に免除される ……………………… 303
　コンテナ輸送時に便利な「コンテナ扱い」 …………………… 303

⑦ さまざまな例外・特例を認める「AEO制度」 …………… 305
　税関での手続を簡素化する ……………………………………… 305
　認定通関業者 ……………………………………………………… 305
　特定保税運送制度等 ……………………………………………… 306
　特定輸出申告者 …………………………………………………… 306
　特例輸入申告者 …………………………………………………… 308

⑧ 法改正で変わる通関業務や通関業者等 …………………… 311
　輸出入申告官署の自由化 ………………………………………… 311
　輸出入申告官署の自由化にともなう他の改正 ………………… 311
　その他、通関業制度の主要な改正 ……………………………… 313

⑨ すぐに貨物を引き取れる「到着即時輸入許可制度」……… 314
　NACCSによる予備申告が必要 ……… 314

⑩ 輸入許可前に貨物を引き取れる「BP承認制度」………… 315
　生鮮品や季節商品などに利用できる ……… 315

⑪ 支払期日を延ばせる「関税等の納期延長制度」………… 317
　関税相当額の担保の差し入れが条件 ……… 317

⑫ ATAカルネ（通関手帳）による一時的な免税輸入 ………… 318
　一時的な輸入に利用される ……… 318
　輸入税の支払保証機能がある ……… 319

⑬ 輸出入を規制されている貨物もある ……… 320
　関税法が最大の規制法 ……… 320
　外為法による規制も重要 ……… 321
　他法令による規制も税関でチェックされる ……… 325

⑭ 「不服申立制度」についても知っておく ……… 329
　最大3回は不服を申し立てられる ……… 329

⑮ 迅速な処理を可能にする「NACCS」とは ……… 330
　いまでは通関業務のほとんどはNACCSをとおして行う ……… 330

⑯ 忘れられがちだが重要な「検疫」の手続き ……… 331
　家畜や農産品の伝染病予防を目的として行われる ……… 331

⑰ 「関税」と「消費税」等で構成される「輸入時の税目」… 333
　貨物を輸入する際に課せられる税目 ……… 333
　関税は国内産業を保護する税目 ……… 333
　3つの課税基準 ……… 334
　2つの納付方式 ……… 335

⑱ 関税の体系を理解する ……… 337
　大きく「一般税率」と「簡易税率」に分けられる ……… 337

⑲ 基本となる「一般税率」の求め方 ……… 339
　「国定税率」は国内法で定められる ……… 339
　協定税率／WTO税率とは ……… 342
　その他協定税率／EPA税率とは ……… 343
　一般税率の適用順位を知る ……… 343

⑳ 小規模輸入などでは「簡易税率」を用いることもある …… 345
　簡易税率の主な適用対象は2つ ……… 345

- ㉑ 政策的に発動される「特殊関税」は特別扱い ……………… 348
  - 友好的なWTO非加盟国に適用される「便益関税」 ……………… 348
  - WTOの取り決めに基づく「報復関税」 ……………………………… 348
  - 外国政府の補助金の効果を相殺する「相殺関税」 ………………… 349
  - 外国のダンピングに対抗する「不当廉売関税」 …………………… 350
  - 急激な輸入の増大に対応する「緊急関税」 ………………………… 350
  - 日本からの輸出品への差別的な扱いには「対抗関税」 …………… 351

- ㉒ 「関税割当制度」が適用される貨物に注意 ……………… 352
  - 特定の農水産物などが対象となる ………………………………… 352
  - 輸入割当制度と違い、二次税率の輸入制限はない ……………… 353

- ㉓ 関税の「減免税」や「戻し税」の制度を理解しておこう … 354
  - 法的な理由があれば納税義務を免除される ……………………… 354
  - 加工貿易は「減税」の対象となることが多い……………………… 354
  - 「免税」は対象品目が限定されている ……………………………… 355
  - 再輸出の場合、「戻し税」の対象となる可能性が高い…………… 356

- ㉔ 適用税率がわからない場合は、「事前教示制度」を利用する … 358
  - 税関に聞けば、関税額を教えてもらえる…………………………… 358

- ㉕ 輸入時に「原産地証明書」が必要になるケースは？ ……… 359
  - 優遇された関税率を適用する際には原則必要 …………………… 359
  - 原産地証明書を準備してもらう際の注意点 ……………………… 361

- ㉖ 日本での原産地証明書の取得方法 ……………………… 362
  - 十分な時間的余裕を持って手続きすること ……………………… 362
  - 一般原産地証明の基準は輸入時の法令を準用している ………… 362
  - EPAの特恵税率適用のためなら「特定原産地証明書」 …………… 363

- ㉗ 自己申告制度による「原産品申告書」とは …………………… 368
  - 日豪EPAでは自己申告方式で原産品申告書を提示する ………… 368
  - TPP-CPや日EU・EPA、日米貿易協定ではさらに新しい制度に … 372
  - 日米貿易協定の輸入者による特恵待遇要求（自己申告）のポイント ……… 372

第7章　「外国為替」の知識と為替変動への対応策

- ① そもそも「為替」とは何か？ ……………………………… 378
  - 為替には国内為替と外国為替がある ……………………………… 378

- ② 「外国為替相場」の仕組みを理解する……………………… 379
  - 外国為替相場には3つのレートがある …………………………… 379

③ 「対顧客相場」は毎朝、銀行店頭で公表される ……………… 381
　一般企業が利用するのは「対顧客相場」……………………………… 381
　仲値を中心に、売買の際の交換率が決められる …………………… 381

④ 「外国為替表」でさまざまな対顧客相場を理解する …… 383
　決済手段や受け渡しの時期によって相場が異なる ………………… 383

⑤ 「先物相場」についての知識も必要になる ……………… 388
　受け渡しの時期で「直物相場」と「先物相場」に分かれる ………… 388
　予約の実行時期は自由に選べる ……………………………………… 388
　先物相場の算出方法 …………………………………………………… 389

⑥ 決済通貨を日本円にして為替変動リスクを切り離す ……… 391
　日本円は国際決済も可能な通貨 ……………………………………… 391

⑦ 契約条件を上手に設定することでリスクを限定する ……… 392
　円約款でリスクを限定する …………………………………………… 392
　日本側メーカーと商社との取り決めでリスク分散する …………… 393

⑧ 「リーズ・アンド・ラグズ」による相場変動対策 ……………… 394
　為替変動のトレンドを予測して決済時期をずらす ………………… 394
　リーズ・アンド・ラグズにはさまざまな方法がある ……………… 394

⑨ 「金融取引」による運用益でリスク・ヘッジを行う ……… 396
　成約から代金回収・支払いまでの時間を利用する方法 …………… 396

⑩ 「（先物）為替予約」によるリスク・ヘッジ ………………… 398
　予約時点で代金を確定できる ………………………………………… 398

⑪ 「マリー」による為替リスク対策とは何か？ ……………… 399
　外貨債権と外貨債務が、為替変動による損益を相殺する ………… 399

⑫ 「オプション取引」によるリスク・ヘッジ方法を知る ……… 400
　行使価格での「権利」を売買する ……………………………………… 400
　通貨オプションの具体例の検証 ……………………………………… 401

⑬ 「スワップ取引」によるリスク・ヘッジ方法を知る ………… 405
　外貨の売りと買いを同時に行って採算を確定する ………………… 405

⑭ 「通貨バスケット方式」で為替変動リスクに対応する …… 406
　複数の通貨に分散することでリスクを分散する …………………… 406

第8章　「クレーム」の種類と処理方法を知る

① 貿易取引での「クレーム」は4種類ある …………… 408
　国内取引での「クレーム」とは意味が違う ………………………… 408
　クレームの種類とそれぞれの対処法を理解することが大切 ……… 408

② 「運送クレーム」はほとんどの場合、直接責任を問えない … 410
　運送契約締結の段階で、運送会社の免責を認めている …………… 410

③ 「保険クレーム」を実施する方法を知る ……………… 411
　荷卸し段階での検品が必須 …………………………………………… 411
　第3者鑑定機関による鑑定を行うことが一般的 …………………… 412

④ 「貿易クレーム」の要因と要因ごとの対処方法 ……… 413
　貿易クレームの種類を把握する ……………………………………… 413
　商品の品質・数量に関するクレームにどう対応するか …………… 414
　商品の受け渡しに関するクレームにどう対応するか ……………… 416
　代金回収や注文内容変更に関するクレームにどう対応するか …… 418

⑤ 最近は「法務クレーム」が増えている ………………… 422
　輸入でのポイントは「輸入許可」がとれるかどうか ……………… 422
　輸出では、相手国側の法令を調査しておくこと …………………… 424

⑥ クレーム処理の法的手段には何があるか? …………… 426
　契約段階で事前の取り決めをしておくことが基本 ………………… 426
　法的措置による解決は最終手段 ……………………………………… 426

特別章　すぐに使える契約書テンプレート ほか

　特別付録の利用法 …………………………………………………………… 430
　◎ 売契約書の定型約款テンプレート ……………………………………… 431
　◎ 買契約書の定型約款テンプレート ……………………………………… 435
　◎ ひと目でわかる輸出取引フロー・チャート …………………………… 439
　◎ ひと目でわかる輸入取引フロー・チャート …………………………… 440
　索　引 ………………………………………………………………………… 441

装丁……遠藤陽一（DESIGN WORKSHOP JIN,Inc.）

※本書の内容は、2020年1月末時点の法令、および予定されている法改正の内容に対応しています。

※ Microsoft、Windows、Excel、Wordなどの社名・商品名は、米国 Microsoft Corporation の米国およびその他の国における登録商標です。
※その他、本書に掲載した商品名などは、一般に各社の商標または登録商標です。
※本書では、™、® のマークは明示していません。

※制作にあたっては万全の注意を払っておりますが、万一本書の内容に関する訂正がある場合は、すばる舎HP（http://www.subarusya.jp/）、およびすばる舎リンケージHP（http://www.subarusya-linkage.jp/）の訂正情報コーナーで、訂正箇所を公表致します。

●ダウンロードファイルの利用法

　本書に登場するさまざまなテンプレートのいくつかは、本書の読者に限り、以下のウェブサイトでダウンロードできるようになっています。

> すばる舎リンケージのホームページにアクセスする
> http://www.subarusya-linkage.jp/

▼

> トップページから「ビジネステンプレート」の
> バナーボタンをクリックする

　ファイル形式は、WordファイルかPDFファイルのいずれかです。利用できるテンプレートには、図版の右上にそれぞれ以下のマークをつけてあり、ひと目でわかるように工夫してあります。ぜひご利用ください。

 Wordファイルでダウンロードできるテンプレート・書式です

 PDFファイルでダウンロードできるテンプレート・書式です

　各ファイルは、Windows環境で最適化するように作成してありますが、その他の環境でも利用可能です。
　なお、スペースに制限のある紙面に収めるために、部分的にレイアウトを変更しているファイルもあります。あらかじめご了承ください。

第1章

貿易取引の基礎知識と心構えを身に付ける

本章では、貿易取引を行ううえでのもっとも基本的な
知識や考え方を解説していきます。まずは、
こうした基礎的な部分から
理解していきましょう。

1 「貿易取引の3種の神器」を意識する

貿易取引に必須の3つの知識

　自社で貿易取引を行うには、次の図表1に示す3つの領域についての知識が必要になります。この3つの領域の知識は、いわば「貿易取引の3種の神器」です。

図表1 ◆ 貿易取引の3種の神器

- **貿易実務知識**：国際運輸・保険・為替などの貿易のルール
- **国際商品知識**：競合する商品と比較ができること
- **国際市場知識**：地域によって異なる特性

貿易実務に必要な周辺知識	
① 貿易関係法・規則	⑥ 運輸保険・貿易保険
② 貿易マーケティング	⑦ 通関知識
③ 国際条約	⑧ 外国為替と貿易金融
④ 貿易条件	⑨ 国際与信とクレーム処理
⑤ 国際運輸	⑩ 貿易書類とその流れ　など

「貿易実務知識」を身に付け、取引ルールを把握する

「３種の神器」の第１は、**貿易実務知識**です。

どんなスポーツにもルールがあるように、貿易というビジネスにも実務の段階でさまざまなルールが存在します。貿易取引は国際運輸や保険、外国為替など、広範囲な分野にまたがって行われるため、これらの各分野それぞれを規定するルールを、しっかり学ばなければなりません。

貿易取引は、さまざまな戦術や戦略を駆使する高度な知的ゲームとも言えますから、取引を規定するルールを熟知していることは、ゲームに参加するための前提条件となるのです。

「国際商品知識」を磨いて、商品を差別化する

第２に、売買対象に関する**国際商品知識**が必要です。

輸出したり輸入したりする商品の特質（長所と短所）を知り尽くし、競争品との比較をしたうえで、差別化を行うだけの知識が求められます。

まずは自らが取り扱う商品について、「価格は高価だが品質はよい」とか「他社商品に比べて使いやすい」などと、特質をしっかり分析できるようになることが重要です。

そのうえで、さらに商品のマーケティングについても考える必要があります。

たとえば、輸出品を高級品として売り出すつもりなら、高い品質を持たせて生産量を少なくし、高い価格を付けたうえで、販売する店舗も高級専門店などに絞らなければなりません。広告でも、高級なイメージを打ち出すための戦略が必要になってくるでしょう。

このように、自社の商品のウリを明確にしなければ、競争力を持っ

た商品で大きな利益を上げることはできません。
　そのためにも、貿易取引で取り扱う商品についての豊富な知識を習得することが重要なのです。

「国際市場知識」を持って、最適な販売戦略を構築する

　「3種の神器」の第3は、国際市場知識です。
　たとえば、日本国内で自家用車を購入するとき、代金の支払いは、銀行振り込みまたはローンを利用するのが一般的であり、現金で直接支払うことは少ないです。
　しかし、海外の発展途上国では、顧客が自家用車を購入するときは、車ディーラーに現金払いして、その自家用車を持ち帰るのが通常です。
　また、車の購入時に顧客がディーラーに厳しい値下げ要求をすることも当たり前です。
　このように、市場ごとに異なる特性があるため、それぞれを熟知し、各市場に合わせた販売戦略や取引戦略を練らなければならないのです。

　輸出にしろ輸入にしろ、これから自社で貿易取引を行おうとする経営者や現場の担当者の皆さんは、この3分野の知識を身に付けることを念頭に置いて、本書を読み進めてください。

2 これからの貿易企業の「3つの鉄則」

これからの貿易事業で、日本企業が成功するための「鉄則」についてもいくつか述べておきましょう。

① オンリー・ワンの強みを持つ

まず第1に、「この商品や技術は当社にしかできない」というような、オンリー・ワンの特色を持つことです。

海外企業との取引では、人件費の高い日本の企業は価格競争力に頼ることはできません。低価格競争は発展途上国の企業に任せ、日本企業は技術力やブランド力など、他国の企業が容易に真似できない強みや特色を持つことに注力しましょう。

最近では、工業製品分野以外でもオンリーワンを打ち出す日本企業があります。

たとえば、食文化の輸出です。

世界各国において、日本固有の文化である和食や日本酒は、外国人からも賞賛されており、オンリーワンの特色が輸出ビジネスに大きく貢献しています。

② 1つのかごに卵を全部入れるな

リスク・コントロールの観点から、一極集中の貿易や投資を避けることも重要です。

たとえば中国などは、今後とも有望市場ですが、外国企業の権利を保証する法的な運用が進んでいない国です。あまりに投資を一国のみに集中させてしまうと、数年前に発生した中国全土での大規模反日デモ暴動のときのように、自社のすべてのビジネスが吹き飛んでしまう危険もあります。

これから貿易事業を大きく展開していこうとする企業であれば、世界各地の主要な経済圏とバランスよく貿易取引を行うことで、こうしたリスクを小さくしておくべきでしょう。小見出しになっている「1つのかごに卵を全部入れるな」というのはイギリスの投資格言ですが、貿易事業の進め方にもあてはまる格言だと思います。

③ 新しい分野を切り拓く気概を持つ

輸出貿易においての日本企業の最大の強みは、高い技術力と知識やノウハウの積み重ねです。日本企業の輸出品について、外国企業に対して言葉だけでなく映像や音声、さらにITを活用して、しっかりと説明しなければなりません。

今後も、新しい産業分野において、常に世界をリードするような商品を開発し、世界の市場を舞台に活躍してくれることを期待したいものです。

輸入貿易においては、日本は外国との経済連携協定（EPA）締結によって、これまで以上にさまざまな物品を、日本市場に簡単に輸入できるようになっています。

世界の市場のなかから競争力のある商品を探し、日本の消費者の生活をさらに豊かにして、自らもしっかり利益を上げられる商売を心がけてください。

貿易取引の主要な
プレイヤーを把握する

　貿易取引を取り巻く経済情勢や、貿易事業者としての心構えが理解できたところで、具体的な貿易実務について解説していきます。まずは、貿易取引に携わるさまざまなプレイヤー、つまり当事者たちを概観していきます。

「輸出者」と「輸入者」

　当然ながら、貿易取引には商品を売る輸出者と、商品を買う輸入者がいます。この2者が、貿易取引の当事者です。

　日本から海外へ国境を越えて商品を売り渡す場合には、自社が輸出者となり、海外の企業が輸入者となります。

　逆に、海外から日本へ国境を越えて商品を買い取る場合には、自社が輸入者となり、海外の企業は輸出者となります。

貨物船を運行する「船会社」

　貿易取引では、国をまたいで商品をやり取りします。日本は島国ですから、多くの場合は船を利用した海上輸送によって商品を運送します。

　海上輸送は時間がかかりますが、費用が安く、大量の物資を運べるので大規模な貿易取引に向いているのです。

　こうした貨物の運送を行うための専門の船舶を保有し、輸出国の

開港（国際貿易に開かれた港）から目的地の開港までの貨物の運送を請け負う企業が船会社です。

近年では、コンテナによる海上輸送が一般化してコンテナ船の規模が巨大になり、船会社は船舶の建造の際に膨大な初期投資を迫られています。結果、投資コストを分担するための提携やM&Aによる再編などが進み、どの国でも国際的で巨大なグループ企業数社と、それ以外の中小会社という状況になっています。

日本については、**日本郵船、商船三井、および川崎汽船**の3社が協同出資して、今後のコンテナ船業界の核となっていくと見られています。

煩雑な船積手続を代行してくれる「海貨業者」

海上輸送のサービスを提供するのは船会社ですが、船会社が請け負うのはあくまで海上での運送だけです。売主/荷送人の工場から港まで貨物を運ぶ業務や、港での船積作業については船会社は請け負ってくれません。

特に船積作業には細かいルールが定められていて、さまざまな書類の作成も必要です。こうした煩雑な手続きや書類作成などを自社で行うのは非現実的ですから、売主/荷送人の依頼を受けて**海貨業者**が代行してくれます（ただし、最近では船会社系の海貨業者が一貫した物流業務を行う場合も見られるようになりました）。

海貨業者は輸入取引の際にも、日本の港まで運ばれてきた貨物の引き取りや配送を請け負います。場合によっては、日本語の成分表示ラベルの貼り付けや、日本語版マニュアル封入等の作業まで請け負うこともあります。

海貨業者はほとんどのケースで後述する通関業者を兼ねており、一般的には「**乙仲**（おつなか）」や「**フォワーダー**」の名称で知られています。

図表2 ◆ 貿易取引の流れとさまざまなプレイヤー①

●輸出取引、T/T送金・後払いのケース

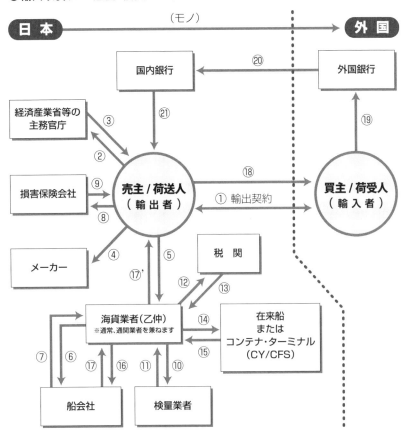

「税関」は輸出入される貨物の検査を行う

　商品のなかには、法律によって国際取引が禁止されていたり、一定の規制がかけられているものがあります。こうしたルールが守られているかをチェックをするのが、政府の機関である税関です。
　輸出にしろ輸入にしろ、税関に申告したうえで輸出許可・輸入許可をとらなければ、国を越えて貨物を移動させることは原則できません。
　また、海外から日本に輸入されてくる貨物には関税や消費税などの税金がかけられています。この関税額の確定や、確定した税金の徴収を行うのも、税関の重要な仕事の1つです。なお、税関はほかに、貿易統計の作成や保税地域（後述）の管理なども行っています。

通関手続を代行する「通関業者」

　上述の税関への輸出入申告と納税の手続きを通関手続と言いますが、この通関手続を売主／荷送人や買主／荷受人に代わって行うのが、財務大臣から許可を受けた通関業者です。
　通関手続は売主／荷送人や買主／荷受人が自分で行うこともできるのですが、手続きが煩雑なので、通関業者に依頼したほうがスムーズに取引できます（2017年10月1日より、通関業法の改正施行にともなって、通関業制度についてさまざまな制度が変更されました。詳細は第6章で後述します）。

航空輸送を行う「航空会社」

　安く大量に商品を送りたい場合には海上輸送が最適ですが、生鮮食料品や生花など、商品の性質によってはより迅速に運送しなければならないものもあります。また、ビジネスの現場では、少量でも

図表3 ◆ 貿易取引の流れとさまざまなプレイヤー❷

●輸入取引（FOB建て）、一覧払い信用状取引のケース

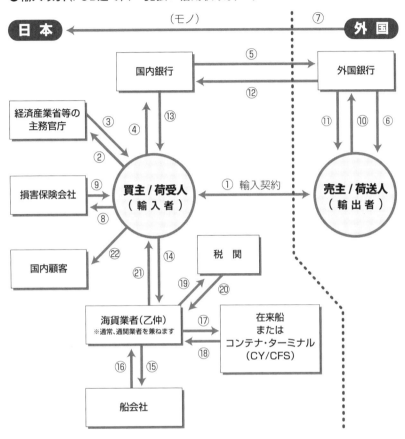

① 輸入契約締結
② 官庁に対する許認可申請
③ 官庁からの許認可取得
④ 日本側銀行に信用状（L/C）の発行依頼
⑤ 日本側銀行で信用状（L/C）を発行したあと、外国銀行に通知
⑥ 外国銀行から海外の輸出者に、信用状（L/C）の到着を通知
⑦ 海外の輸出者が信用状と契約内容のチェックをしたあと船積準備を開始
⑧ 輸入者による海上保険の申込み
⑨ 海上保険証券発行
⑩ 海外の輸出者が、船積書類（B/L、INV、P/Lなど）と荷為替手形を外国側銀行（買取銀行）へ持ち込み
⑪ 外国銀行での買取後、海外の輸出者へ支払い
⑫ 船積書類（B/L、INV、P/Lなど）と荷為替手形の日本への郵送
⑬ 日本側銀行から輸入者への郵送
⑭ 輸入者による、海貨業者（乙仲）に対する輸入貨物引き取りと輸入通関の依頼
⑮ 船荷証券（B/L）提出
⑯ 荷渡指図書（D/O）発行
⑰ 荷渡指図書（D/O）呈示
⑱ カーゴボード・ノートまたはデバンニング・レポート
⑲ 輸入通関申請（関税支払い）
⑳ 輸入許可
㉑ 輸入貨物の引き取り
㉒ 輸入商品の国内販売

よいからとにかくすぐに商品や部品が必要だ、という状況も少なくありません。

そうしたケースでは、航空機を利用した航空輸送のほうが向いています。**航空会社**は、多くの航空機を所有して、輸出国の空港から目的地の空港まで商品の運送を請け負う会社です。

航空輸送を受け付ける「航空貨物代理店」と「混載業者」

航空輸送を行うのは航空会社ですが、航空会社は通常、直接運送の受け付けを行いません。輸出者や輸入者が航空運送を依頼するときには、航空輸送の受付業務を航空会社から正式に委託された**航空貨物代理店**や、独自に集荷して航空会社に運送を依頼する**混載業者**などを利用します。

なお、これらの業者のなかには、通関手続の代行を請け負う通関業者を兼ねているところも存在します。

決済機能を一手に担う「銀行」

貿易取引では、輸出者と輸入者が直接会って現金の授受を行うことはできません。そのため、売買代金の決済は、信用状（Letter of Credit：L/C、後述）や電子貿易決済サービスを利用した取引、あるいは送金決済など、国内外の銀行を利用した方法で行われます。

特に**信用状取引**や**電子貿易決済サービス**では、売主側の銀行と買主側の銀行が登場してきます（これらについては、第3章で詳しく解説します）。

銀行はまた、決済段階以外でのさまざまな資金需要に応え、**貿易金融**という形で多様な金融サービスを貿易当事者に提供します。

貨物海上保険などを引き受ける「損害保険会社」

　貿易取引では、国を越えて商品を輸送するため、運送途中の損害に備える保険が必須です。また、代金の回収リスクや製造物責任に対するリスクをカバーする保険をかける必要もあります。
　こうした、貿易取引を行ううえでのさまざまなリスクに対応する保険商品を設計し、輸出者や輸入者などの当事者に提供してくれるのが損害保険会社です。

輸出入する貨物を一時的に保管する「倉庫業者」

　これから輸出する貨物、あるいは海外から輸入してきた貨物は、通関手続や船積手続が行われるまで、一時的に倉庫に保管されることがあります。こうした貨物の保管倉庫を運営するのが倉庫業者です。縁の下の力持ち的な存在であり、海貨業者や通関業者が倉庫業者を兼ねていることも少なくありません。

所轄官庁としての「経済産業省」や「厚生労働省」など

　取引される貨物の種類によっては、貿易に法的な規制をかけられていることがあります。これらの規制法令の所轄官庁は多岐にわたりますが、特に多いのは経済産業省、財務省、厚生労働省などです。
　輸出者や輸入者にとっては、輸出許可や輸入割当・承認を申請する相手となります。

動植物による病気の持ち込みを防ぐ「検疫所」

　目立たない存在ですが、日本に入ってくる貨物をチェックする政

府機関として、**検疫所**のことも忘れてはいけません。

　動物および植物などの貨物が、日本に病気を持ち込まないかをチェックする政府機関であり、取引する貨物が該当する場合には手続きを行わなければなりません。

　なお、検疫手続は自社で行うこともできますが、海貨業者や通関業者に、通関業務と併せて代理や代行依頼することが可能です。

貿易業務全般を代行する「商社」

　貿易に関する実務は、さまざまな専門知識やノウハウの塊です。これらの業務を自社で行うことの負担が大きい場合には、**商社**を利用することもできます。

　商社は、商品の製造者と消費者の間に立って、自らが輸出者や輸入者となって煩雑な貿易の諸業務を行う代わりに、コミッションと呼ばれる**手数料**を受け取って利益を上げます（→商社との関わり方については次節を参照）。

「ジェトロ」や「商工会議所」などの援助機関

　日本の貿易取引を振興するために、民間の機関や公的・半公的な機関がさまざまな補助サービスを提供してくれています。

　特に**独立行政法人日本貿易振興機構**、通称：ジェトロでは、貿易取引をサポートする広範なサービスを受けることができます。

　また、**商工会議所**では売り手や買い手となる企業の情報を入手できるほか、日本では原産地証明書の第三者発行機関になっています。

　貿易取引にはこのほかにもさまざまなプレイヤーが登場しますが、主な当事者は上記のとおりです。

中小企業の商社との付き合い方は？

直接貿易と間接貿易のどちらがよいか

　前節で解説した貿易取引の主要プレイヤーのなかで、貿易業務自体を代行する商社の存在を紹介しました。この「商社」は、ありとあらゆる商品を扱う**総合商社**と、特定分野の商品のみを扱う**専門商社**の２つに大きく分類できます。

　この２つのうちどちらを利用するにせよ、貿易取引でこれらの商社を利用する形態を**間接貿易**、商社を利用せず、輸出者と輸入者が直接取引をする形態を**直接貿易**と言います。

　かつての日本企業は、商社を利用した間接貿易を行うことがほとんどでしたが、物流技術や通信技術の発達にともない、最近ではそれほど規模の大きくない企業でも、直接貿易を手がけることが大変多くなっています。その影響もあり、総合商社は単なる貿易業者というよりは、海外投資、海外事業運営会社に変化しています。

一概に「どちらがよい」と言うことはできない

　直接貿易では、売り手と買い手が直接交渉できるので中間マージンを減らせるメリットがありますが、納品や代金の支払いが本当に行われるかといったリスクは、輸出者・輸入者が自社で負わなければなりません。

　逆に商社を使った間接貿易では、貿易取引の煩雑な手続きを代行

してもらえるほか、商品の納期や代金回収のリスクも自社で負わなくてよいメリットがあります。デメリットは、その分手数料がかかることと、海外の顧客や市場の情報を直接把握するのが難しくなることです。

　これから貿易取引を始める中小企業が、間接貿易にすべきか、あるいは直接貿易にすべきかは、一概に言うことはできません。それぞれの会社が置かれた状況が異なりますから、メリットとデメリットを正しく把握したうえで、自社のニーズにより合致する形態での貿易取引を行うことをお勧めします。

図表4 ◆ 直接貿易と間接貿易

●直接貿易（売主が自ら輸出者となる場合）

メリット
・中間マージンを減らせる
・海外の顧客や市場の情報を直接把握できる
・直接輸出者は、仕入等にかかる消費税等（消費税[国税]および地方消費税）を控除・還付できる（輸出取引免税制度については113ページを参照）

デメリット
・納品や代金支払いのリスクを自社で負わなくてはならない
・自社に貿易実務の知識やノウハウが必要

●間接貿易（売主が商社を通じて商品を外国に輸出する場合）

メリット
・煩雑な貿易手続を商社に代行してもらえる
・納品や代金支払いのリスクを自社で負わなくてよい

デメリット
・日本の消費税等の控除・還付のメリットを、商社が輸出者として受け取ることになるので、国内販売者は控除・還付できない
・手数料がかかる
・海外の顧客や市場の情報を直接把握できない

5 さまざまな形の「輸入」について押さえておく

「輸入総販売店」や「輸入総代理店」について理解する

輸入取引を行う際には、独占権付き販売契約（Exclusive Distributor Agreement）に関する知識が必須です。

この契約は、輸出者が輸入者に、特定の地域（通常は国）における一定の商品の販売権を独占する権利を認める契約であり、この権利のことを「一手販売権」とか「独占販売権」と言います。

この契約を輸出者と結んだ輸入者は、日本におけるその商品の**輸入総販売店**（Exclusive Distributor / Sole Distributor）になることができ、日本国内での価格決定権や販売量の調整権などを手中にできるため、非常に優位な立場に立てます。

特に、これまで日本になかった新規性の高い商品を輸入する場合には、できるだけ一手販売権を手にできるよう、輸出者と交渉することが大事になるわけです。

なお、輸入総販売店の場合には、輸入者は輸入した商品を自社の商品として販売します。ですから、商品を購入した消費者と海外の輸出者の間には、直接の売買関係は成立しません。

これに対して輸入総代理店の場合は、輸入者はあくまで輸出者の代理店です。そのため、営業活動やアフターサービスは輸入者が担当しますが、売買については消費者は海外の輸出者と直接契約を結ぶことになります。

第1章 貿易取引の基礎知識と心構えを身に付ける

並行輸入は止められない

ただし、独占権付き販売契約を結んでも、ほかの輸入業者が販売店をとおさずに原産国から直接、または第3国経由で輸入する**並行輸入**を禁止することまでは原則としてできません。

販売店側にとっては、並行輸入は自社の利益を侵害される行為ですからいい気分はしませんが、「独占的な価格形成の歯止めになる」として公正取引委員会も認めている行為ですから、防ぐことは難しいのです（防ごうとすると独占禁止法に抵触します）。

逆に考えれば、他社に目当ての商品の一手販売権を握られてしまった場合にも、並行輸入という手法で対抗できるということですから、前向きに考えて対応していくことです。

なお、並行輸入では、中間マージンを排除するので通常は正規の販売店ルートの価格よりも安い転売価格を設定できます。ただ、アフターサービスなどの面では不安が残ります。

海外の安い人件費を活用する「開発輸入」と「逆輸入」

カンボジアやミャンマーなど、人件費の安い海外で商品を委託加工・生産し、日本に輸入して販売する方法を**委託加工貿易**と言います。特に製造業として貿易取引に関わる場合には、こうした委託加工貿易についての知識も必須となるでしょう。

委託加工貿易のうち、日本企業が海外の自社工場（あるいは海外子会社や合弁企業の工場など）で商品を主体的に生産し、完成した商品や半完成品などを日本に輸入する形式を、特に**逆輸入**と言います。

これに対して、海外子会社などでの主体的な生産は行わず、海外の請負業者にアイデアや技術、ノウハウなどを伝えたうえで委託生

図表5 ◆ 輸入総販売店、輸入総代理店、並行輸入

●輸入総販売店

●輸入総代理店

●並行輸入

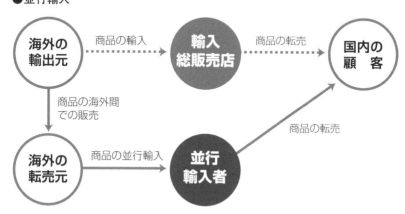

産し、完成した商品を日本に輸入する方法を**開発輸入**と言います。

　近年では、この2つの方法での輸入取引が大変盛んです。低価格かつ高品質な商品を日本の消費者へ提供するための方法として、いわば常套手段となっています。

第2章

「貿易交渉」や「契約」の実務

輸出入の実務は、市場調査や相手先探し、相手先の信用調査などから始まります。そして、交渉によって取引の条件を確定させたら、しっかりとした契約書を作成します。

1 輸出でも輸入でも、最初に「市場調査」を行う

　輸出でも輸入でも、貿易取引を行おうとする際に最初に着手する業務は、自社の輸出ターゲットあるいは輸入元となる海外市場について詳しく調べる**市場調査**（Market Research）です。まずは、その方法から解説しましょう。

調査対象となる情報には2タイプある

　市場調査で収集する情報は、主に以下の2タイプに分けることができます。

- 一般事項（「一般的情報」とも言う）
- 特定事項（「特定情報」とも言う）

　一般事項とは、ターゲットとする国や地域に関する政治・経済・地理・文化・法制度・物流インフラ・通信インフラなどの総合的な情報です。
　こうした一般事項の情報は、ジェトロや各国の在日外国総領事館、さらにはわが国の外務省や各国の政府機関が開設するウェブサイトなどで、比較的簡単に入手できます。

　これに対する**特定事項**とは、自社が海外取引を実際に行うことを目的として、特定の商品や品種、価格などに関して個別具体的に調

べた情報のことです。

　たとえば、想定消費者数とか平均市場単価、競合製品や競合他社の情報、予想需要、市場ごとの特性などが挙げられます。

　こうした特定事項の情報は、公的な情報源からだけでは十分な調査を行うことができません。そこで、海外に自社の現地法人や関係の深い取引先、あるいは代理店（Agent）や販売店（Distributor）などがあれば、これらの現地企業を通じて情報の収集を行うことが一般的です。

　また、自社社員を海外出張させ、直接現地の情勢を調べさせるという方法もよく採用されます。むしろ中小企業であれば、現地法人などを開設しているケースは少ないでしょうから、経営者自身が現地に出向き、直接市場の状況を把握することのほうが多いかもしれません。

　経営者や自社社員を現地に直接派遣する際には、現地の商業会議所から取引先候補となる企業の紹介を受けたり、国際的な見本市等の機会を利用したり、ジェトロの国内事務所の情報デスクや海外事務所のアポイントメント・サービス（→43ページ参照）を利用したりすると、スムーズな市場調査を実施できます。

　輸出でも輸入でも、上記2つの情報のタイプを意識して市場調査を行い、想定している取引が商売として成り立つかどうか、厳密に判断することが貿易取引の第1歩となります。

輸出と輸入の場合の調査項目の違い

　市場調査の方法自体は輸出でも輸入でもそう変わりませんが、収集すべき情報の性質とその収集目的は、輸出と輸入でそれぞれまったく異なります。

輸出の場合には、主に輸出先国の市場において、自社の商品がどのように受け容れられるか、現地での自社商品の適性を見ます。
　現地の競合商品に打ち勝てるだけの価格や技術力など、具体的な国際競争力の有無や、潜在需要を予測することが市場調査の主要な目的となるわけです。
　収集する情報も、そうした判断に必要な海外現地の競合商品・競合他社に関する情報や、消費者の志向や動向などに関する情報が中心となります。

　これに対して輸入の場合には、輸入しようとする商品の日本市場での適性を重点的に見ます。
　競合商品に打ち勝つ競争力の調査ももちろん必要ですが、それ以上に、日本の消費者の高い要求基準をクリアする商品を安定的に供給できるか、また、消費者保護の意識が高い日本の法規制をクリアできるかなど、輸入商品の品質や納期、法規制等についての項目を重点的にチェックすることが主要な目的となります。
　収集する情報も、日本での法規制と海外現地での法規制の違い、納期の達成状況、商品品質の客観的データなどが中心となってきます。

2 ビジネス・パートナーを探す方法を知る

　市場調査と並行して、輸出相手先あるいは輸入相手先となるビジネス・パートナーを探す必要もあります。ここでは、基本的な方法をいくつか紹介しましょう。

日本貿易振興機構（ジェトロ）を利用する

　独立行政法人日本貿易振興機構、略称：ジェトロ（Japan External Trade Organization：JETRO）は、日本政府が国際ビジネス推進のために設置した公的機関です。全世界をカバーしており、貿易取引を行おうとする日本企業にとっては、なにより頼れる存在と言えるでしょう。

　現在は世界トップクラスとなった日本のある大手家電メーカーも、昔はここで貿易を学び、世界に飛躍していったと言われています。

　国内約50ヵ所に事務所や情報デスクがあり、輸出・輸入・投資等の国際取引情報が充実していて各自で情報を調べられるほか、貿易投資相談や海外展示会等への出店支援、海賊版被害に関する相談、有望な商品の輸出支援、さらには海外のネットワークを活用しての現地調査代行なども行っています。

　また、海外約60ヵ国にも事務所があり、現地の一般事項のブリーフィングやさまざまな海外進出支援サービスを受けたり、現地企業とのアポイントメントを代理で取ってくれるアポイントメント・サー

ビスなどを利用できます。

　これから貿易取引を行おうとする会社の経営者や担当者は、その存在をフルに活用すべきでしょう。

● 日本貿易振興機構（JETRO）
　https://www.jetro.go.jp/

都道府県や政令指定都市の貿易振興機関を利用する

　ジェトロは国が設置した機関ですが、同じように各都道府県や政令指定都市が、貿易取引を推進するための機関を設置している場合があります。機関によって、特定の地域や分野に強かったり、独自のサービスを提供しているなどの強みを持っており、自社のニーズに合わせて利用を検討するといいでしょう。

　例として、筆者の地元・大阪の機関を紹介しておきます。

公益財団法人大阪産業局　国際ビジネスサポートセンター
　大阪府・大阪市の外郭団体に設置された、企業の海外ビジネスをバックアップする事業部です。
　産業界の国際化推進に熱心に取り組んでいます。

● 公益財団法人大阪産業局　国際ビジネスサポートセンター
　https://www.mydome.jp/ibo/

国内および海外の国際見本市等に参加する

　国際見本市や国際展示会では、海外企業との出会いの場が提供されています。特に、米国や欧州で行われる大規模な国際見本市は、単なる展示会ではなく商品の商談や技術的打ち合わせの場となっています。即断即決で、その場で代理店契約や販売店契約を結ぶことも珍しくありません。

　輸出であれば、こうした国際見本市等に出店企業として参加し、海外での購買者（Buyer）を探すことが可能です。出店に際しては、ジェトロなどの公的機関に支援をしてもらうのもよいでしょう。

　逆に輸入であれば、出店している企業を見て回り、魅力的な商品を生産している供給者（Supplier）を探すことができます。

　有名な国際見本市や国際展示会には、開催日程に合わせて各旅行会社がパック・ツアーを用意していたり、前述したような各貿易推進機関が縦断ツアーを用意してくれたりします。最初は、そうしたツアーを利用するのも便利でしょう。

国内および海外の商業会議所・商工会議所を利用する

　商工会議所（Chamber of Commerce & Industry：海外では「商業会議所［Chamber of Commerce］」と表記していることもある）は、それぞれの地域内で商工業の総合的な発展を支援する組織です。こうした組織は全世界にあり、**現地で訪ねれば、供給者や購買者となる企業を探す際にさまざまな支援をしてくれます**。

　また、日本国内の商工会議所でも、貿易取引が活発な地域の商工会議所では海外の商業会議所等と国際的な協力関係を結んでいることがあり、相談することで海外の商業会議所等を紹介してもらえる場合があります。

在日の外国総領事館や外国貿易振興機関を利用する

　日本にある外国の領事館（Consulate）では、商務官等を置いて日本企業との貿易取引の振興を図っています。また、日本のジェトロのような外国の貿易振興機関が、日本国内に事務所を構えていることも少なくありません。

　特に輸入取引の場合、こうした外国の政府組織は供給者の紹介に熱心です。輸入元となる国が決まっているのであれば、一度相談してみることをお勧めします。

海外ビジネス・コンサルタントを利用する

　貿易取引には専門知識が必要な場面が多いため、海外ビジネス専門のコンサルタントに取引のサポートをお願いするのも1つの方法でしょう。

　この場合、それぞれのコンサルタントごとに得意とする地域や商品分野があり、それぞれの地域・分野での供給者や購買者の情報を調査・提供してもらえます。

　なお、コンサルタントを使う場合は、業務の内容とコンサルタントへの報酬を事前にしっかり定めてから起用することも大切です。

海外のハロー・ページや企業ダイレクトリーで調べる

　海外企業の住所や電話番号等、基本的な情報を調査するには、ハロー・ページや企業ダイレクトリーといった出版物を利用するのも便利です。

　ただ、こうした情報出版物はどうしても総花的な記載になりますから、各企業の詳しい情報を知るにはあまり向きません。

インターネットの情報サイトで調べる

　もちろん、インターネットを利用して貿易取引の相手先を探すこともできます。最近では「B to B（企業対企業）」のビジネスの仲介を行う国際的なサイトも多く、少額の取引からでも利用できるので、パソコンの操作に慣れている経営者にとっては敷居がもっとも低い方法かもしれません。

　有名なサイトを、いくつか紹介しておきましょう。

- Alibaba.com（https://www.alibaba.com/）
  中国のメーカー情報・製品情報を扱うサイト
- EUROPAGES（https://www.europages.com/）
  欧州のメーカー情報を扱うサイト
- Indianexporters.com（http://www.indianexports.com/）
  インドの輸出企業情報とビジネス・マッチングを扱うサイト
- ASEAN-JAPAN CENTER
  （https://www.asean.or.jp/ja）
  ASEAN各国のメーカー製品情報を扱う公的サイト　　など

3 取引先候補が見つかったら「信用調査」を行う

貸倒れ等のトラブルとなると、回収が難しい

　外国での供給者や購買者が見つかったら、次は可能な限りその外国企業の信用調査を行います。

　貿易取引で万一、貸倒れなどがあると、自社は大きな損害を受けてしまいます。取引ごとの利幅をそれほど大きく取っていない場合には、1度の貸倒れによる被害を回復するのに、長期間かかることも珍しくありません。また、貸倒債権等の回収も、国が違いますから困難がともないます。

　特に継続的な取引を行うつもりなら、事前にしっかりと相手方の信用調査を行うべきでしょう。

3つのルートで得た情報を総合的に判断するとよい

　海外企業の信用調査には、主に以下の3つのルートを利用します。

① 国際的信用調査会社（Credit Agency）のルート
　もっとも一般的、かつ情報量の多い方法は、Credit Agencyと呼ばれる国際的な**信用調査会社**を利用する方法です。

　貿易業界の信用調査会社としては、米国に本拠を置くDun & Bradstreet Corp.（通称：ダン社）が圧倒的なシェアと伝統、世界的な情報網を持っており、多くの企業がダン社を利用して海外企業の信

用調査を行っています。

このほか、国内では帝国データバンクや東京商工リサーチ、ジェトロの国内事務所などでも信用調査を依頼できます。

これらの信用調査会社に依頼し、調査レポートを提出してもらうのが1つめのルートです。

② 銀行のルート

2つめのルートは、その外国企業の取引銀行です。この取引銀行が提出する信用情報のことを、Bank Reference と呼びます。

対象となる外国企業の了解を得たうえで、取引銀行にアクセスして信用情報の提供を依頼します。

Bank Reference では、財務内容やキャッシュフローなど、外国企業の事業内容を知るのにふさわしい情報を入手できます。

③ 各輸出入製品組合等のルート

貿易取引を行う日本企業が、商品別に組合を結成している場合があり、組合加盟企業に外国企業の倒産情報等を提供してくれることがあります。こうした、輸出入製品組合等を通じた信用情報、Trade Reference が3つめのルートとなります。

Trade Reference は、倒産や未払いなど、外国企業ごとの取引事故情報や、該当商品に関連する規制等の情報が中心となります。

外国企業の信用調査は、これら3つのルートで集めた情報を総合的に検討して行います。

ただし、これら3つのルートからの情報は、すべて間接情報にすぎません。鵜呑みにすることは避け、相手先企業の了解を得て実際に海外出張し、本社や支店、営業所、工場などを見学させてもらい、**自分の目で実地調査することがベストなのは言うまでもありません。**

信用調査の内容は「3つのC」でチェックする

　では、実際に入手したCredit Agencyの調査レポートやBank Reference等は、どのように吟味すればよいのでしょうか？

　通常は、次の「3つのC」で大まかな判断を下すことになります。

　まず、該当外国企業のこれまでの支払い振りや契約の実行実績、経営者の人柄や言動、会社の経営理念、社風、業界での評価などを示す"**誠実性（Character）**"を見ます。

　次に、企業の収益力や資金調達余力などの財務能力を示す"**資本力（Capital）**"を見ます。

　そして、営業力・技術力・開発能力・物流能力など企業の総合的な実力を表す"**企業力（Capacity）**"を見ます。

　これら3つのC（Character、Capital、Capacity）を合わせて「3C's」と言いますが、この3C'sのすべてでよい評価ができる企業であれば、まさに優良な取引相手と言えるわけです。

　ただし、実務では3C'sのすべてで評価できなくても、2つ、あるいは1つのCで評価できる企業であれば、見るべき所のある企業と言えるでしょう。

　ちなみに、3C'sに政治・経済等のその国の一般事項を表す"**国情（Conditions）**"を合わせ、4C'sとすることもあります。

貿易取引における「取引交渉」のルールと流れを理解する

市場調査を行って貿易取引の相手先企業を探し、信用調査も行ったら、いよいよ具体的な売買交渉に入ります。

貿易取引における基本的な交渉の流れは、次のとおりです。

「承諾」に至るまで「申込み」を出し合って交渉を進める

貿易取引では、取引交渉での売買条件呈示のことを「申込み」あるいは「オファー」（Offer）と言います。原則として、申込み「オファー」は、相手方に売買条件を提示すると、その内容の修正や変更は相当期間できないので、条件提示は慎重に行ってください。

最初の売り手からの申込みで交渉が始まると、その後、売り手と買い手の間で、商品の価格・数量・支払条件など、取引のさまざまな要素について交渉が行われます。

このとき、貿易取引での交渉は、一方当事者から他方当事者への申込みの形で行われることに注意してください。一方が呈示する申込みに対して、他方が条件を変更したい場合には、「こことここを変更してほしい」という明確な意思表示を行う"他方からの申込み"の形で交渉が進められていきます。

なおこのような、一方からの申込みに対する他方からの新たな申込みは、「反対申込み」あるいは「カウンター・オファー」（Counter Offer）と言い、最初の申込みとは区別します。

たとえば、売り手が商品の価格として、最初に US$10,000.- をオ

ファーすると、買い手がUS$8,000.-なら引き取る旨の反対申込みを行います。売り手がその価格に満足すれば売買契約が成立しますが、そうでないなら、さらにUS$9,000.-と価格を変更したり、数量条件を変えるなどして、何度も反対申込みを繰り返すのです。

なお、反対申込みをされた申込みは、その時点で拒絶（Rejection）されたことになり、無効となることも覚えておいてください。交渉の途中で他方が反対申込みをせずに拒絶の意思表示をした場合も、その申込みはそこで無効になります。

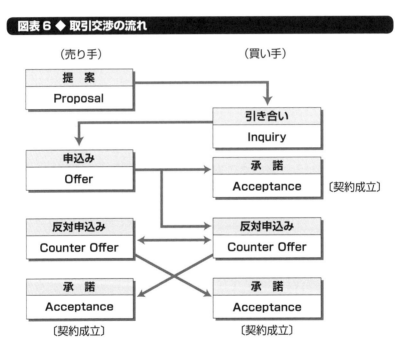

図表6 ◆ 取引交渉の流れ

さて、交渉が継続されるなかで、すべての取引条件に関して合意できる申込みが一方からなされたら、他方がその申込みを受け容れる意思表示をします。この受け容れの意思表示のことを、貿易取引では「承諾（Acceptance）」と言い、承諾によってその契約が成立

します。なお、承諾は買い手でも売り手でも、どちらの側からでも表明できます。

これらの交渉は、口頭で行われることも少なくありませんが、通常はEメールやファックスなどの文字情報をベースに行われます。また、交渉に使用される言語は通常英語です。
ちなみに交渉の過程では、申込みとは別に見積書の呈示を買い手から求められることもありますので、Quotation（見積書）という英単語を覚えておきましょう。
国内取引では見積書や提案書を相手方に提出すると、内容の修正は商慣習上、一般的には許されません。しかし、貿易取引における見積書、Quotationは修正することが可能です。

別途条件を付ける申込みもある

上述したとおり、申込みとは、商品の売買に関して行われる一方からの契約成立に向けた重要条件の呈示です。取引交渉はこの申込みに対して、反対申込みを双方から繰り返すことによって進められ、どこかの時点で一方から承諾が得られれば契約成立となります。
この申込みには、実はいくつか種類があります。その種類によっては、申込みをする際に注意を要することがありますから、それぞれの特徴をしっかり把握しておきましょう。

● 確定申込み（Firm Offer）
呈示した条件に対して、相手方が承諾をする回答期限を設定した申込みを「確定申込み」と言います。英語をそのまま読んで、単に「ファーム・オファー」と言うことも少なくありません。
たとえば、売り手が取引交渉の過程で呈示した申込みに対して、

承諾も反対申込みもないまま時間が経過し、原材料などの値段が変動して自社に不利な条件になってから承諾されては問題です。

こうしたトラブルを避けるために、通常の貿易交渉では、原則この確定申込みで取引条件の提案をします。

注意しなければならない点は、**確定申込みをいったん相手方に連絡すると、そこに設定した承諾の回答期限までは、撤回も変更もできない点**です（わが国では民法第521条1項による）。

たとえば、売り手がテンキーを押し間違えて1桁安い価格で輸出価格を申し込んでしまった場合でも、確定申込みであれば回答期限までは撤回できませんから、その申込みに承諾があればその値段で商品を売る法的義務が発生するので注意が必要です。

●サブコン付き申込み（Offer subject to ～）

一方からの申込みに対して承諾があっても、それだけでは契約の成立とはせず、申込者による確認などのサブ条件（＝サブコン）を満たしたときに、初めてその契約が有効となる申込みのことを「**サブコン付き申込み**」とか「**サブコン・オファー**」などと言います。

subject toのあとに契約が成立する条件を示す英文が入り、たとえば申込者の最終確認を条件とするときには、Offer subject to Seller's Final Confirmation（売り手確認条件付き申込み）となります。

また、Offer subject to Prior Sale（先売り御免申込み）とすれば、商品在庫に限りがある場合などに販売者から申し込まれる、複数業者対象の早い者勝ちを意味する申込みとなります。

なお、条件付きの申込みには、この2つのほかにも**契約条件不確定申込み（Offer without Engagement）**など、いくつか種類があります。

申込みには、必要な情報を すべて記載すること

スムーズな取引を行うためのポイントとなる

申込みを行う際には、その申込みの内容ですぐに取引ができるだけの以下のような情報を、相手に呈示しなければなりません。

① 商品名
② 品質
③ 価格
④ 数量
⑤ 梱包や包装の状態
⑥ 支払方法（決済方法）
⑦ 船積時期（納期）
⑧ 保険条件
⑨ その他、貿易条件や特に必要な情報　など

必要な情報が欠けている申込みでは、たとえ承諾されたとしても、契約書を作成する際に細かい条件を詰めるための交渉を別途行う必要があるため、余計な時間がかかってしまいます。

双方に認識の齟齬（そご）が起きたり、取引後にクレームが発生したりするのを防ぐためにも、申込みを行う際には必要な情報が網羅されているか必ず意識してください（→次ページ・図表参照）。なお、これらの取引条件については次節から詳しく解説していきます。

図表7 ◆ 申込みEメールの例

```
○○○           OFFER MAIL FROM SYDNEY RADE Inc.
Send  Clip  Pic  Sign

Date    : May 10, 20XX
From    : George MacDonald <george@sydney.com>
To      : D.Suzuki <d.suzuki@nihon.com>
Subject : Firm Offer
```

We thank you very much for your inquiry of April 30 regarding our wheat No.3222.
We are pleased to offer you our product on the terms and conditions as stated below.

```
Description      : WHEAT No.3222
Quantity         : 1,000 MT (1,000,000KGS)
Unit Price       : AU$1,000/MT CIP KOBE BY SEA
Total Amount     : AU$1,000,000-
Shipment         : By the end of July, 20XX
Payment          : Letter of Credit at sight
Packing          : 20kgs in paper bag
Validity of offer: by May 24, 20XX
```

We are looking forward to hearing from you.

【日本語訳】

SYDNEY RADE社からのオファー条件に関するEメール

日付   ： 20XX年5月10日
送信者   ： ジョージ・マクドナルド
宛先   ： D. 鈴木
件名   ： 確定オファー

4月30日付の、私共の小麦No.3222に関する問合わせにつき、お礼申し上げます。
弊社商品を、以下の取引条件にて喜んでオファーさせて頂きます。

品目   ： 小麦No.3222
数量   ： 1,000メトリック・トン(1,000,000キログラム)
単価   ： 1,000オーストラリア・ドル／メトリック・トン　CIP神戸(船便)
合計   ： 1,000,000オーストラリア・ドル
船積   ： 20XX年6月末まで
支払い   ： 信用状一覧払い
梱包   ： 紙袋20キログラム
申込有効期限 ： 20XX年5月24日まで

お返事をお待ち申し上げます。

見本品などを利用して「品質条件」を確定する

輸入品では品質に起因するトラブルが多い

　貿易取引、特に輸入取引では、トラブルの多くは品質条件の違いに起因します。「当社が発注した商品は、こんな低品質の安物ではない！」というようなケースが多いのです。
　こうしたトラブルは、売り手と買い手が遠く離れており、双方のビジネスに関する考え方や慣習が違うためにどうしても発生しやすくなります。そこで、事前の交渉の段階で**見本品（Sample）**などを利用し、双方が納得できるわかりやすい基準を設けることで、取引する商品の品質条件を特定することが必要になります。
　品質を特定する"ものさし"としては、以下のようにさまざまなものが利用されます。

① 見本品 (Sample)

　供給者が見本品を提供することができ、それを取り寄せる（あるいは発送する）だけの時間的な余裕もあるケースでは、取り寄せた（あるいは発送した）見本品を基準に、品質条件の特定をすることが可能です。
　こうした見本品は、無料のこともあれば、有料のこともあり、**品質見本**と呼ばれます。
　このような見本品を前提とした取引を**見本売買**と呼び、たとえば繊維の色や柄、質感など、言葉で表現することが難しい商品の品質

を特定したいときには、特に有効です。

売り手から送付された見本品を**売り手見本**(Seller's Sample)、買い手から送付された見本品を**買い手見本**(Buyer's Sample)と呼ぶほか、船積みした商品の一部を先に航空便で送る**船積見本**(Shipping Sample / Advance Sample)などの種類があります。

② **標準品 (Standard Quality)**

農水産品・林産品など、見本と実際の商品の品質を完全に一致させることが不可能な場合には、**標準品**と呼ばれる条件を設定し、その標準品の品質を前提として取引交渉を行います。

このような取引を**標準品売買**と呼びます。

この場合、実際の商品の品質と、標準品の品質の間にはどうしても差が発生しますから、その分は後日価格を調整して対応します。

標準品の基準としてよく使われるのは、農産物等に関して公的機関が定める、その収穫期の「並」品質を示す**平均中等品質条件**(Fair Average Quality Terms：FAQ)や、林産物等に関して販売可能な適切な品質であることを売り手が保証する**適商品質条件**(Good Merchantable Quality Terms：GMQ)などです。

この2つの基準による標準品は、いずれも公的な品質検査証明機関の品質検査証明書の発行によって、その品質を証明されます。

③ **ブランド (Brand)・商標 (Trademark)**

世界的に有名な商品であれば、その商品のブランドや商品名(通常は商標登録されています)、銘柄名などで品質を特定することが可能です。

こうした方法で品質条件を特定する取引を**銘柄売買**と呼び、衣料品などで多用されます。

④ 仕様書（Specification）

　薬品や化学製品などは、化学名・化学構造式・成分・比重などを示した仕様書によって品質条件を特定できます。

　同じく工業製品についても、材料・性能・耐久性などを数字で明示した仕様書によって品質条件を特定できます。

　このように、仕様書を品質の基準として使う取引のことを、**仕様書売買**と呼びます。

図表8 ◆ 品質基準を特定するさまざまな方法

品質基準として利用できるもの	説　明	具体的な基準の例
見本品 （Sample）	実物の見本品を基準にして、商品の品質条件を特定する方法です。	◎売り手見本 ◎買い手見本 ◎船積見本　など
標準品 （Standard Quality）	農水産品・林産品などで、公的な品質検査機関の定める標準品を基準にして、取引する商品の品質条件を特定する方法です。	◎平均中等品質条件（FAQ） ◎適商品質条件（GMQ）など
ブランド・商標 （Brand / Trademark）	ブランド名や商品名によって、取引する商品の品質条件を特定する方法です。衣料品などでよく利用されます。	◎商標登録されたブランドの名称　など
仕様書 （Specification）	化学製品や薬品、工業製品などで、商品の仕様を指定することで品質条件を特定する方法です。	◎化学式、物質名 ◎材料、成分 ◎基準性能、ノー・ミス回数 ◎比重、純度　など
規格品 （Grade / Type）	国際的に認知されている、公的な規格を指定することで、取引する商品の品質条件を特定する方法です。	◎ISO ◎日本産業規格（JIS） ◎ドイツ工業規格（DIN）など
その他、図面や説明書 （Others）	設計図面や商品の説明書などを利用して、品質条件を特定する方法です。	◎商品マニュアル ◎設計図面　など

⑤ 規格品（Grade / Type）

　取引しようとする商品に関して、国際的に規格が定められている場合、あるいは国際的に認知されている各国の国内規格がある場合には、その規格を指定することで品質条件の特定をすることが可能です。

　こうした規格による取引を、**規格品売買**と呼びます。

　貿易取引でよく使われる規格には、JIS（**日本産業規格**）や DIN（ドイツ工業規格）、国際標準化機構の規格 ISO などがあります。

⑥ **図面 (Drawing)** や**商品説明書（Manual）**など

　このほか、製造機械や船舶など大型の受注生産商品では、設計図等の図面を使ったり、商品の説明書などを品質条件特定のための基準として利用することがあります。

見本品などは必ず保管しておく

　貿易取引では、これらの基準を"ものさし"として利用することで品質条件を特定しますが、基準として利用した見本品や標準品、仕様書、あるいは品質条件を指定するEメールなどは、万一、商品品質に起因するトラブルが起きたときのために、輸出者側・輸入者側ともに必ず一定期間保管しておきましょう。

　品質条件の基準となる物品や情報が保管されていれば、トラブルの際にどちらが責任を持つべきなのか、明確な基準をもとに冷静に話し合うことができます。

　特に見本売買の場合には、こうした保存された見本品を指して**保存見本（Keep Sample）**と呼ぶこともあります。

7 どの時点の品質なのかを意識する

通常は貿易条件によって自動的に決まる

品質条件に関しては、輸出者が保証するのがどの時点の品質なのかについても、明確に意識しておくことが重要です。

貿易取引では一般的に、次の2つの取り決めがよく利用されます。

- 船積品質条件（Shipped Quality Terms）
- 陸揚品質条件（Landed Quality Terms）

船積品質条件は輸出側で船積みした時点の品質、陸揚品質条件は輸入側で買い手に引き渡された時点の品質を、それぞれ輸出者が保証するという条件です。

これらの品質決定の基準時点は、通常、貿易条件（後述）の決定により自動的に決められます。それぞれの貿易条件のケースで、危険の範囲が売り手側から買い手側に切り替わる時点の品質が保証されると考えるのが一般的です。

このため、FOBやCIF、あるいはFCAやCPTなどでは自動的に積地品質条件に、DAPやDPUなどでは自動的に揚地品質条件として考えます（→それぞれの貿易条件について、詳しくは96ページ以降を参照）。

なお、これ以外の時点を指定したい場合には、双方で契約時に特約を結ぶことで対応します。

船積品質条件では「検査証明書」を求められることが多い

　ちなみに船積品質条件の場合は、輸入者側から見ると、本当に輸出者が約束した品質で船積みしているかどうかがわからない、という問題が発生します。

　そこで、船積み時点の商品の品質を、信頼性のある第3者機関にチェックしてもらい、証明書を発行してもらうことを契約に義務として盛り込むことがよく行われます。

　第3者機関としては、日本ではたとえば、(一社）日本海事検定協会などが利用されるほか、各国に同様の機関が設置されています。

　こうした機関によるチェックを受けると、**検査証明書**(Inspection Certificate ／ Certificate of Inspection）が発行されますので、それをその他の書類とともに輸入者に送付して、品質の保証を行うのです。

図表9 ◆ 船積品質条件と陸揚品質条件

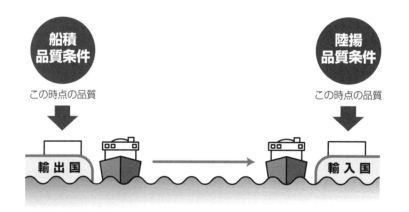

※船積品質条件の場合、品質の検査証明書を求められることが多い。

8 「価格条件」を上手に設定できれば、大きな利益を上げられる

国内取引より必要経費が増える点に注意

　国内での商売と同様、貿易取引においても、適切な価格を設定することは商売を成功させるための重要ポイントです。

　貿易取引における価格を構成する要素は、主に次の３つに分類できます。

図表10 ◆ 貿易価格を構成する3つの要素

原価　＋　利益　＋　諸掛

　このうち、「原価」は原材料費や製造費を基本として計算される価格、「利益」は自社の取り分のことです。そして、最後の「諸掛(しょがかり)」が、貿易業務に直接関わる費用です。

　諸掛は、さらに国内諸掛と国際諸掛の２つに分けることができ、国内諸掛は国内輸送費・倉庫費用・通関費用など、国際諸掛は国際輸送費や国際貨物損害保険料を指しています。

　貿易取引では、国内取引では発生しないこうした特有のコスト＝諸掛が発生しますから、取引交渉で価格条件を設定する際、国内取引と同じ感覚で価格設定しないように注意が必要です。

為替変動リスクを意識して決済通貨を選択する

　また、価格条件については、決済通貨を自国通貨・相手国通貨・第3国通貨のどれにするのかも、取引交渉時に検討・呈示しなければなりません。

　日本円建て（通貨を日本円で表示することを「日本円建て」と呼ぶ）なら、為替相場の変動リスクは生じませんが、相手方外国企業の了解を得ることが難しいケースもあります。

　外貨建て（通貨を外国通貨で表示すること）の場合には為替相場の変動リスクがあり、取引規模が大きい場合には、先物取引による為替ヘッジなどを行って、リスク回避を行うことも必要になります。

　また、相手国の通貨が国際的に使用できない**地域通貨（Local Currency）**であれば、そもそも決済通貨の選択肢には入りません。

　現実的には、**国際決済通貨である米ドル**や、ユーロ、英ポンド、日本円、そして最近では中国人民元などを選択することが一般的です。

　なお、これらの通貨は、貿易交渉では3文字の略表記で示されます。それぞれの略表記がどの通貨を意味しているのか、少なくとも国際決済通貨やよく取引をする国々の通貨に関しては、ぱっとわかるようにならなければスピーディーな取引交渉は行えないでしょう（各国通貨の略表記は、ISO4217によって定められています→右図表11参照）。

　ちなみに、コスト計算と価格決定の方法については110ページ以降で、外国為替相場については第7章で、より詳しく解説しています。

図表11 ◆ 各国通貨の略表記（ISO4217）

通貨コード	通貨名称
JPY	日本円
USD	米国ドル
EUR	ユーロ
GBP	英国ポンド
AUD	オーストラリア・ドル
NZD	ニュージーランド・ドル
CAD	カナダ・ドル
CHF	スイス・フラン
CNY	中国人民元
HKD	香港ドル
KRW	韓国ウォン
TWD	ニュー台湾ドル
SGD	シンガポール・ドル
THB	タイ・バーツ
MXN	メキシコ・ペソ
NOK	ノルウェー・クローネ
SEK	スウェーデン・クローネ
DKK	デンマーク・クローネ
CZK	チェコ・クローナ
HUF	ハンガリー・フォリント
PLN	ポーランド・ズロチ
ZAR	南アフリカ・ランド
AED	UAEディラハム
ARS	アルゼンチン・ペソ
BRL	ブラジル・レアル
INR	インド・ルピー

などなど

※このほか、$（米ドル）、¥（日本円）、£（英ポンド）、€（ユーロ）などの通貨記号もよく使われます。また、GBPを正式名称であるスターリング・ポンドの略でSTGとしたり、CNYを人民元の略称であるRMBとしたり、AUDをAU$、NZDをNZ$、CADをCA$とするなど、慣習的な略表記も多数ありますから注意が必要です。

9 数量については、利用する単位に注意！

数量を示す単位や略語をマスターする

　海外との取引交渉で**数量（Quantity）**を示す際には、さまざまな単位が使われます。こうした単位は頻繁に略語で示されますから、主要なものは理解できるようになっておかなければなりません。
　使用される単位は、地域や商品分野によっても偏りがあり、特に米国と英国では独自の単位を使用することも少なくありません。単

図表12 ◆ 貿易取引でよく使われる数量単位

区分	内容
重　量 (Weight)	1,000kg ＝ 1 metric ton (MT) 1,000MT ＝ 1 kiloton (KT)
容　積 (Measurement)	1M3 ＝ 1 cubic metre (40 cubic feet (cft) ≒ 1.133M3)
長　尺 (Length)	0.3048 metre ≒ 1 feet (ft) ＝ 1' 0.9144 metre ≒ 1 yard (yd)
面　積 (Square)	0.0929M2 ≒ 1 square feet (sft)
個　数	piece ＝ pc, each ＝ ea, dozen ＝ dz

重量トン（Weight Ton）
① 日本／フランス：メトリック・トン：1,000kg ＝ 1 metric ton ＝ 1MT
② 英国：ロング・トン：約1,016kg ＝ 1 long ton ＝ 1LT
③ 米国：ショート・トン：約907kg ＝ 1 short ton ＝ 1ST

容積トン（Measurement Ton）
① 1M3 ＝ 1M/T
② 1.133M3 ≒ 40cft ＝ 1M/T

位を勘違いしないように注意する必要があります。

左の図表12に、貿易取引でよく使われる数量単位をまとめましたから、参照してください。

特に「トン」は混同しやすい

図表12に示した各単位のうち、特に「トン（ton）」には注意が必要です。

日本人が通常考えるトンは、メートル法の重量を表す**重量トン**であり、1,000kgのことです。

しかし、ヤード・ポンド法にも重さを表す重量トンがあり、米国で使用される**米トン**（ショート・トン、ネット・トンとも言う）は907.18474kg＝2,000ポンド、英国等で使用される**英トン**（ロング・トン、グロス・トンとも言う）は1016.0469088kg＝2,240ポンドと、重さもまったく異なります。

こうした単位の混乱があるため、メートル法のトンならば「MT（M/Tとすることもあります）」、米トンならば「ST（ショート・トンの略）」、英トンならば「LT（ロング・トンの略）」と、しっかりと略表記を使い分ける必要があります。

そしてさらに、単位「トン」は容積を表すのにも使用されます。これを「**容積トン（Measurement Ton）**」と言い、1立方メートルを原則とします。

しかし、場合によっては40立方フィート（＝約1,133立方メートル）のことを1容積トンとして換算するケースもあるので、注意が必要です（なお、40立方フィートは「**40cft**」と略表記します）。

容積トンの略表記は、「M/T」とすることもありますが、重量トンと混同しやすいため「**M3**」を使うほうがいいでしょう。

そしてさらにもう1つ覚えておきたい「トン」として、世界の港湾業務で商習慣として使われる「フレート・トン（略表記は通常「FT」）」があります。

これは、1容積トンあるいは1重量トンのどちらかに達した時点で1フレート・トンとする単位で、貨物取扱いの運賃計算に利用されます。

そのため「**運賃トン**」とも言い、貿易取引を行うにあたっては知っておかねばならない単位です。

- 1 MT or 1 M3 ＝ 1 FT

という関係になりますから、しっかり理解しておきましょう。

ちなみに、字面がトンと似た「トン数」という単位もありますが、これは船舶の積載可能量などを表す単位のため、混同しないように注意してください。

このほかにも、さまざまな単位の略表記があり最初は混乱しますが、慣れると逆に便利に感じられてくるから心配無用です。

数量についても、どの時点の数量かを意識する

「船積重量条件」か「陸揚重量条件」かを決める

　取引数量に関しても、品質と同じように輸出時（船積時）または輸入時（陸揚時）のどちらを基準とするのか、取引交渉のなかで明確にしておかなければなりません。

　貿易取引では、当然ながら国内取引よりも商品の運送に時間がかかります。商品によっては、その過程で乾燥や蒸発、湿気の吸着、あるいは運送中の減耗などによって重量や数量が変化することがあります。

　そのため、船積みしたときの重量を基準とするのか（**船積重量条件**：Shipped Weight Terms）、陸揚げしたときの重量を基準とするのか（**陸揚重量条件**：Landed Weight Terms）、事前に確定しておく必要があるのです。

　これらは原則、品質条件の場合と同じように貿易条件によって自動的に決まります。また、危険の範囲が切り替わる時点が基準時点になる点も同様です（貿易条件、危険の範囲→84ページ以降参照）。

　船積重量条件の場合には輸入者からの確認が不可能なので、検査証明書の添付を義務付けることが多く、品質のチェックと併せて第3者検査機関に依頼し、検査証明書を発行してもらいます。

　なお、原則的ではない取り決めをしたい場合には、双方で特約を結んで対応します。

11 数量条件についての そのほかの注意点

数量過不足容認条件 (More or Less Terms) とは

数量に関しては、このほかにも交渉時にいくつか条件を設定する場合があります。

たとえば小麦などの穀物貿易では、商品は梱包されておらず、正確な数量による取引を行うことは技術上困難です。

そのため、輸出者・輸入者の両当事者の合意によって、取引数量ごとに一定の過不足を容認することがあります。

これを**数量過不足容認条件**と言い、商品の種類によっては事前の交渉段階で確定しておく必要があります。

引取量の最大値あるいは最小値を設定することもある

また、取引の最低量をコンテナ単位やパレット単位とするなど、一度の売買で取引する数量の最大値や最小値を設定することもよく行われます。

最小値を設定するときには**最低引取量**とか**最低販売量**、最大値を設定するときには**最高引取量**とか**最高販売量**などと言い、通常は事務手続を効率化するために設定されます。

12 商品の包装や梱包には多くの種類がある

商品の性質や輸送方法、費用等によって変わってくる

　取引交渉では、取引する商品そのものに関する内容だけでなく、その商品の包装や梱包をどのように行って輸送するのかも、事前にしっかり合意しておきます。

　海路にしろ空路にしろ、貿易取引では国内取引とは比較にならないぐらい荒っぽく貨物が扱われることがありますから、商品が破損しないようにしっかりと梱包しておく必要があるのです。

　また当然ながら、包装や梱包の種類によってかかる費用も変わってきますから、その負担をどちらがするかも交渉で決定します。

　コンテナを利用して輸送するときには、商品の性質に合わせてさまざまなコンテナが用意されていますから、どのタイプのコンテナに積載するかも確定しておきます。

　通常のドライ・コンテナのほか、冷凍コンテナやバルク・コンテナ、タンク・コンテナ、オープン・トップ・コンテナ、フラット・ラック・コンテナなど、用途に応じてさまざまな形態のコンテナがあります。

　梱包やコンテナの主な種類を、次ページの図表13にまとめていますが、このなかで、木箱等による梱包は、外国での検疫時に害虫等の駆除済み証明が必要となることがあり、要注意です。

　これへの対策として、最近では"トライウォール"と呼ばれる強化段ボールによる梱包が利用されることもあります。

図表13 ◆ 貿易商品の主な梱包方法

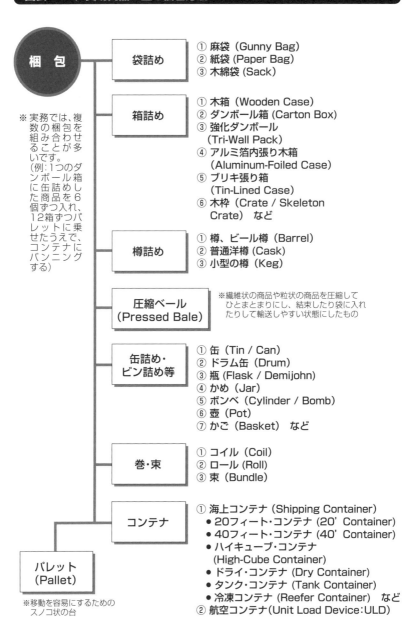

- 梱包
  - 袋詰め
    - ① 麻袋（Gunny Bag）
    - ② 紙袋（Paper Bag）
    - ③ 木綿袋（Sack）
  - 箱詰め
    - ① 木箱（Wooden Case）
    - ② ダンボール箱（Carton Box）
    - ③ 強化ダンボール（Tri-Wall Pack）
    - ④ アルミ箔内張り木箱（Aluminum-Foiled Case）
    - ⑤ ブリキ張り箱（Tin-Lined Case）
    - ⑥ 木枠（Crate / Skeleton Crate） など
  - 樽詰め
    - ① 樽、ビール樽（Barrel）
    - ② 普通洋樽（Cask）
    - ③ 小型の樽（Keg）
  - 圧縮ベール（Pressed Bale）
    - ※繊維状の商品や粒状の商品を圧縮してひとまとまりにし、結束したり袋に入れたりして輸送しやすい状態にしたもの
  - 缶詰め・ビン詰め等
    - ① 缶（Tin / Can）
    - ② ドラム缶（Drum）
    - ③ 瓶（Flask / Demijohn）
    - ④ かめ（Jar）
    - ⑤ ボンベ（Cylinder / Bomb）
    - ⑥ 壺（Pot）
    - ⑦ かご（Basket） など
  - 巻・束
    - ① コイル（Coil）
    - ② ロール（Roll）
    - ③ 束（Bundle）
  - コンテナ
    - ① 海上コンテナ（Shipping Container）
      - 20フィート・コンテナ（20' Container）
      - 40フィート・コンテナ（40' Container）
      - ハイキューブ・コンテナ（High-Cube Container）
      - ドライ・コンテナ（Dry Container）
      - タンク・コンテナ（Tank Container）
      - 冷凍コンテナ（Reefer Container） など
    - ② 航空コンテナ（Unit Load Device：ULD）
  - パレット（Pallet）
    - ※移動を容易にするためのスノコ状の台

※ 実務では、複数の梱包を組み合わせることが多いです。（例：1つのダンボール箱に缶詰めした商品を6個ずつ入れ、12箱ずつパレットに乗せたうえで、コンテナにバンニングする）

13 「支払条件」は、決済方法と支払時期の2つで特定する

商品代金の支払条件も、取引交渉のなかで必ず確定しておかなければならない内容です。支払条件は、決済方法と支払時期の2つの要素を組み合わせて決定する、と考えると理解しやすいでしょう。

押さえておきたい主な決済方法は3つ

まず決済方法については、細かく分けるといろいろとあるのですが、代表的な方法を大きく分類すると、①送金決済または外国送金（いずれも Remittance）、②荷為替手形を利用した決済、③その他電子決済等の3つに大別できます。図表にまとめると、以下のとおりです。

図表14 ◆ 主な決済方法

① 送金決済または外国送金（Remittance）	● 電信送金（Telegraphic Transfer：T/T） など
② 荷為替手形（Documentary Bill of Exchange）を利用した決済	● 信用状（Letter of Credit：L/C） ● D/P（支払書類渡し：Documents against Payment） ● D/A（引受書類渡し：Documents against Acceptance）
③ その他電子決済等	● ペイパル（PayPal）や仮想通貨／暗号資産等

注：ペイパルとは、電子メールアカウントとインターネットを利用した決済サービスを提供する米国企業のシステムのことで、日本でも少額貿易取引等で利用されています。

商品の代金を、買い手が直接売り手に送金するのが①の**送金決済**です。この場合、代金の受け取りや支払いを、日本の銀行と外国の銀行との間で、銀行振込による方法で行うものと理解しましょう。

　これに対して、商品引取に必要なさまざまな書類（船積書類）と、銀行経由で振り出す方式の請求書である為替手形を組み合わせた荷為替手形を利用し、代金の受け取りや支払いを行うのが②の**荷為替手形を利用した決済**となります。

　②のケースでは、輸出者が荷為替手形を輸出者側銀行に持ち込むことで代金が回収されることになりますが、①の場合はこうした書類を銀行に持ち込む必要はありません。

① 送金決済

　①の送金決済のうち、もっとも頻繁に使われるのは**電信送金または外国送金（Telegraphic Transfer：T/T）**です。これは、日本と海外の市中銀行間における銀行口座振込の決済方法と考えて差し支えありません。

② 荷為替手形を利用した決済

　荷為替手形を利用した決済は、信用状のある・なしによってさらに2つのタイプに分けられます。

　ちなみに**信用状（Letter of Credit：L/C）**とは、輸入者側の銀行が、輸出代金の支払いを輸出者に対して確約する支払確約書のことです（第3章で詳述します）。

● 信用状取引

　まず、信用状（L/C）に基づいて荷為替手形を作成し、決済を行う取引を**信用状取引**と言い、万一、輸入者が代金を支払えないときにも、銀行が代わりに代金を支払ってくれる点が特徴です。

輸出者にとっては、代金回収リスクを低くできる安心な決済方法であり、輸入者にとっても、輸出者による確実な商品の船積みを期待できる手法です。

　ただし、現在でも多額な貿易取引においてはよく利用されますが、銀行手数料が送金決済に比べると高いので、利用頻度は低下してきています。

● 信用状のない荷為替手形決済

　これに対して、信用状のない荷為替手形決済では、**支払書類渡し（D/P）** と呼ばれる方法と、**引受書類渡し（D/A）** と呼ばれる方法があります。

　単純化して説明すると、支払書類渡し（D/P）は、輸出者による船積み後、輸出者の作成した船積書類と為替手形（荷為替手形）が輸入者側銀行から輸入者に手渡される際、輸入者が商品代金を支払うという方法です。

　一方の引受書類渡し（D/A）は、上記の支払書類渡し（D/P）とは異なり、輸入者は輸入者側銀行から荷為替手形を受領する段階では現実の支払いを必要とせず、契約で定められた期日が経過した時点での代金支払いを約束する（これを「引き受け」と言います）だけでよい方法です。つまり、手形の満期日までは支払いを猶予されることになります（D/P、D/Aについても第3章で詳述します）。

　どちらの方法も、銀行による支払保証状である信用状がありませんし、買い手が手形を決済するまでは売り手は代金回収ができません。そのため、輸出する側にとってはかなり不利な決済方法です。

　特に引受書類渡し（D/A）の場合は、極端に言えば、買い手は将来期日での支払いを約束する（＝荷為替手形を引き受ける）だけ

で商品を手にできるのですから、買い手側にとっては非常に有利な決済方法だと言えます。

支払時期によって、どちらが有利かが大きく変わる

取引交渉における支払条件は、上述した決済方法に、支払時期を組み合わせることによって細かく確定させます。

商品の売買では、一般的に次のような代金の支払時期が考えられます。

> a. 前払い (Advanced Payment)
> b. 同時払い (Cash on Shipment / Cash on Delivery)
> c. 後払い (Deferred Payment)

このうちb.の同時払いは、貿易取引では輸出者・輸入者双方がお互い遠く離れた場所にいますから、あまり用いられません。そこで、前払いにするのか、後払いにするのかを交渉で確定させます。

なおこのとき、貿易取引での「前払い」や「後払い」の基準となるのは、売り手から買い手への商品引渡し時点に限らず、本船への貨物の船積み時点であることが多い点に注意しましょう。

① 送金決済の場合

送金決済の場合には、**前払い送金**（T/T remittance in advance）とするのか、**後払い送金**（T/T remittance at XX days after YYYY）とするのかで、輸出者と輸入者のどちらが有利となるのかが大きく変わります。

代金を前払いとすれば、輸出側にとっては代金回収リスクがなくなり非常に有利になりますが、逆に輸入側にとっては商品未着リス

クが増えて大変不利になります。

　逆に後払いとすれば、輸出側は代金回収リスクが大きくなって非常に不利になり、輸入側は商品未着リスクがなくなり大変有利になります。このように、送金決済の際には、支払時期の設定が非常に大きな意味を持ちます。

② 荷為替手形を利用した決済の場合
　一方の荷為替手形を利用した決済では、送金決済と異なり信用状、D/P、D/A いずれの方法でも後払いとなります。

　ただし、荷為替手形による決済は手形取引ですから、正確な支払時期はそれぞれの手形に設定された支払期日に拘束されます。

　手形には、名宛てされた支払人が、その手形を呈示されたときに条件が合致していれば、その確認ができ次第その場で支払う「**一覧払い**」と、呈示されてから一定期日後に支払う「**期限付き払い**」があり、手形に表示された"At Sight"という2文字の間にある空欄をハイフン（あるいは点線）などで結べば一覧払いの手形になり、at XX days after sight と日数を入れれば、「呈示されてから XX 日後を支払日として支払う」という意味の期限付き払いの手形になります（→次ページ・図表15参照）。

　なお、Eメールや船積書類等での略表記も、それぞれ「L/C at sight」とか「L/C at XX days after sight」などとなります。

　一般論で言うと、取引の初期には商品を持っている輸出側が強いので先払いとなりやすく、取引を重ねて輸入側の信用が付いてくると、次第に支払時期が後ろに延びていく傾向があります。

　それぞれの支払い方法での輸出者側・輸入者側双方にとっての有利さの度合いをまとめると、79ページの図表16のような関係になりますので参考にしてください。

図表15 ◆ 為替手形の例（信用状取引の場合のモデル・ケース）

BILL OF EXCHANGE

No.202143
FOR (① USD 120,000.00)　　　　　　　　　　NAGOYA, August 30, 20XX

一覧払いの場合は消し込みます

AT (② XXXXXXXXXXXX) SIGHT OF THIS FIRST BILL OF EXCHANGE (SECOND BEING UNPAID) PAY TO (③ The Bank of Owari, Ltd. Nagoya office) OR ORDER THE SUM OF (④ US DOLLARS ONE HUNDRED TWENTY THOUSAND ONLY) VALUE RECEIVED AND CHARGE THE SAME TO ACCOUNT OF (⑤ Wuxi Ling Electronics Co., Ltd.) DRAWN UNDER (⑥ The Commercial Bank of China, 3303 Yan-an Road, Shanghai, CHINA) L/C No. (⑦ 98765) DATED (⑧ JULY 15, 20XX.)

TO　⑨ The Commercial Bank of China　　　(⑩ SAKAE Electronics Kogyo Co., Ltd.)
　　　3303 Yan-an Road,　　　　Revenue
　　　Shanghai, CHINA　　　　　　Stamp

① 金額（アラビア数字で記入します）
② 支払期日（この例では「一覧払い」なので、日数を記入せずに消し込みます）
③ 受取者（通常、ここには輸出者側銀行名が入ります）
④ 金額（アルファベット文字で記入します）
⑤ 最終決済者名（信用状取引の場合のみ記入しますが、通常ここには輸入者名が入ります）
⑥ 信用状発行銀行名
⑦ 信用状番号
⑧ 信用状発行日
⑨ 名宛人、支払人（信用状取引では、通常、信用状発行銀行名が入ります）
⑩ 振出人（通常、輸出貨物代金を請求する輸出者名が入ります）

【日本語訳】　　　　　為替手形

　　　　　　　　　　　　　　　　手形番号　202143
12万米ドル　　　　　　　　　名古屋　20XX年8月30日

　本為替手形の第1券を一覧払いで（第2券に対して支払いが行われていないならば）尾張銀行名古屋支店（手形買取銀行）またはその指図人に対し、米ドル12万ドルの金額を支払うこと。対価は受領済みであり、同金額をWuxi Ling Electronics 株式会社に請求すること。
　（本為替手形は）中華人民共和国（住所省略）中国商業銀行が20XX年7月15日に発行した信用状第98765号に基づき振り出されたものである。

中華人民共和国　　　　　　収入　　　　サカエ電子工業株式会社
上海市延安通り3303　　　印紙
中国商業銀行　殿

図表16 ◆ 各支払方法と双方への有利さの関係

売掛金と買掛金の相殺取引の場合もある

　このほか、特に自社の海外子会社や関係の深い取引先との貿易取引では、それぞれの売掛金と買掛金を相殺することで決済をする場合もあります。

　この方法による決済のことは、「相殺（Write-off）」とか「交互計算（Open Account）」、あるいは「ネッティング（Netting）」などと呼び、すでに信頼関係のある取引先との決済で利用されます。

　決済方法や支払時期など、決済に関しては第3章でも詳しく解説していますから、詳細はそちらを確認してください。

14 「船積条件」を指定して納期を確定する

船積みの場所と期限を指定する

　貿易取引では、売買契約を交わした商品を輸出国から輸入国へ国際輸送する必要があります。その際、輸出地に停泊している船舶や航空機等の輸送機関に、輸出商品を積み込むこと、および、その輸送機関が荷積みを終えて目的地に向けて出発することを「船積み（Shipment）」と呼びます。航空輸送の場合でも、英語ではShipment（またはShipment by Air）と言いますから気を付けてください。

　さて、取引交渉ではこの船積みの時期、および船積みを行う場所も特定しなければなりません。**貿易取引では、船積期限を指定することが納期の管理上重要**ですから、国際輸送の流れやおおよその所要時間を把握して、双方にとって問題の起こらない船積期限を取り決めることが大切です。

　また、船積みを行う場所については、通常は輸出港の名前、あるいは輸出国の空港の名前で指定します。輸出港については、貿易取引が行える国際港であることも必要です（日本には全国に開港が約120あります）。

船積みの遅れに対する免責の方法

　船積時期に関しては、さまざまな理由で船舶や航空機の積荷ス

ペースが不足し、予定していた貨物を積むことができなかったり、一部貨物の積み残しが生じたりするなど、輸出者以外の責任で船積み自体が遅れることがあります。

こうした遅れが出た場合、売買契約の取り決め方によっては、輸出者が契約の不履行責任を負わされることがあります。

次のような条文を契約文書に加えることで、輸出者自身に責任のない船積みの遅れに対して、輸出者は免責されることができます。

"Shipment shall be done by the end of July, 20XX, but subject to the vessel space availability."

「積替え」や「分割船積」にも注意

船積みが予定どおりに行われることになっても、それだけではまだ安心はできません。運送中に積替え（Transshipment）が行われる場合は、直行便よりも時間がかかり、商品の到着が遅れることがあるからです。

輸出港を出港した船舶が、途中の中継港でいったん貨物を荷卸しし、その後、別の船舶が配船されるのを待ってから中継港で再度貨物を荷積みし、最終目的港に向かう運送方法を「積替え」と呼びます（「積換え」とも言います→次ページ・図表17参照）。

この場合、輸入者側で納期の遅れなどのトラブルとなることが多いのですが、貿易条件によっては輸出者がそうした事態に責任を持たないこともあります。

たとえば、CPT条件やCIP条件（→第16節、第17節を参照）では、輸出者が安価な船賃を期待して積替えのある船会社を選ぶことがありますから、事前の交渉段階で積替えがないか、確認することが必

要になります。

　輸出する側にとっても、貿易条件次第では遅れに対する責任を取らなければならなくなりますから、積替えの有無を事前に確認しなければならない点は変わりません。

図表17 ◆ 積替え

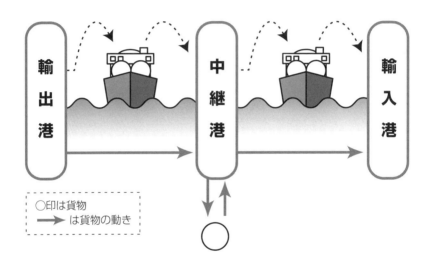

　なお、事前に契約した全数量を2回以上の複数回に分けて出荷し、船積みを実施する**分割船積**（Partial Shipment）が行われることもあり、これも遅れの原因になることがあります。

　この点についても、許容するのかしないのか、交渉の段階で事前に確認しておきます。

15 保険をかけてリスクをコントロールする

　貿易取引に関係する保険には、主に**貨物海上保険**（「海上保険」とも言う）、**貿易保険**、**PL保険**の３つがあります。交渉段階で確定しておくべき保険は、このうちの貨物海上保険です。
　保険については第５章でも詳述しますから、ここではごく簡潔に解説します。

貨物海上保険の締結者も貿易条件から自動的に決まる

　貨物海上保険は、貿易取引で船舶・航空機・トラック等を使って商品を輸送している最中に万一、不測の事故が起こった場合に、貨物が被った損害を保障する保険です。
　取引交渉のなかでは、①どんな条件の貨物海上保険を、②輸出者または輸入者のどちら側で保険契約を締結するのか、確定しておく必要があります。
　原則的には、後述する貿易条件を確定することで、②のどちらが保険契約をするかは自動的に決定されます。
　たとえば、CIF条件やCIP条件ならば、輸出者が輸入者との契約に基づいて費用を立て替えて保険をかけ、FOB条件やCFR条件並びにFCA条件やCPT条件ならば、輸入者が直接的に保険会社との間で保険をかけることになります。
　①のどんな条件の保険か、つまり、どの程度までの損害をカバーする保険にするかは、交渉のなかで両当事者が取り決めます。

16 貿易条件とインコタームズを理解する

貿易条件(Trade Terms)とは何か

　すでに何度か登場している**貿易条件**とは、貿易取引を行う際に、貿易の当事者が負うべき①**費用の範囲**、②**危険の範囲**、および取引にともなう義務等について定めた、商品受け渡しに関する条件のことです。

　その条件について、個別の貿易取引ごとにその都度、双方の交渉で決めることは実務ではまずなく、一般的には、あらかじめ国際的に取り決められている解釈基準を利用します。

　主な解釈基準としては**インコタームズ**（International Commercial Terms：INCOTERMS）があり、実務ではほとんどの貿易取引で、インコタームズに定められた規則のいずれかを、双方が合意して指定する形がとられます。

① 費用の範囲
　貿易取引では、売主が価格表示している要素に、たとえば国際運賃・輸送費や損害保険の契約掛金である保険料が含まれているのかどうかを、明確にする必要があります。インコタームズでは、アルファベット３文字の略記号によって、売り手の表示価格にこれらの費用が含まれるのか否かについて明確にします。

　たとえば、最新版である**インコタームズ2020**（後述）では、輸出・輸入通関手続やその費用、コンテナ・ターミナルにおける諸経費に

関する事柄に加え、売主または買主による業務上の手配についても明示されています（→図表18参照）。

図表18 ◆ インコタームズ2020による「費用の範囲」の例（一部）

費用	輸出出荷前	輸出接続輸送	輸出通関	本船積込	国際運送	(国際貨物損害)保険	輸入荷卸	輸入通関	輸入接続輸送
FOB	○	○	○	○	×	—	×	×	×
CFR	○	○	○	○	○	—	×	×	×
CIF	○	○	○	○	○	○	×	×	×

※○：売主側の手配と費用範囲／×：買主側の手配と費用範囲／—：ルール上、双方に義務無し（ただし、実務上は買主にて保険の手配をするのが一般的）

② 危険の範囲

　貿易取引においては、売主が買主に商品を引き渡したあと、売主・買主の両方ともに責任がないにも関わらず、商品が滅失・損傷して損害が発生する場合があります。

　たとえば、売主と買主の契約で、商品の引渡しを、売主側の輸出港に停泊している船の上で行うことにした、と仮定します。このとき、以下のようなトラブルが発生したらどうなるでしょうか？

a. 輸出契約が成立したので、売主が商品を港まで運んだところ、売主から買主への**商品引渡しの前に**、その地域で大洪水が発生し、港の埠頭に置かれていた商品が水に流されて損失が発生した。

b. 輸出港の船舶上で、売主から買主への**商品引渡しが完了したのち**、船は予定どおりに出航した。しかし、その船が巨大な台風に遭遇して沈没してしまい、貨物は失われてしまった。

　これらの事故・事件は、売主と買主の両方に責任はありません。しかし残念ながら、契約して引き渡すべきであった商品は現実的に

失われています。したがって、もし売主がその損失を負担するならば、商品代金の回収不能という結果になりますし、反面、もし買主が損失を負担するとなれば、買主は商品を受領できないにも関わらず、商品代金の支払いを売主に対して行わなければなりません。当事者間でこの紛争解決方法を事前に取り決めていなければ、双方によるその後の解決交渉が長引くのは避けられないでしょう。

　これこそが、インコタームズなどの貿易条件によって、あらかじめ「危険の範囲」について取り決めておくべき理由です（これを「危険負担の問題」、あるいは「損失負担の問題」などと言います）。

　貿易条件では、こうした損失について、両当事者が事前に契約したルールによって、「商品の引渡し」が完了する前に損失が生じた場合（a.のケース）には、売主がその損失を負担すべきであり、逆に「商品の引渡し」が完了したあとであれば（b.のケース）、買主がその損失を負担すべきとされています。つまり、**売主から買主へ、どのタイミング・場所（地点）で商品が引き渡されたと判断するかが重要なのです。**

　インコタームズでは、あらかじめ定めたいくつかの規則ごとに、この商品の引渡し地点を設定し、そこを分岐点として危険（貨物損失負担）が売主から買主に移転する、としています。貿易当事者は、それぞれの取引の都合に合致する規則を選ぶことで、売主・買主それぞれの危険の範囲について、あらかじめ決定しておくことが可能

図表19 ◆ インコタームズ2020による「危険の範囲」の例（一部）

危険	輸出出荷前	輸出接続輸送	輸出通関	輸出港本船積込前	輸出港本船積込後	本船出航後、輸入港へ
FOB	○	○	○	○	×	×
CFR	○	○	○	○	×	×
CIF	○	○	○	○	×	×

※○：売主側の危険負担／×：買主側の危険負担

になるわけです（→左図表19参照）。

　ただし、ここで注意してほしいことがあります。それは、インコタームズでは、売主から買主への貨物の引渡し場所、つまり危険の範囲が切り替わる地点と、費用の範囲が切り替わる地点とが一致しない規則がいくつか存在することです（具体的には、CFR、CIF、CPT、CIPの4規則です）。

　詳しくは後述しますが、たとえば最新版のインコタームズ2020では、FOB、CFR、CIFにおける危険の移転場所は、共通して「本船の船上に物品を置いたところ」となっています。インコタームズ2020では、売主から買主への「商品の引渡し」の地点を、3規則共通で「本船の船上に物品を置いたとき」と解釈しているからです。

　しかし費用の範囲については、これら3規則それぞれに異なります。FOBの費用に海上運賃を加算したものがCFRに、CFRの費用にさらに海上貨物保険料を加算したものがCIFになる、というように、危険の範囲と費用の範囲は必ずしも一致しないので要注意です。

● 所有権

　このほか、貿易条件のインコタームズでは、売主から買主への商品の所有権（物品に対して自由に使用・収益・処分できる権利）に関して、どの場所・時期に移転するかについては、何ら定めがないことも知っておいてください。

　所有権の移転については、売主・買主との間で定めた契約条件や商慣習、または取引の準拠法で決まることになります。

「インコタームズ2020」が最新版

　インコタームズについて、さらに詳しく把握していきましょう。

インコタームズとは、フランス国・パリに本部を置く民間機関である国際商業会議所（ICC）が、輸出入当事者の商慣習が国によって異なることから発生する取引条件の誤差や、紛争・訴訟等を防止することを目的として、輸出入取引に関して定型的な取引条件、特に当事者間の費用範囲の限界と危険範囲の限界等を定めたものです（ちなみに、日本の商工会議所は、商工会議所法に基づいて設立された法人であり、公的機関です。また国際商業会議所と日本の商工会議所は完全に別系列の組織ですから、混同しないようにしましょう）。

1936年に、定型取引条件の解釈に関する国際規則を制定したのが始まりで（つまり、インコタームズはあくまで民間のルールであり、国際条約ではありません）、その後、国際貿易取引の実態に合わせるため、1953年、1967年、1976年、1980年、1990年、2000年、2010年、および2020年に修正や追加が行われています。

1990年、2000年および2010年の改訂は、輸送方法の変化、特にコンテナ輸送、複合一貫輸送、近距離海上輸送における道路輸送車両や鉄道貨物を用いたRO／RO輸送、航空輸送などの実態に合わせたものでした。

そして2020年1月1日からは、最新版となる**インコタームズ2020**が発効しています。インコタームズ2020は、欧州連合など加盟国間における関税障壁が少ない貿易圏での取引の広がりや、商取引における電子通信の使用、物品移動の安全の高まり、そして、輸送実務の変化を考慮して改訂されました。

● インコタームズ2020の概要

インコタームズ2020では、右の図表20に示したように、全部で11種類の規則が、「いかなる単一または複数の輸送手段にも適した規則」と「海上および内陸水輸送に適した規則」の2つに大別されて用意されています。

図表20 ◆ インコタームズ2020の貿易条件一覧

■いかなる単一または複数の輸送手段(船舶・飛行機・トラック・列車・その他の単一輸送、およびそれらの組み合わせによる複合輸送)にも適した規則

EXW	EX Works	工場渡し
FCA	Free CArrier	運送人渡し
CPT	Carriage Paid To	輸送費込み
CIP	Carriage and Insurance Paid to	輸送費・保険料込み
DAP	Deliverd At Place	仕向地持ち込み渡し
DPU	Delivered At Place Unloaded	荷卸込み持ち込み渡し
DDP	Deliverd Duty Paid	輸入通関・関税込み持ち込み渡し

■海上および内陸水路輸送に適した規則

FAS	Free Alongside Ship	船側渡し
FOB	Free On Board	本船渡し
CFR	Cost and FReight	運賃込み
CIF	Cost, Insurance and Freight	運賃・保険料込み

(理論) インコタームズ2020は、原則的に過去のインコタームズ2010の理論を承継しています。そのため、インコタームズ2010がそうであったように、航空機輸送やコンテナ専用船での輸送など、物品がコンテナ・ターミナルで輸送人に引き渡されるなどして、物品が本船船上に置かれる前に商品の引渡しが完了する取引では、FOB・CFR・CIF等の規則を使用するのは不適切であるとしています。一方で、FOB・CFR・CIF等は、指定船積港において本船上での物品引渡しを行う、在来船やタンカー船などを使った輸送において使用すべきだと、これもインコタームズ2010と同様に、インコタームズ2020にも明確に規定されています(インコタームズ2010もインコタームズ2020も、航空機輸送やコンテナ専用船での輸送では、FCA・CPT・CIP等の規則を使用することをルール化しています)。〔→詳しくは後述〕

(実務) しかしながら、アジア貿易の実務においては、航空輸送やコンテナ船輸送において、使用すべきではないとされるFOBやCIFが、貿易条件として使用されるケースは少なくありません。〔→詳しくは後述〕

● インコタームズ 2010 からの変更点

① 新たな規則「DPU」

インコタームズ 2020 では、DAT（Delivered At Terminal：ターミナル持ち込み渡し）を削除して、DPU（Delivered at Place Unloaded：荷卸込み持ち込み渡し）を新設しました。

国際商業会議所の判断として、ターミナルという物理的な場所を商品引渡しの基準地点とするのではなく、貨物の荷卸義務を売主に課したうえで、その荷卸義務が完了した時点を、売主による引渡し完了の基準ポイントにする、と変更されたのです。Delivered at Place Unloaded（直訳すると「荷卸しが完了した地点で引渡し完了」）という名称は、それを意図したものであり、インコタームズ 2010 の DAT が、新たに DPU 差し替えられました。

② CIF と CIP の（海上貨物等）損害保険補償範囲の差異化

インコタームズ 2010 では、CIF・CIP の保険補償条件を、両方とも ICC（C）（→右図表 21 参照）か、同種の保険（旧協会約款の分損不担保［FPA］：→ 92 ページ・図表 22 参照）の付保義務と規定していました。

しかしインコタームズ 2020 では、このうち CIP の保険補償の条件が、ICC（A）（→右図表 21 参照）か、利用する運送手段にふさわしい同種の約款により補償範囲を満たす保険（つまり、旧協会約款の全危険担保［All Risks］：→ 92 ページ・図表 22 参照）の付保義務に変更されています。

一方で、CIF については従来どおりに、ICC（C）、または同種の

保険（旧協会約款の分損不担保［FPA］）の付保義務となっています。これは、今回のインコタームズ2020の策定段階において、相場性商品（石油・コークス等）を取り扱う伝統的海上運送関係者から、CIFについては従来の低い保険補償範囲を維持してほしいとの要望が、強くあったためだと言われています（保険の細かい内容については、別途第5章でも詳述しています）。

（実務） なお、日本の貿易実務上では、従来から海上・航空貨物等のCIF・CIPにおける保険付保条件については、ICC（A）または全危険担保（All Risks）が一般的であることに注意してください。

図表21 ◆ 新協会貨物約款の基本的な保険条件

事故の種類 \ 保険条件	ICC(A)	ICC(B)	ICC(C)
火災・爆発	○	○	○
船舶または艀の沈没・座礁	○	○	○
陸上輸送用具の転覆・脱線	○	○	○
輸送用具の衝突	○	○	○
地震・噴火・雷	○	○	×
海・湖・河川の水の輸送用具保管場所等への侵入	○	○	×
船舶への積込・荷卸中の落下による梱包1個毎の全損	○	○	×
汗濡れ	○	●	×
擦損・かぎ損	○	●	×
虫食い・ねずみ食い	○	●	×
盗難・抜き荷・不着	○	●	●
破損・まがり・へこみ	○	●	●
漏出・不足	○	●	●
汚染・混合	○	●	●
共同海損	○	○	○

※ ICC は Institute Cargo Clauses の略
※ ○ ･･･ 保険金支払いの対象となる
　　× ･･･ ICC(B) の特約として引受するのが一般的である
　　● ･･･ 特約がある場合に支払いの対象となる
ICC(A) ･･･ 旧協会約款の All Risks とほぼ同内容（包括責任主義）
ICC(B) ･･･ 特定の危険による損害を保険カバー
ICC(C) ･･･ (B) の方が (C) より広い

図表22 ◆ 旧協会貨物約款の基本的な保険条件

事故の種類＼保険条件	全危険担保（A/R）	分損担保（WA）	分損不担保（FPA）
火災・爆発	○	○	○
輸送用具の沈没・座礁	○	○	○
輸送用具の転覆・脱線	○	○	○
輸送用具の衝突	○	○	○
荒天遭遇による潮濡れ	○	○	△
雨・雪等による濡れ	○	●	×
汗濡れ	○	●	×
擦損・かぎ損	○	●	×
虫食い・ねずみ食い	○	●	×
盗難・抜き荷・不着	○	●	●
破損・まがり・へこみ	○	●	●
漏出・不足	○	●	●
汚染・混合	○	●	●
共同海損	○	○	○

※ A/RはAll Risksの略、WAはWith Averageの略、FPAはFree from Particular Averageの略。
※ ○…保険金支払いの対象となる
　△…全損の場合のみ支払いの対象となる
　×…分損担保（W.A.）の特約として引受するのが一般的である
　●…特約がある場合に支払いの対象となる

③ FCA規則に船積証明のある船荷証券が含まれた

インコタームズ2010では、FCAにおいて船積証明のある船荷証券は要求されていませんでした。

しかし、インコタームズ2020では、FCAの新たなルールとして、船積証明のある船荷証券の売主から買主への提供を認めました。

ただし、これはあくまでも「引渡し・運送書類」に関するルールとして決められたものであり、危険負担の移転基準については、従来のFCAと同様に、売主から買主への貨物引渡地点（たとえば、

港湾のコンテナ・ターミナル内）で変更はありません（→船荷証券や船積証明については、第4章で詳述）。

> **（実務）** 従来から日本の貿易実務では、FCAによる船積みにおいて、売主は船会社等から発行される船荷証券について Received B/L（受取式船荷証券）ではなく、On Board B/L または Shipped B/L（船積完了式船荷証券）にて事務処理することが一般的であり、船積証明を行っています。さらに、インコタームズ2020が想定している国際複合輸送、たとえば出発地から中継地まではトラック輸送を行い、その後、中継地から目的地までは船舶輸送で一貫輸送するような場合、通常は船舶貨物取扱業者（フォワーダー）から複合運送証券（Combined B/L、または Through B/L）が発行され、船積証明を行います。したがって、実務的には、この点についても従来と大きな変化はありません（→各種船荷証券や国際複合輸送、フォワーダー等についても第4章で詳述）。

④ その他

インコタームズ2010では、すべての規則において、第3者運送人による貨物輸送を前提としていましたが、インコタームズ2020では、FCA、DAP、DPU、DDPの規則において、売主または買主の自己運送手段による手配を認めました。

> **（実務）** 日本では、第3者運送機関である船会社・航空会社の利用が一般的であり、この点についても実務的に大きな変化はないでしょう。

また、インコタームズ2020では、安全関係の要件として、改正SOLAS条約（The International Convention for the Safety of Life at Sea：海上における人命の安全のための国際条約）と、それに基づくVGM（Verified Gross Mass：輸出コンテナ貨物総重量確定制度）を取り入れています。

次ページの図表23に、インコタームズ2020で明示されている売主と買主の義務項目を示していますが、このうち、従来から関連の規定が置かれていたA7／B7の「輸出通関／輸入通関」と、A10

／B10の「通知」以外に、A2の「引渡し」とA9／B9の「費用の分担」の義務項目に、改正SOLAS条約等の義務に対応するための新たな安全関連規定が置かれています。

図表23 ◆ インコタームズ2020に示されている売主と買主の義務項目

A 売主の義務		B 買主の義務	
A1	一般的義務	B1	一般的義務
A2	引渡し	B2	引渡しの受け取り
A3	危険の移転	B3	危険の移転
A4	運送	B4	運送
A5	保険契約	B5	保険契約
A6	引渡書類／運送書類	B6	引渡書類／運送書類
A7	輸出通関／輸入通関	B7	輸出通関／輸入通関
A8	照合／包装／荷印	B8	照合／包装／荷印
A9	費用の分担	B9	費用の分担
A10	通知	B10	通知

インコタームズ2020の理論と貿易実務の乖離

前述したように、国際商業会議所は国連などとは異なる私的機関です。したがって、国際商業会議所の定めたインコタームズ2020は、条約や法律などの強行規定とは違い、あくまで民間のルールであり、任意規則です。罰則規定があるわけでもありません。

一方で、貿易取引は、当事者である売主と買主の自由な取引契約を前提としています。国際商業会議所も、契約当事者の契約の自由を認めています。そのため、インコタームズの理論と貿易実務での商習慣などの間に、差異が生じる状況がしばしば発生します。

こうした理論と現実の乖離が特に多く発生するのは、日本企業に

よる中国やその他アジア諸国向けの貿易取引です。最新版のインコタームズ2020ではなく、インコタームズ1936などの非常に古いルールで貿易条件を定めたり、前にも少し触れたように、最近のインコタームズでは航空便やコンテナ船輸送では使うべきではないとされているFOB、CIF、CFRといった貿易条件を、そうした取引であえて利用したり、といった現実があることは知っていたほうがいいでしょう。

　ことに航空便・コンテナ船輸送での貿易条件としてFOBやCIFを多用することについては、そもそも日本政府（財務省および税関）が、外国貿易等に関する統計を策定する際に、原則として輸出統計をFOB価格で、輸入統計をCIF価格で表示する、と基本通達で規定しており、民間企業がこれらの貿易条件を継続して使用するのをやめない遠因になっているのでは、と指摘する専門家さえいます。

17 インコタームズ2020の各規則を把握する

どのような輸送形式にも適した規則

　ここからは、インコタームズ2020で定められている11種類の貿易条件について、それぞれ詳しく解説していきます。

　まずは、「どのような輸送形式についても適した規則（いかなる単一または複数の運送手段にも適した規則）」に含まれる7種類です。

① EXW（EX Works：工場渡し）

　[概要]　EXW「工場渡し」は、売主が売主の施設、または売主国側にあるその他の指定場所（たとえば売主以外の工場や倉庫）において、物品を積み込むことなく、買主の処分に委ねたときに引渡しの義務が終了します。つまり、売主は、買主の受け取りのために物品を車輌に積み込む義務はなく、また、輸出通関を行う義務もありません。よって、売主の価格表示には、原則として貨物積込前までの商品代金等の費用を表示すればよく、危険の分岐点も同じように貨物積込前となります。

　なお、このEXWを使う場合は、たとえ買主の意向によって売主が物品を輸送用車輌に積み込むことがあったとしても、物品積込開始後の費用と危険は買主の負担となることに注意してください。

　[輸出／輸入の許可・通関等の手続きおよび買主の損害保険付保]　輸出／輸入の許可取得・通関等は、すべて買主側に義務があります。国際

輸送と国際貨物（海上／航空）損害保険の契約締結義務も、売主にはありません（そのため、国際輸送・国際貨物［海上／航空］損害保険は、買主が必要に応じて、買主の国で契約締結をして、買主が保険料の支払いを損害保険会社に対して直接行うことになります）。

［物品の包装］　物品の包装については、原則として売主側で包装しなければならず、物品引渡しに関する（品質・容積・重量・個数等についての）照合作業は、売主の義務です。

しかし、輸出地における税関等での船積前検査にかかわる費用が発生した場合は、その費用は買主側にて負担することになります。

［実務上の注意（物品の引渡しと危険の分岐点）］　概要で述べたとおり、EXWでは売主の施設等で物品を買主の処分に委ねたとき、売主から買主への物品の引渡しが完了し、かつその時点で、危険の負担も売主から買主に移転します。ただし実務的には、買主が指定する売主国側の倉庫等での引渡し、というケースも多く見受けられます。この場合は、概要で述べた費用の範囲の例外として、売主は買主に対して商品代金のみならず、売主側国内でのトラック輸送費用を上乗せして代金請求をし、その費用を回収します。

図表24 ◆ EXWの概要

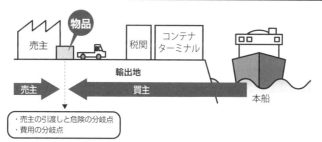

	輸出出荷前	輸出接続輸送	輸出通関	国際輸送	輸入通関	輸入接続輸送
費用	○	×	×	×	×	×
手配	○	×	×	×	×	×

※○は売主の手配義務、×は買主の手配義務

② FCA（Free CArrier：運送人渡し）

[概要]　FCA「運送人渡し」は、売主の施設、または売主国側にあるその他の合意指定地で、買主によって指名された運送人（たとえばコンテナ船会社や航空会社、またはそれらの代理人）等に物品を引き渡す条件です。物品に関する危険負担は、その施設や指定地（輸出地のコンテナ・ターミナル内など）で貨物の引渡しが完了すると、買主に移転します。

FCAでは、売主が物品の輸出通関を行いますが、輸入地での輸入通関手続や関税支払いの手続きを行う義務はありません。

図表25 ◆ FCAの概要

ケース❶：売主の施設で引き渡す場合

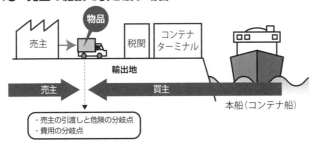

ケース❷：合意指定地で引き渡す場合
（例：輸出地のコンテナ・ターミナル内等）

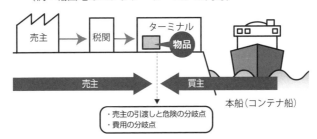

	輸出出荷前	輸出接続輸送	輸出通関	国際輸送	輸入通関	輸入接続輸送
費用	○	(○)	○	×	×	×
手配	○	(○)	○	×	×	×

※○は売主の手配義務、×は買主の手配義務、(○)はケース②の場合

［運送人（船会社・航空会社）を指定する決定権者］　FCAでは、原則として買主が運送人（コンテナ船会社や航空会社等）を指定します。そのため、買主が運送人等を指定しないことによって追加費用が発生したときは、その費用は買主が負うことになります。

［輸出通関手続の義務］　輸出地での輸出通関手続は、売主の義務となります。また輸出の際、輸出地の税関等による船積前検査が発生した場合は、その手続きは売主側の義務になります。

③ CPT（Carriage Paid To：輸送費込み）
［概要］　CPT「輸送費込み」では、売主が両当事者合意の指定地（たとえば、輸出地の港湾・空港のコンテナ・ターミナル内）で、「売主が指定した輸送人等（船会社等）」に物品を引き渡し、かつ、指定仕向地（輸入地）へ物品を運ぶために必要な国際運送契約を締結して、売主が売主側の国で、船舶等の輸送費用を直接支払うことになります。つまり、国際輸送費は船舶・航空会社が輸出国を出発する前に売主から輸送会社に支払われるので、「前払い（Prepaid）」となります。もちろん、この国際輸送費用は売主が自腹を切って費用負担するのではありません。貿易取引のなかで、売主が船会社等から請求されることになる国際輸送費を見積もり計算したうえで、商品代金等に加算したCPT価格とし、買主からその費用を取り立てて代金回収することになります。

［危険の分岐点］　CPTの場合、売主が価格表示する際、その価格には国際輸送費を含めて表示しますが、物品に関する危険の分岐点は、売主側輸出地における物品の引渡し地が原則です（→左図表25：FCAのケース❶における売主の施設や、ケース❷における合意指定地と同じです）。つまり、FCAのケース❶と同様に、売主

の施設で引き渡す場合ならば物品を第一の運送人に引き渡した地点で、ケース❷と同様に合意指定地（コンテナ・ターミナルなど）で引き渡す場合ならば、物品をその指定地内で運送人・オペレーター等に引き渡した地点で、危険が売主から買主に移転することになります（以下の図表 26 には、スペースの都合でケース❶を省略し、ケース❷の場合についてのみ概要を例示します）。

［表示価格（費用）の内容と手配の義務］　CPT では、売主の表示する価格は、物品に関する FCA 費用だけでなく Carriage（輸送費）を加算した価格費用範囲になります。輸送費とは、輸出地でのコンテナ船への荷積み費用、船賃（Freight：輸出地の岸壁から輸入地の岸壁までの運航費）、さらに輸入地での荷卸費用を理論上は含みます。これをコンテナ船の Liner Term と言います。

図表 26 ◆ CPT の概要

ケース❷：合意指定地で引き渡す場合

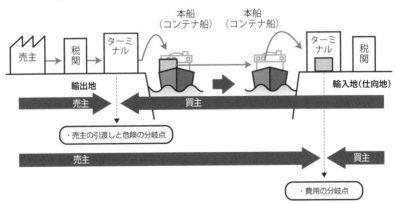

④ CIP（Carriage and Insurance Paid to：輸送費・保険料込み）

［概要］　上述のCPT条件に、国際貨物の損害保険に関する保険料を加えて、売主が価格表示する条件がCIP「輸送費・保険料込み」です。危険の分岐点についてはFCAやCPTと同様です（同じく、スペースの都合でケース❶を省略し、ケース❷の場合についてのみ概要を例示します）。

図表27 ◆ CIPの概要

ケース❷：合意指定地で引き渡す場合

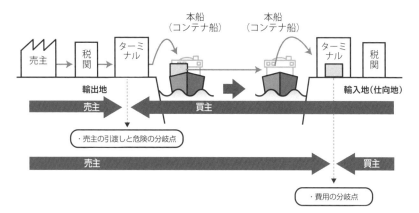

※○は売主の手配義務、×は買主の手配義務

［保険（貨物損害保険）の条件内容］　貨物の損害保険契約の保険条件としては、協会貨物約款のICC（A）、または、同種の約款（全危険担保［All Risks］）によるべきである、と規定されています。そして、この保険の契約の締結と保険料の支払いは、（もちろん売主は、輸出契約代金の回収時にその保険料を商品代金等とともに

CIP価格として買主から取り立てますが）売主が売主国側で、損害保険会社に対して行うことになります。

また、この保険は信頼のおける保険業者あるいは保険会社と契約しなければならず、かつ、物品に対する被保険者利益を有する買主その他の者が、直接、保険者（保険業者・会社）に請求できる権利がなければなりません。

またインコタームズ2020では、両者の合意によって戦争約款（後述）等の付款を、保険契約できることとしています。

図表28 ◆ CIPにおける損害保険付保範囲（特約を除く）

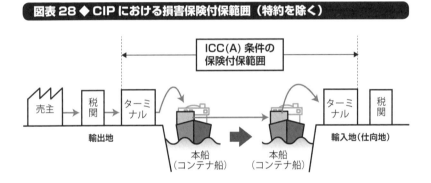

⑤ DAP（Delivered At Place：仕向地持ち込み渡し）

［概要］　DAP「仕向地持ち込み渡し」は、インコタームズ2000に規定されていたDAF、DES、DDUの3条件を、インコタームズ2010以降ひとつにまとめたものであることから、指定仕向地（輸入地）において荷卸の準備ができた時点、または、到着した輸送機関により物品が買主の処分に委ねられた時点で、売主の商品引渡しの義務が終了します。したがって、売主は、指定仕向地まで物品を運ぶ間も危険負担を負うことになります。

なお、仕向地における荷卸の費用は、原則として買主が負担すべきものですが、両者の別段の合意なく売主が負担すると、売主は買

主に対して、その費用を回収することができないと規定されています。また、DAPでは売主には輸入通関手続等を行う義務はありませんので、売主側で輸入通関等も含めて行うならば、DDP（→105ページ参照）を使用すべきである、とも規定されています。

［輸出通関と輸入通関］　DAPでは、売主は輸出通関を実行し輸出許可等を取得しなければなりませんが、輸入通関等の手続きをする義務はありません。

輸入通関手続の手配と輸入時の関税・諸税等の支払義務は買主側にあることから、仮に買主がそれらの手配や支払義務を怠ったときには、物品滅失等の危険負担は買主となることに注意してください。

図表29 ◆ DAPの概要

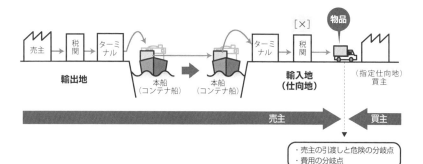

	輸出出荷前	輸出接続輸送	輸出通関	国際輸送	輸入通関	輸入接続輸送	仕向地荷卸
費用	○	○	○	○	×	○	×
手配	○	○	○	○	×	○	×

※○は売主の手配義務、×は買主の手配義務

⑥ DPU（Delivered at Place Unloaded：荷卸込み持ち込み渡し

［概要］　DPU「荷卸込み持ち込み渡し」は、インコタームズ2010のDATを削除して、インコタームズ2020で新設された規則です。指定仕向地（輸入地）で物品の荷卸を完了した時点で、売主の商品引渡し義務が終了します。したがって、売主が負う物品に関する危険負担の範囲には、買主の指定仕向地での輸送や貨物の荷卸も含まれます。

　また、売主の費用負担は、買主の指定仕向地での費用やその場所での貨物の荷卸費用も含みますが、一方で、輸入時の輸入通関手続の諸掛や、関税・間接税等の費用は含まれません。

［輸出通関と輸入通関］　DPUでは、売主には輸出通関手続を行い、輸出許可等を取得する義務がありますが、輸入通関手続の義務はないので、買主が自らの費用と危険負担で輸入通関を行います。

　輸入通関手続の手配と輸入時の関税・諸税等の支払義務は買主にあることから、仮に買主がそれらの手配や支払義務を怠ったときには、物品滅失等の危険負担は買主側となることに注意してください。

図表30 ◆ DPUの概要

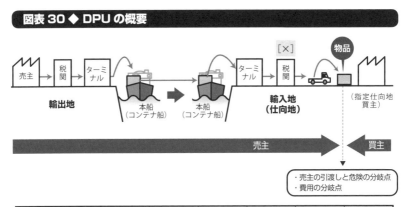

	輸出出荷前	輸出接続輸送	輸出通関	国際輸送	輸入通関	輸入接続輸送	仕向地荷卸
費用	○	○	○	○	×	○	○
手配	○	○	○	○	×	○	○

※○は売主の手配義務、×は買主の手配義務

⑦ DDP（Delivered Duty Paid：関税込み持ち込み渡し）

［概要］ DDP「関税込み持ち込み渡し」は、物品が輸入地での輸入通関後、指定仕向地において荷卸の準備が行われ、買主の処分に委ねられた状態になった時点で、売主の引渡し義務が完了します。

つまり、指定仕向地まで物品を運ぶことが売主の義務となるため、価格表示された数字には、指定仕向地までの輸出通関等手続、国際運輸・輸入通関等の手続き、および輸入地での指定仕向地までの輸入接続輸送の費用などすべてが含まれる必要があります。ただし、売主の費用には、仕向地での荷卸費用は含まれません。

また、売主は指定仕向地まで一切の危険負担を負うため、注意が必要です。

［売主の運送契約］ DDPによる契約を買主と締結すると、売主には指定仕向地まで物品の運送契約を締結する義務が生じます。

図表31 ◆ DDPの概要

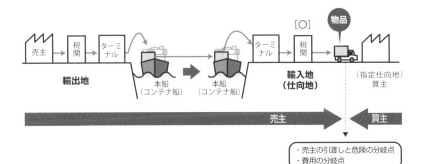

	輸出出荷前	輸出接続輸送	輸出通関	国際輸送	輸入通関	輸入接続輸送	仕向地荷卸
費用	〇	〇	〇	〇	〇	〇	×
手配	〇	〇	〇	〇	〇	〇	×

※〇は売主の手配義務、×は買主の手配義務

海上および内陸水路輸送に適した規則

次に、「海上および内陸水路輸送に適した規則」の4種類です。

⑧ FAS（Free Alongside Ship：船側渡し）

［概要］　FAS「船側渡し」は、底の浅い港などで本船が沖合に停泊しているとき、売主が輸出地の税関での輸出通関手続を完了させたのち、はしけ（本船と波止場を行き来する小型船）等を利用して沖合の本船の船側まで物品を運んで、そこで買主に貨物の引渡しを行う、という状況を想定した規則です。

［国際輸送契約と本船の指定］　買主が国際輸送機関との契約を行うので、本船の手配も買主が行います。

図表32 ◆ FASの概要

	輸出出荷前	輸出接続輸送	輸出通関	はしけ輸送	本船積込	国際運送	輸入荷卸	輸入通関
費用	◯	◯	◯	◯	×	×	×	×
手配	◯	◯	◯	◯	×	×	×	×

※◯は売主の手配義務、×は買主の手配義務

・売主の引渡しと危険の分岐点
・費用の分岐点

⑨ FOB（Free On Board：本船渡し）

［概要］　FOB「本船渡し」は、海上または内陸水路輸送で使用されるべき、とされている規則です。インコタームズ2020のルール

では、コンテナ専用船での輸送には前述したFCAを利用するのがより適切であり、FOBはコンテナ船ではない在来船（→後述）等を利用した「本船船上に貨物が置かれる」取引を対象とする、と明示されています（ただし、アジア貿易の実務では、必ずしもそのように運用されない場合があるのはすでに何度も述べているとおりです）。

さて、FOBは、売主が指定船積港において、買主によって指定された本船の船上で物品を引き渡す状況を想定しています。よって、物品に関する危険負担は、物品が本船の船上に置かれた瞬間に売主から買主に移転します。FOBでは、売主に輸出通関手続等をする義務があり、一方で輸入通関等を行う義務は買主にあります。

[国際輸送契約と本船の指定] FOBでは、FASと同様に、国際輸送機関との契約は買主が行うのが原則であり、かつ、本船の指定も原則として買主が行います。

図表33 ◆ FOBの概要

	輸出出荷前	輸出接続輸送	輸出通関	本船積込	国際運送	輸入荷卸	輸入通関	輸入接続輸送
費用	○	○	○	○	×	×	×	×
手配	○	○	○	○	×	×	×	×

※○は売主の手配義務、×は買主の手配義務

・売主の引渡しと危険の分岐点
・費用の分岐点

⑩ CFR（Cost and FReight：運賃込み）

[概要] CFR「運賃込み」も、FOBと同様に海上または内陸水路

輸送にのみ使用されるべき規則であり、コンテナ専用船ではない在来船等を利用した取引が想定されています。

CFRでは、売主が本船の船上で物品を引き渡しますが、費用の範囲には仕向港（輸入地）や、合意された仕向地点までの運賃が含まれています。そのため、その仕向地までの運送契約義務は売主にあり、通常、船賃は輸出地を出航する前に、売主によって支払われることになります（もちろんこの船賃自体は、最終的には買主が費用負担すべきものなので、売主はその船賃を含めた価格を設定し、買主から直接、CFR価格として該当費用を取り立てることになります）。

また、物品の引渡しは輸出地の船上甲板ですから、危険負担の分岐点は前述のFOBと同じ地点となります。つまり、費用の範囲と危険負担の分岐点にズレが生じるので、この点に要注意です。

［国際運送契約と本船の指定］　CFRでは、売主に国際運送契約を

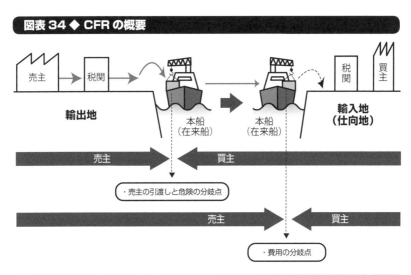

図表34 ◆ CFRの概要

	輸出出荷前	輸出接続輸送	輸出通関	本船積込	国際輸送	輸入荷卸	輸入通関	輸入接続輸送
費用	○	○	○	○	○	×	×	×
手配	○	○	○	○	○	×	×	×

※○は売主の手配義務、×は買主の手配義務

する義務があるので、本船の指定も売主が行います。

なお、輸入地での荷卸以降については、買主の義務となります。

⑪ CIF（Cost, Insurance and Freight：運賃・保険料込み）

［概要］　CIF「運賃保険料込み」も、海上または内陸水路輸送にのみ使用されるべきである、と規定されている規則です。

CIFでは、前述のCFRで規定されている義務に加えて、貨物損害保険の付保義務が売主に課されます。そして、インコタームズ2020ではこの保険の条件はCIPとは異なり、ICC（C）または同種の約款（分損不担保）によるべきと規定しています（→90ページ参照）。

［国際運送契約と本船の指定並びに保険契約］　これら両方の契約、および本船の指定は、売主の義務となります。

図表35 ◆ CIFの概要

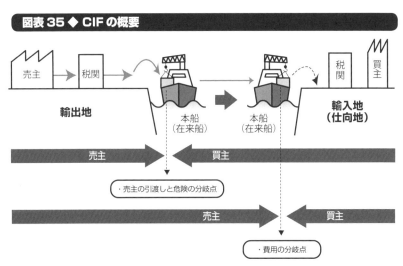

	輸出出荷前	輸出接続輸送	輸出通関	本船積込	国際輸送	(国際貨物損害)保険
費用	◯	◯	◯	◯	◯	◯
手配	◯	◯	◯	◯	◯	◯

	輸入荷卸	輸入通関	輸入接続輸送
費用	×	×	×
手配	×	×	×

※◯は売主の手配義務、×は買主の手配義務

18 コスト計算と価格決定の実例を参照する

　取引交渉に必要な基礎知識については、これでひととおり理解できたことになります。そこで、実際の交渉で呈示された条件をもとにコストを計算したり、反対申込みする価格を決定したりする際の実例を見てみましょう。

ブレイク・ダウン方式とコスト・プラス方式

　輸出でも輸入でも、収益を確保できるかどうかを事前に試算するための方法には、①ブレイク・ダウン方式と②コスト・プラス方式という2つの代表的な手法があります。

① ブレイク・ダウン方式
　この方式は、現地あるいは日本国内で販売可能な小売価格と卸売価格を調査して、その価格から必要費用等を逆算し、自らの輸出価格を決定するやり方です。
　自社の商品と競合する商品が、現地あるいは日本国内ですでに販売されている場合には、その競争品にかかっている予想必要費用を割り出して、自らの輸出価格を決める場合もあります。
　この方式は、対象マーケットの状況が把握できている場合には、特に有効な価格決定方法と言えます。

② コスト・プラス方式

　一方、よりオーソドックスなコスト計算と価格決定の方式が、コスト・プラス方式です。

　商品の材料費や仕入価格などの原価に、貿易に直接関係する輸出梱包費用・国内輸送費用・国内倉庫費用・物流業者や通関業者に支払う輸出物流費用や輸出通関代行費用などを加算して国内諸掛を算出し、そこに輸入者との契約条件に従って発生する国際輸送費や貨物海上保険料などの国際諸掛を加算します。

　そしてさらに、自社が期待する利益を加算して、最終的な価格を決定する方法です。

　なお、どちらの方法を採用するにしても、このコスト計算と価格決定の段階、つまり商売の採算を見極める段階では、収益にあまり影響しない小さな費用を神経質に集計する必要はありません。

　事前のコスト計算と価格決定の際にもっとも重要なのは、収益に大きく影響する要素を最優先に計算することです。

輸出の場合の具体例

　まずは輸出の場合です。

　日本の商社、未来商事株式会社（Mirai Trading Co., Ltd.）が、英国の取引先であるチャールズ社（CHARLES CO., LTD.）から、事務機器部品のキャスターをCIP UK main port by sea（仕向地は英国主要港、運賃・保険料は輸出者立替え、運送手段は船舶による）という条件で輸出する際の見積もりを求められたケースを見てみましょう。決済通貨は、英国ポンドとすることで合意しました。

　その他の細かい前提条件は、以下のとおりです。

品名	:	Caster (s)
数量	:	2,000 sets
仕入単価（①）	:	¥300／set
梱包	:	ダンボール箱1個につき100 sets
		合計ダンボール箱20個にて、全体の
		容積1M3および重量1MT
輸出通関等諸掛費用（②）	:	¥30／set
海上運賃（③）	:	1M3または1MTあたりBase Rate
		（後述）はUS＄200
海上保険料（⑤）	:	ICC(A)（後述）でCIP金額の
		110％に対して0.45％
見込利益（④）	:	¥58／set （売値の14.5％）
販売支払条件	:	Letter of Credit at sight(L/C A/S)
		（銀行手数料等はかからないと仮定）
為替レート	:	1US＄（米国ドル）＝100円
		1STG（英国ポンド）＝200円
		として計算

> この仕入単価は、日本国内で仕入れたときの消費税等（消費税［国税］および地方消費税）は除いた金額で計算します。輸出免税制度については右ページで詳説します。

この前提条件のもと、まずは海上運賃と海上保険料を計算します。

- 海上運賃（③）＝(US＄200 × JP¥100/$)÷2,000 ＝ ¥10
    [US＄200 / M3 or MT]

- 海上保険料（⑤）＝ ｛(CPT) × 110% × 料率｝
    　　　　　　　÷（1 － 110% × 料率）
    ＝｛(①+②+③+④) × 0.0045｝÷ 0.99505
    ＝（¥398 × 0.0045）÷ 0.99505
    ＝ ¥1.791 ÷ 0.99505
    ≒ ¥1.8（約2円）

これで必要な費用の情報がすべて揃うので、各コストに希望利益を足して価格を決定します。なお、ここではコスト・プラス方式によって計算を行っています。

仕入単価（①）	￥300／set
諸　　掛（②）	￥ 30／set
海上運賃（③）	￥ 10／set
小　　計（①+②+③）	￥340／set
見込利益（④）	￥ 58／set
海上保険料（⑤）	￥ 2／set
仮　売　値	￥400／set ↓
売　　値	STG 2／set

結果、未来商事はチャールズ社に対して、次のように記載した見積もりを送付することになりました。

- 売　値：STG 2 / set　CIP UK main port by sea

このように、まずは全体的な計算の流れを把握してください。

輸出取引免税制度について

なお、左ページで仕入単価に消費税等を含めずに計算できるのは、**輸出取引免税制度**があるためです。

日本国内の輸出者 A 社は、外国の B 社に対して商品を輸出するために日本国内の α 社から商品を仕入れるときには、仕入金額に対して消費税等10％（①消費税〔国税〕7.8％＋②地方消費税〔≒〕2.2％）

を支払って購買します。

しかし、日本のA社が外国B社に対して、その商品を輸出取引として転売するときには、日本の消費税等は外国で消費されるものには課税しないという考え方があるため、消費税等が免税されます。

もちろん、この制度を利用するには、A社が課税事業者であり、かつ直接的に（または通関業者に代理してもらって）輸出申告を日本の税関に対して行い、その許可を得るなど、一定の証明がなければなりません。

結果として、A社の輸出について、国内のα社から仕入れた商品代金に掛かる消費税等は、仕入税額を控除できるのです（さらに、還付も認められます）。

加えて、この輸出取引に関係する国際輸送費や国際通信費、そして必要な事務用品の購入費用・交際費・広告宣伝費などの経費についても、消費税等の税額の控除や還付が認められます（詳細は、国税庁ウェブサイト「タックスアンサー」内の該当ページを参照してください）。

図表36 ◆ 輸出取引免税制度

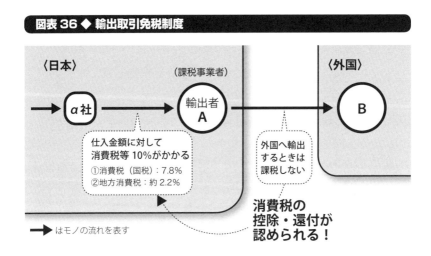

輸入の場合の具体例

輸入の場合の具体例も確認しておきましょう。ここでも、まずは全体的な計算の流れを把握してください。

日本商事株式会社（Japan Trading Co., Ltd.）が、中国の香港貿易有限公司(Hong Kong Trading Inc.)から子供用の人形（おもちゃ・玩具）を輸入するケースで、販売価格設定のために商品1個あたりの原価計算をする例を見ていきます。

この人形を製造するための金型は、中国の日系企業である日中金型製造有限公司から、日本商事株式会社が購買したもので、金型は香港貿易有限公司に無償提供されたとします。

また、人形のデザイン権（意匠権）はフランスの Quatre Saisons S.A. 社から日本商事株式会社が通常実施権を購買したもので、これも中国の香港貿易有限公司に、契約締結のうえ無償で提供されたとします。

金型代金とデザイン権の使用料は次のとおりです（今回の事例では、金型とデザインは1回のみの使用による輸入であり、金型はその後破棄してデザインの使用もこの1回のみとして計算します）。

金型代	：¥500,000.-
デザイン権使用料（ロイヤリティ）	：¥1,000,000.-

なお、香港貿易有限公司から入手している申込みの内容は、次のとおりです。

商品	：Toy doll(s)
数量	：40,920 sets
単価	：US$ 2.00／set　FCA,

船積み	:	Hong Kong October, 20XX
受け渡し	:	FCA, Mitsukura Warehouse, Hong Kong
支払条件	:	L/C at sight（一覧払い信用状）

　日本商事株式会社の物流・通関業務は、三蔵倉庫株式会社が行うこととなっており、同社は香港にも子会社があります。

　三蔵倉庫株式会社からは、次のとおり費用情報が入りました。

梱包	:	輸出用 Carton Box 1個（30 cm × 32 cm × 42 cm）に 24 sets 入りにて 0.04032 M3 の容積
	:	40 フィート・コンテナ 1 本中に、1,425 個の Carton Box（小計 57.4560 M3）および 20 フィート・コンテナ 1 本中に、280 個の Carton Box（小計 11.2896 M3）にて運送
海上運賃	:	US $ 700 ／ 40 FT および US$ 450 ／ 20 FT
YAS	:	US $ 70 ／ 40 FT および US $ 45 ／ 20 FT
FAF	:	¥ 5,000 ／ 40 FT および ¥ 2,000 ／ 20 FT
為替レート	:	1 US $ あたり 100 円換算
海上保険料	:	¥27,500.-

　このうち、YAS とは Yen Appreciation Surcharge のことで、円高発生の場合の海上運賃の割増金です。また、FAF とは Fuel

Adjustment Factor のことで、船舶燃料費高騰の場合の割増金となるものです（→201ページ参照）。

また、輸入の場合は、輸出では支払う必要のない関税についても考慮に入れることが重要です。

関税額を計算するためには、輸入する商品の実行関税率表での分類を見ます。実行関税率表を参照すると、子供用の人形（おもちゃ・玩具）は第20部・第95類で、無税であることがわかりました。

関税額の課税標準価格は、貿易条件に関わらずCIP条件での価格ですから、まずはこの数値を求めます（→関税等については第6章で詳述します）。

費用項目	金　額
FCA価格 (US$2.00／set × 40,920 sets × ¥110)	¥8,184,000.-
海上運賃 (US$700／40FT ＋ US$450／20FT)	¥115,000.-
YAS	¥11,500.-
FAF	¥7,000.-
海上保険料	¥27,500.-
金型代金	¥500,000.-
ロイヤリティ支払金	¥1,000,000.-
合　計　① (CIP課税標準価格)	¥9,845,000.-

この計算の際に注意すべきことは、輸出商品の付加価値となる金型代金やロイヤリティ支払金についても、法律上（関税定率法第4条）、加算要素として関税額の課税標準額のなかに入れる必要があることです。

さて、課税標準額が計算できたら、関税と消費税の税額を計算し、その他の国内諸掛等も加算して最終的なコストの算出をします。

子供用の人形の場合は、国内法の規定で「食品等輸入届出」が必要です。子供はおもちゃ類を手にすると、興味を持ってそのおもちゃを口に入れたりするので、このおもちゃに有害物質が含まれていないと証明することが国内法で要求されているのです。
　ここでは、その検査にかかる費用を「食品等検査料」として加算しています。

費用項目		金額 消費税率10%
関税	課税標準価格(千円未満切捨て)× 関税率	¥0
	前ページ合計①¥9,845,000× 0%	
消費税[国税]	(課税標準価格＋関税額)× 消費税[国税]率	¥767,900 (百円未満切捨て)
	(¥9,845,000 +¥0)× 7.8%	
地方消費税	消費税[国税]額 ×(22/78)	¥216,500 (百円未満切捨て)
	¥767,900×(22/78)	
通関費用		¥11,800
食品等輸入届出(代理)費用		¥10,200
輸入貨物物流取扱料		¥10,000
ECHC(Empty Container Handling Charge) (→202ページ参照)		¥30,000
コンテナ配達料		¥70,000
食品等検査料		¥20,000
合計　②		¥1,136,400

※消費税等とは消費税[国税]と地方消費税のこと。消費税等の税率が合計10%の場合は、消費税[国税]7.8%、地方消費税率はその消費税[国税]額の78分の22として計算します。

　このように計算した必要総経費（①＋②の総合計）を、必要な数量単位（ここでは set）で割れば、商品の原価を求めることがで

きます。

ただし、輸入実務において、国内に向けて転売するときには、上記消費税等（消費税［国税］額＋地方消費税）の金額を除いて再計算したうえで、転売先への物流コストや輸入転売利益等を加えて、再販売価格を求めます。

その理由は、税関に払った輸入許可時の消費税等の額は、国内向けに再販売する（つまり、再販売価格に消費税等額を上乗せして転売する）ことでカバーされるからです。

したがって、その再販売価格に、消費税等を乗せて転売するようにしましょう。

たとえば、次のとおりです（なお、転売利益額と諸経費の合計額を¥5,003,000.とします）。

まず、輸入費用合計（①＋②）から消費税等額を差し引いた金額を輸入原価とします。

そして、この輸入原価に転売利益や必要経費の全額を加えることで転売原価として計算します。

その後、転売契約が成立したら、転売原価に対して消費税等を上乗せして再販売を実施します。

費用項目	金　額	
輸入原価（①＋②－消費税等）	¥9,997,000.-	③
転売利益＋諸経費	¥5,003,000.-	④
転売原価（③＋④）	¥15,000,000.-	⑤
消費税［国税］（⑤×7.8％）	¥1,170,000.-	⑥
地方消費税（⑥×〔22/78〕）	¥330,000.-	⑦
再販売時の消費税等込み転売価格（⑤＋⑥＋⑦）	¥16,500,000.-	

19 契約書作成に関する一般的なルールを知る

　前述したように、貿易取引での売買契約は、申込みに対して一方が承諾の意思表示をしたときに成立し、必ずしも書面や記録による契約書を必要としません。

　しかし、実務ではその後、書面や記録による契約書を契約当事者の数だけ（通常は2通）作成し、当事者全員が署名したうえで、各自1通ずつ保管しておくことが一般的です。

　これらの契約書には特定の形式はなく、当事者同士で自由に作成できますが、記載される内容にはある程度ルールがあります。

定型化された「書面方式」と「電磁的記録方式」がある

　契約書は通常、それぞれの会社がある程度定型化されたフォーム、**簡易契約形式**を持っています。

　書面方式では、表面に主要な契約条件を記載する空欄が作成してあり、裏面にはその他の一般的取引条件（→128ページ参照）があらかじめ小さな文字でびっしりと印刷してあるのが、もっとも一般的に利用される契約書式です（→124ページ・126ページのサンプル参照）。

　ちなみに、こうした契約書式で、表面の空欄に記載する内容は**タイプ条項**と呼び（以前はタイプライター等により記載されていたため）、裏面にあらかじめ印刷してある細かい条項のことは**印刷条項**、あるいは**裏面約款**（りめんやっかん）と呼びます。

契約書の記載内容に関しては、「手書きの条項＞タイプされた条項＞印刷された条項」の順に優先して効力を発揮することも覚えておきましょう。

一方で、最近では国際インターネット通販等で、国際ネット販売業者側が購買者に対して、一方的に定型的な契約条項を示し、購買者の同意があれば、その国際ネット通販のシステムを利用できる、とする仕組みがあります。こうした際の契約条項は、「電磁的記録方式による定型約款」と呼ばれます。

また、契約書は輸出者・輸入者のどちらが作成するかによって、大筋では同じ内容を示していても、立場の違いから記載される文言が微妙に異なってきます。そのため、輸出者側が作成する契約書を売契約書（Sales Contract）あるいは輸出契約書（Export Contract）、輸入者側が作成する契約書を買契約書（Purchase Contract）あるいは輸入契約書（Import Contract）などと呼んで区別します。

簡易契約形式を利用しないケース

ただし、大規模なプロジェクトなど大きな金額の取引や継続的な国際取引では、こうした既存の簡易契約形式はまず利用されません。

こうしたケースでは、双方が合意した膨大な細かい取り決めをすべて記述する必要があるため、詳細な文書形式またはネット上の電磁的記録形式の契約書が利用されることが一般的であり、ページ数が何百にも及ぶことが少なくありません。

契約書を作成しないケース

また逆に、非常に小規模な取引では、契約書を取り交わす手間を

省くために契約書自体が作成されないこともあります。

　この場合は、輸入者が作成する**買注文書**（Purchase Order）と、輸出者の**注文請書**（Acknowledgement / Order Confirmation）の双方の書面が合致して、契約成立の証拠となります。

20 個別契約書の記載内容（簡易契約形式）

双方の合意内容を形にする

　個別契約書には、取引交渉の結果、双方で合意された主な取引条件が明記されます。そして、両当事者の合意のもとで、最終的に双方が署名をします。具体的な記載事項は、次のとおりです。

① 輸入者、輸出者の氏名・社名・住所
② 対象となる商品名、品質、番号、規格など（商品の特定）
③ 数量
④ 価格
⑤ 支払条件
⑥ 船積み（あるいは航空機搭載）の時期
⑦ 商品の送り先（仕向地）
⑧ 商品梱包の形態
⑨ 荷印（商品識別のために付けるマーク）
⑩ 保険
⑪ 検査
⑫ 商品の製造所、メーカー名
⑬ 証明書
⑭ その他、個々の契約で取り決めた条件　など

　次ページおよび126ページのサンプルを参照してください。

図表 37 ◆ 簡易契約書式サンプル（売契約書）

SALES CONTRACT

BUYER : Wuxi Ling Electronics Co., Ltd.	CONTRACT DATE : July 1, 20XX	CONTRACT NO. : SE-9000
	ORDER NO. : WLE-001	

DESCRIPTION	QUANTITY	UNIT PRICE	TOTAL AMOUNT
Electronics Parts		DELIVERY TERMS : CIP SHANGHAI	
SAKAE BRAND	200,000pcs	USD 0.6 / pc	USD 120,000

TOTAL :	USD 120,000

TRANSSHIPMENT :　NOT ALLOWED
PARTIAL SHIPMENT :　NOT ALLOWED
TIME OF SHIPMENT :　By August 25, 20XX
PORT OF LOADING :　Nagoya, JAPAN
PORT OF DESTINATION :　Shanghai, CHINA
PACKING :　Export Standard Packing
PAYMENT :　L / C at sight

INSURANCE :　Institute Cargo Clauses (All Risks) , the Institute War Clauses and the Institute S.R.C.C.
　　　　　　　Clauses for 110% of the invoice value endorsed in blank
INSPECTION :　done by Wuxi Ling Electronics Co., Ltd.

OTHER TERMS AND CONDITIONS :

　　Subject to general terms and conditions set forth in back .

ACCEPTED BY :
Wuxi Ling Electronics Co., Ltd.　　　　　　　　SAKAE Electronics Kogyo CO., LTD.

_____　　_____
　　　　　　　　　(Buyer)　　　　　　　　　　　　　　　　　　　(Sellers)

On　　July 1, 20XX　　　　　Please sign and return one copy.

SEE TERMS AND CONDITIONS ON REVERSE SIDE

● 簡易契約書式サンプル（売契約書、左記）の日本語訳

売契約書

買い手： Wuxi Ling Electronics 株式会社	契約日： 20XX 年 7 月 1 日	契約番号： SE-9000
	注文番号： WLE-001	

商品名	数量	単価	総額
電子部品		受渡条件：CIP 上海	
サカエ製	200,000 個	0.6US ドル/個	120,000US ドル
合計：			120,000US ドル

積替え： 許容されない
分割船積： 許容されない
船積時期： 20XX 年 8 月 25 日まで
積荷港： 日本 名古屋
仕向港： 中国 上海
梱包： 輸出用標準梱包
支払い： 信用状一覧払い

→ 双方で合意した主要な取引条件を明記します

保険：白地裏書した送り状金額の 110% を保険金額として、また保険条件は協会貨物約款（全危険担保）、協会戦争危険担保約款、協会同盟罷業騒擾暴動担保約款を担保

検査：Wuxi Ling Electronics 株式会社で実施

→ 貨物海上保険の条件や検査機関の名称も明記

その他条件：

　　　　　裏面の一般的取引条件によるものとする

契約者：
Wuxi Ling Electronics 株式会社　　　　　サカエ電子工業株式会社

_____　　　　　_____
　　　　　　（買い手）　　　　　　　　　　　　　（売り手）

日付　20XX 年 7 月 1 日

署名後一部返送してください

→ 裏面約款については特別章を参照

裏面約款をご覧下さい

※契約書テンプレートに関しては、巻末の特別章も参照してください。

図表 38 ◆ 簡易契約書式サンプル（買契約書）

PURCHASE CONTRACT

SELLER :	CONTRACT DATE :	CONTRACT NO. :
	May 24, 20XX	N-12345
SYDNEY RADE Co., Ltd.	ORDER NO. :	
	OK-418	

DESCRIPTION	QUANTITY	UNIT PRICE	TOTAL AMOUNT
		DELIVERY TERMS :	CIP Kobe by Sea
WHEAT No.3222	1,000MT	AUS$1,000 / MT	AUS$1,000,000

TOTAL :
1,000MT   AUS$1,000,000

TRANSSHIPMENT :   Not allowed   MARKING :
PARTIAL SHIPMENT :   Not allowed
TIME OF SHIPMENT :   By the end of July, 20XX   ◇ NS ◇
PORT OF LOADING :   Sydney, AUSTRALIA
PORT OF DESTINATION : Kobe, JAPAN   KOBE, JAPAN
PACKING :   20kgs in paper bag   NO.1-UP
PAYMENT :   Letter of Credit（L / C）at sight   MADE IN AUSTRALIA

INSURANCE :   By Seller
INSPECTION :   Quality inspection shall be done by third party before shipment
OTHER TERMS AND CONDITIONS :

　　　　Subject to general terms and conditions set forth in back.

ACCEPTED BY :
SYDNEY RADE Co., Ltd.   NIHON SOGO BUSSAN Co., Ltd.

_____(Seller) _____(Buyer)
George MacDonald, Managing Director   Daisuke Suzuki, Manager

On _____May 24, 20XX_____ Please sign and return one copy.

SEE TERMS AND CONDITIONS ON REVERSE SIDE

126

● **簡易契約書式サンプル（買契約書、左記）の日本語訳**

買契約書

売り手：	契約日：	契約番号：
SYDNEY RADE 株式会社	20XX 年 5 月 24 日	N-12345
	注文番号：	
	OK-418	

商品名	数量	単価	総額
		受渡条件： CIP 神戸（海上輸送）	
小麦 No.3222	1,000MT	1,000 豪ドル / MT	1,000,000 豪ドル
	合計：		
	1,000MT		1,000,000 豪ドル

積替え：	許容されない	荷印：	
分割船積：	許容されない		
船積時期：	20XX 年 7 月末まで		◇ NS
積荷港：	オーストラリア、シドニー		
仕向港：	日本、神戸		KOBE, JAPAN
梱包：	紙袋（各 20kg）		NO.1-UP
支払い：	信用状一覧払い		MADE IN AUSTRALIA
保険：	売手負担		
検査：	船積前に第 3 者によって実施される		
その他条件：			

裏面の一般的取引条件によるものとする

契約者：
SYDNEY RADE 株式会社　　　　　　　　日本総合物産株式会社

　　　　　　　　　　　　　　（売り手）　　　　　　　　　　　　　　（買い手）
代表取締役　ジョージ・マクドナルド　　　マネージャー　鈴木　大輔

日付　　20XX 年 5 月 24 日

署名後一部返送して下さい

裏面約款を御覧下さい

> 買契約書では荷印についても記載するのが一般的（232 ページも参照）

> 両者の署名ののち各自が 1 部を保管

※契約書テンプレートに関しては、巻末の特別章も参照してください。

21 簡易契約形式の定型約款には何が記載されるのか？

定型約款には「一般的取引条件」が表記される

　一般的な契約形式では、それぞれの企業ごとに定めている、貿易取引周辺の細かい条項が定型約款に記載されます。具体的には、次のような事柄に関する条項です。

- 費用の増加
- 船積み
- 権利譲渡禁止
- ワランティ（保証）
- 不可抗力
- 権利不放棄
- 貿易条件用語および準拠法
- 船舶および船積みの条件
- 貿易条件の解釈基準（インコタームズ）
- 完全なる合意　など
- 決済
- 保険
- クレーム
- 特許・商標
- 債務不履行
- 仲裁
- 商品の引き渡し
- 貿易に関わる手数料

　また、このほかにも業界での一般的なこと、自社ルールなども記載されます。

　これらの内容は多くの場合、取引開始後のトラブル発生時における"問題解決マニュアル"として表記されています。

　こうした細々とした条件は、まとめて**一般的取引条件**（General

Terms & Conditions of Business）と呼びます。

一方的な取引条件の通知によるトラブルも多い

　一般的取引条件は、契約の当事者双方が、相手の同意を得ずに「一方的に契約書の裏面に印刷して通知する」、または「Eメール添付の電磁的記録方式の契約内容の一方的送付をする」という形式をとることが少なくありません。

　当然、トラブルの際には一般的取引条件に関する解釈の違いや、双方の一般的取引条件の衝突が起きることになり、こうした現象を表す「書式の戦争」「ネット上の電磁的記録式契約の闘い」などの言葉もあります。

　理想的には、交渉の段階で一般的取引条件についても双方で合意しておくのが一番なのですが、実務ではこの点は継続協議することとして、実際の取引を進めることが一般的です。

　なお、巻末の特別章に、買契約書と売契約書の定型約款テンプレートを掲載し、以下のウェブサイトからダウンロードもできるようにしてあります。細部を自社に合うように修正したうえで利用してください。

- すばる舎リンケージのウェブサイト
  http://www.subarusya-linkage.jp/

※「ビジネステンプレート」のバナーボタンをクリックしてください。

22 「ウィーン売買条約」の理解は重要

2009年8月からすでに発効している

　ウィーン売買条約は、正式名称を「国際物品売買契約に関する国際連合条約」（United Nations Convention on Contracts for the International Sale of Goods：略称 CISG）と言い、国際的な貿易ルールの統一をめざして取り決められた国際条約です。

　同様の目的で1964年に採択され、1972年に発効したハーグ条約が必ずしも有効に機能しなかったのに対し、1980年採択のウィーン売買条約にはすでに約90ヵ国が加入しており、日本国も、2008年に国会で加入を承認し、2009年8月1日からすでに発効しています。

　ウィーン売買条約は国際条約ですから、民法や商法などの日本国内法と同列に適用されます（→右図表39参照）。

　契約書の作成にあたっては、ウィーン売買条約の内容についても理解し、契約文書に必要な文言を組み込むことが重要になっているのです。

ウィーン売買条約のポイント

　ここでは、ウィーン売買条約の重要なポイントだけをざっくりと解説します。

図表39 ◆ 日本国における法の適用順位

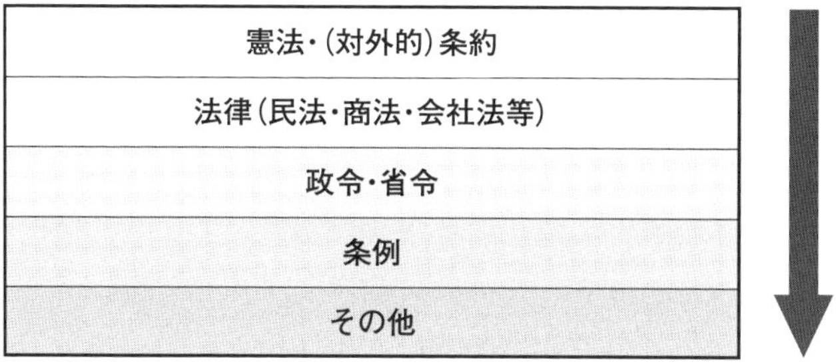

憲法・(対外的)条約
法律(民法・商法・会社法等)
政令・省令
条例
その他

● 条約の適用対象となる取引

　ウィーン売買条約の適用対象となるのは、原則として**営業所が異なる国にあり、条約締結国にいる当事者同士が行う国際物品売買**です。この「物品売買」には、製造供給契約も含まれますので注意してください。

　また、条約非加盟国にある企業との取引であっても、国際私法の準則によって、ウィーン売買条約の適用対象となる場合もあります。

● 条約の適用を任意に規定できる

　ウィーン売買条約では、当事者間の合意によって、条約の規定全部、あるいは一部を適用除外することが可能です。ただし、契約でその旨を明確に表明することが求められます。

　また、インコタームズ等の国際的な解釈基準の取り決めと異なる部分についても、特約としてインコタームズ等を採用する旨を契約に盛り込めば、インコタームズ等の規定が優先されます。**国際条約とは言え、原則として当事者間の合意のほうが優先する**のです。

● 「Favor Contractus の原則」

　ウィーン売買条約では、「Favor Contractus の原則」が採用され

ています。これは、いったん交わされた契約は可能な限り維持・実行されることを重視する考え方です。

● 契約の成立
　契約の成立時期について、本条約は到達主義を採用しています。これにより、これまで大陸法と英米法で相違があった、発信主義と到達主義による契約成立時期の問題が解決されています。
　また、申込み（Offer）に対する承諾（Acceptance）の内容が、申込みの内容と異なる場合であっても、その相違が実質的でない場合には契約の成立を認めることによって、軽微な相違による契約の不成立を回避することとしています（「実質的な相違」の例としては、価格・支払い・品質・数量・引渡場所と時期、一方当事者の相手方に対する責任限度・紛争解決方法などの相違を挙げています）。

● 物品の保証期間が、原則として物品受領時から２年
　売り渡した物品の保証期間が、一般的な国際売買契約で採用される１年ではなく、**売り手から買い手への物品の引き渡しおよび受領から原則として２年**と規定されているので注意が必要です。
　ただし、売り手にこの保証義務を履行させるには、買い手は物品の不適合に関して、早期に通知する義務があります。

● 物品の適合性
　当事者間で特段の合意をしていない場合、契約時に明示的または黙示的に知らされていた特定の目的に対して、売買された物品が適合しない場合、その物品は不的確と見なされることになっています。
　つまり、たとえばテニス用の靴を売ったのならば、きちんとテニス用の靴を提供しなければならず、単に運動用の靴では不的確と見なされることがあるということです。

しかも、「黙示的に」という文言が含まれていますので、不的確と見なされる物品の範囲が大きくなっています。輸出者としてこの規定が許容できない場合には、当事者間で事前に合意し、物品の適合性に関するウィーン売買条約の規定を適用除外する旨を契約で明らかにしておく必要があります。

ウィーン売買条約のメリット・デメリットは

日本でもウィーン売買条約が発効したことで、国際物品売買契約の準拠法に外国法が指定された場合でも、相手方の営業所が条約加盟国にある場合にはウィーン売買条約の規定が優先されるようになります（契約内で適用除外していない場合）。

これによって、相手国の法律を調査する時間やコストが縮減でき、統一されたルールによって取引できるようになりますから、業務の効率化やスピード・アップにつながるでしょう。

ただし、これまで日本国内法を準拠法にしていた日本の売主側である輸出者の立場からは、この条約に買主たる輸入者の権利保護の傾向があることから、規定によっては、これまでよりも不利になることがありえます。その点には注意するようにしてください。

また、ウィーン売買条約は限定的な内容を規定した条約にすぎません。これだけで取引ルールのすべてを規定しているわけではないことにも留意してください。

参考までに、ウィーン売買条約とインコタームズ2020との規定内容の比較表を掲載しておきます（次ページ参照）。

図表40 ◆ ウィーン売買条約とインコタームズ2020の規定内容比較表

	ウィーン売買条約	インコタームズ2020
売主と買主の権利・義務	○	△
危険の移転	○	○
契約の成立	○	×
契約違反の救済措置	○	×
契約の有効・無効	×	×
所有権移転の時期と効果	×	×

○…規定している
△…部分的に規定している
×…規定していない

　これを見ると、たとえインコタームズを特約として採用していても、契約の成立や契約違反の救済措置については、インコタームズには規定が置かれていないので、ウィーン売買条約を援用すると、この条約の規定が適用されることがわかります。
　また、どちらにも規定がない契約の有効・無効、所有権移転の時期と効果などについては、引き続き準拠法の選択が必要となります。

第3章

貿易取引での「決済方法」を知る

本章では、標準的な「信用状を利用した決済」をはじめ、貿易取引で採用されるさまざまな決済方法について、詳しく理解していきます。

1 信用状(L/C)についての基礎知識

　第2章で、主な決済方法についてはすでに簡単に解説しています（→73ページ参照）。そのため本章では、それぞれの決済方法についてより詳しく見ていきます。まずは、貿易取引における標準的な決済方法である**信用状取引**について解説していきましょう。

信用状の基本的な性質は？

　前述したように、**信用状（Letter of Credit：L/C）** とは、輸入者側の銀行が、輸入者に代わって商品代金支払いを輸出者に確約する代金支払いの確約書です（→158ページ・サンプル参照）。その性質を簡潔かつ正確に表そうとすると、以下のような表現となります。

① 輸入者側の銀行が
② 輸入者の依頼に基づき開設および発行し、
③ 輸出者に対して
④ 一定の条件（信用状記載の条件）を満たすことで、
⑤ 輸入者に代わって、
⑥ 輸出者の振り出す為替手形の引き受けや支払いを行うか、
　 または輸入者宛の手形を買い取ることを約束した
⑦ 輸出代金の支払確約書

　信用状を使えば、輸出者にとっては、たとえ輸入者が商品代金を

支払ってくれなくても銀行が支払ってくれるという保証があり、一応安心できます（ただし、商品代金の受領時期は輸出者が船積みしたあとになり、前払い送金決済よりも遅くなります）。

一方で輸入者も、銀行が信用状を発行することによって、輸出者が商品輸出を実行してくれるので、商品を確実に輸入できるという安心感が持てます。

輸出者と輸入者の双方にとってメリットがあるため、貿易取引における標準的な決済方法として、現在でも実務で多く利用されています。

「信用状統一規則」に則って作成・運用される

信用状は、パリに本部がある国際商業会議所（ICC）が制定している信用状統一規則（Uniform Customs & Practice for Documentary Credits：UCP、正式名称は「荷為替信用状に関する統一規則および慣例」）に則って作成・運用されることも理解しておきましょう。

当初、信用状の運用方法や解釈の仕方にそれぞれの地域で齟齬があり、紛争が頻発したことから、1933年にICCが初めて信用状統一規則を取りまとめました。この時期は大恐慌後の混乱期で、不況克服のために国際的な貿易ルール制定の必要性が高まったのです。同じ時期にはインコタームズの制定（1936年）等も行われています。

信用状統一規則はその後も改訂を繰り返し、現行の規定は2007年に改訂されたUCP 600です。信用状には、このUCP 600に則って作成された旨の記述が必ず記載されます。

信用状統一規則は信用状取引を規定する唯一の国際ルールであり、日本も国レベルで採択しているほか、民間企業レベルでも、全国銀行協会が国内の金融機関を代表して一括採択しています。

2 信用状取引で意識すべき「2つの原則」

　信用状統一規則は多くの条文から成っていますが、特に重要なのは次に挙げる2つの原則です。信用状取引の当事者について見ていく前に、この2大原則について押さえておいてください。

① 独立抽象性の原則

　信用状統一規則では、信用状の「独立抽象性の原則」が規定されています。
　独立抽象性とはどういう意味かと言うと、信用状を使った取引は貿易による売買契約に起因して発生するものではあっても、銀行は信用状の発行や手形買取等について売買契約自体とは無関係ですから、**信用状取引は売買契約から完全に独立した、別個の取引である**ということです。
　たとえば、銀行が信用状の指図に基づいて荷為替手形の買取を行ったあとに、輸出者側に商品自体に関する契約違反があったことが判明したとしても、信用状取引は売買契約とは別個の独立した取引ですから、銀行は何の責任も負わないのです。

② 厳格一致の原則

　また、信用状統一規則では、信用状取引の**書類取引性**も規定しています。

これは、信用状の取引が売買契約に無関係である以上、**信用状取引のすべての関係者は、実際に貿易取引される貨物や、それに付随して発生する役務を取り扱っているわけではなく、書類を取り扱っているにすぎない**ことを示しています。

　銀行には、提出された書類に記載された貨物が本当に実在しているのか、あるいは船積みされた貨物は本当にその商品で間違いがないのか、また書類の記載内容が真実か、などを調査する義務はなく、形式上必要な書類が揃っており、信用状と船積書類に文言の不一致さえなければ取引に応じます。

　極端な話、信用状に記載されている貨物とまったく異なる貨物を送っても、必要書類の文言さえ合っていれば銀行は荷為替手形の買取などに応じるのです。

　この書類取引性により、銀行は輸出者によって呈示された船積書類と信用状文言について、形式上一致しているか否かのみをチェックして、買取に応じるかどうかを判断します。

　買取銀行は文言の不一致（ディスクレパンシー、後述）があれば一方的に荷為替手形の買取を拒否でき、実際に拒否するため、貿易当事者は信用状の文言と船積書類の文言が厳密に一致するように作成しなければなりません。

　この点を指して、信用状の「**厳格一致の原則**」と言い、実務では特に注意しなければならないポイントになっています。

　たとえば、船積書類のインボイス（Invoice：後述）で、「栄商事」のSAKAEがSEKAEとなっており、信用状の内容と1文字一致しないだけでも、実務上、日本の銀行は買取を拒否します。

　貿易当事者においては、信用状取引ではミスがないよう細心の注意を払って、書類作成およびその確認にあたる必要があるのです。

3 信用状取引の当事者と、取引の流れを把握する

「信用状発行時の4面関係」を理解する

信用状発行に関係する主な当事者を図表に示すと、以下のようになります。

図表41 ◆ 信用状発行時の4面関係

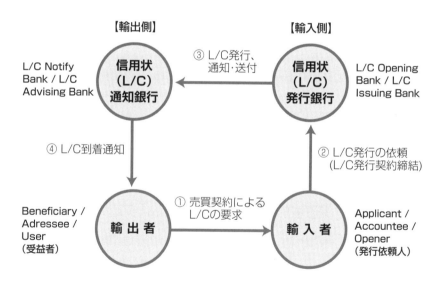

主な当事者は、上の図表41に示した**輸出者、輸入者、発行銀行、通知銀行**の4者です。これを「信用状発行時の4面関係」と言います。

それぞれの当事者について、簡単に解説しましょう。

「輸入者」が発行を依頼する

　信用状の発行を銀行に依頼するのは、輸入者です。
　信用状取引においては、**信用状開設依頼人**、あるいは単に**発行依頼人**などと呼ばれ、英語では Applicant とされることが一般的です（ほかに Opener、Accountee などとされることもあります）。
　輸入者は、取引交渉で決済条件が信用状取引と決まった段階で、自社の取引銀行に信用状の発行を依頼します。
　また、その際に必要であれば、担保の提供を行います。

輸入者の取引銀行が「発行銀行」となる

　輸入者に依頼され、信用状を発行するのが**発行銀行**（Issuing Bank）です。信用状を「発行する」と言わず、「開設する」と言うこともあり、この場合は**開設銀行**（Opening Bank）と呼びます。
　信用状は支払いの確約証ですから、輸入者に対して信用状を発行することは、発行銀行にとっては融資をするのと同類の与信行為にあたります。
　当然ながら審査があり、輸入者の信用状況によっては発行を断ることもあります。また、通常は与信に対する担保も請求し、その額も輸入者の信用によって異なってきます。
　輸入者の信用や担保に問題がなければ、発行銀行は信用状を発行し、それを輸出側の通知銀行に通知・送付します。

輸出者に信用状の到着を知らせるのが「通知銀行」

　通知銀行（Notify Bank）には、信用状の発行銀行が輸出国に設置している海外支店や、発行銀行と外国為替取引の委託契約を結ん

第3章 貿易取引での「決済方法」を知る

でいる**コルレス銀行**（= correspondent agreement〔コルレス契約〕を結んでいる銀行）が指定されます。

通知銀行は、発行銀行から信用状の送付を受け、その到着を輸出者に知らせる役目を担います。

英語ではAdvising Bankとも言い、それを略して「アドバンク」と呼ばれることもあります。

信用状取引で一番大きなメリットを受ける「輸出者」

信用状の到着を通知された輸出者は、輸出した商品代金の支払確約を得られます。前述した４者のなかでもっとも大きな利益を得られることから、信用状取引では輸出者のことを**受益者**（Beneficiary）と呼びます。

なお、英語ではほかにAddressee（受取人）とかUser（使用者）などとされることもあります。

信用状の到着を通知された輸出者は、通知銀行から信用状を受け取り、その内容が売買契約で取り決めたとおりであることを確認したうえで、指図に従って貨物の船積みを行い、各種の船積書類を作成・入手して荷為替手形を組みます（後述）。

この荷為替手形を買取銀行に持ち込めば、不備がなければ手形の買取に応じてもらうことができ、輸出者は早期に代金の回収が可能になるのです。

信用状による代金回収に関する「決済時の４面関係」

信用状取引の決済では、新たな当事者として、輸出者側の銀行が**取立銀行**（Collecting Bank）または**買取銀行**（Negotiating Bank）として登場してきます。実務では、信用状発行時の通知銀

図表42 ◆ 信用状による荷為替手形決済（ただし、一覧払い：at sight の場合）

● 為替手形の取立（Collection）

為替手形を持ち込まれた取引銀行が、売り手が振り出した為替手形を買取せず、これを内部的に取立扱いとします。

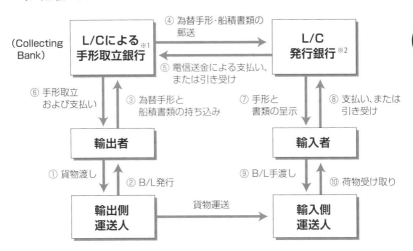

● 為替手形の買取（Negotiation）

売り手は、船積みが完了した時点で為替手形を振り出し、船積書類とともに取引銀行に持ち込みます（荷為替手形）。すると、取引銀行が手形を割り引いて、代金を売り手に支払います。

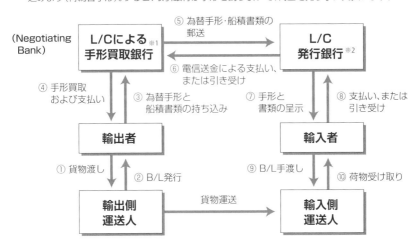

※1：手形取立銀行・手形買取銀行は、L/C 通知銀行とは理論上別々であり、処理は必ず L/C の文言に従います。ただし、実務上は同一行であることが多いです。
※2：手形の名宛人は L/C で指図されますが、実務上は L/C 発行銀行が名宛人・支払人となることが多いです。

行が、取立銀行や買取銀行になることが多いようです。

なお、取立銀行を「手形取立銀行」「取立依頼銀行」などと呼んだり、買取銀行を「手形買取銀行」などと呼んだりすることもあります。

これらの4者を指して、「信用状発行時の4面関係」と対応させて「信用状決済時の4面関係」と言います。

荷為替手形の買取を行う「買取銀行」

輸出者が荷為替手形の買取を依頼するのが、買取銀行です。前述したとおり、通常は通知銀行と同一行であり、輸出国における輸出者の取引銀行です（なお、ここで言う「買取」とは、輸出者が輸出者側銀行に対して荷為替手形を呈示することにより、輸出者側銀行が一定の手数料を差し引いて現金払いをすることです→172ページも参照）。

荷為替手形の買取にあたっては、信用状統一規則による独立抽象性の原則と厳格一致の原則に基づき、買取銀行は信用状とその他の船積書類に文言の不一致がないかを確認して、手形を買い取るかどうかを判断します。

荷為替手形の買取を行わず、取立扱いにした場合には（→175ページも参照）、買取銀行ではなく取立銀行となります。

なお、信用状取引ではこのほかに、発行銀行の信用度が低い場合に発行される確認信用状（→146ページ参照）で、発行銀行に再保証を与える**確認銀行**や、銀行間の外国為替決済を仲介する**補償・決済銀行**なども当事者として数えられますが、実務を行ううえでは、これらの特殊な当事者についてはあまり意識しなくても構いません。

さまざまな種類の信用状がある

機能によってさまざまな名称が付けられている

信用状にはさまざまな種類がありますから、ひととおり押さえましょう。信用状の機能による分類を示すと、以下の図表43のようになります。

図表43 ◆ 信用状の分類（機能別）

		日本語	英語
(1)	①	取消不能信用状	Irrevocable L/C
	②	取消可能信用状	Revocable L/C
(2)	③	確認信用状	Confirmed L/C
	④	無確認信用状	Unconfirmed L/C
(3)	⑤	買取銀行指定信用状	Restricted L/C
	⑥	買取銀行無指定信用状	Open L/C
(4)	⑦	一覧払い信用状	L/C at sight
	⑧	期限付き払い信用状	L/C with Usance
(5)	⑨	譲渡可能信用状	Transferable L/C
(6)	⑩	回転信用状	Revolving L/C

取消が可能かどうかによる分類

①の取消不能信用状（Irrevocable L/C）と②の取消可能信用状（Revocable L/C）は、表現のとおり、いったん発行した信用状そのものを、途中で取り消しができるか否かによる分類です。

②の取消可能信用状は、信用状の発行銀行による独自の判断で、発行のあといつでも条件変更や取り消しができる信用状のことです。しかし②は実際の取引現場ではまず使われることはありません。

実務では、「信用状」と言えば①の取消不能信用状を指していると考えてしまっても問題ありません。

信用状統一規則では、信用状のなかに取消可能かどうか表示されていない信用状は、すべて「取消不能信用状」として取り扱うとも規定されています。

再保証が付けられているかどうかによる分類

③の確認信用状（Confirmed L/C）と④の無確認信用状（Unconfirmed L/C）は、発行銀行以外の別の銀行（確認銀行）が、さらに支払いの確約を付けているかどうかによる分類です。

信用状発行銀行の金融機関としての信用に不安があるような場合、確認手数料を払って、別の銀行で支払いの再保証、つまり「確認銀行による支払確認」を取り付けます。こうしておけば、万一、発行銀行に不払いや倒産などがあっても、確認銀行が肩代りして代金を支払ってくれるわけです。その性格上、輸出者側からの要望によって発行されることが多いと言えるでしょう。

信用状のなかに特に明示がなければ、通常は④の無確認信用状として取り扱われます。

買取銀行が限定されているかどうかによる分類

⑤の買取銀行指定信用状（Restricted L/C）と⑥の買取銀行無指定信用状（Open L/C）は、手形を買い取る銀行を限定しているかどうかによる分類です。それぞれ、英語の表記を利用して、日本語でも「リストリクトL/C」「オープンL/C」とそのまま呼ぶこともあります。

⑤の買取銀行指定信用状では、信用状で指定されている買取銀行でしか手形の買取を依頼できません。これに対して、どこの銀行でも自由に買取をしてくれるのが⑥の買取銀行無指定信用状です。

発行銀行による代金の支払時期による分類

⑦と⑧は、信用状の発行銀行から買取銀行への、輸入代金の支払時期による分類です。

⑦の一覧払い信用状（L/C at sight）とは、「一覧」つまり輸出者の作成した荷為替手形（≒請求書）と必要書類が発行銀行に呈示されたときに、内容確認後すぐに輸出代金の電信送金が行われる、という約束がある信用状です。

これに対して⑧の期限付き払い信用状（L/C with Usance）は、手形と必要書類の呈示から、契約上の一定期間が経ったあとに発行銀行が代金を電信送金する約束がある信用状です。

ここで「一定期間」と言うのは、約定に規定された期間、たとえば「一覧後60日の支払い」とか「船積日後180日の支払い」などです。

発行銀行からの支払時期が分類基準になっているのであって、買取銀行の手形買取代金の支払時期によって分類されているわけではない点に注意してください。

譲渡される可能性を前提とした信用状

⑨の譲渡可能信用状（Transferable L/C）は、信用状に記載された権利を1回だけ第3者に譲渡できる信用状のことです。

譲渡できる旨を明示してある場合にのみ譲渡可能信用状として取り扱われ、信用状金額の一部または全部を譲渡できます。

繰り返し同じ取引をする場合に便利な信用状

また、⑩の回転信用状（Revolving L/C）とは、信用状金額が一定期間経過後に自動的に更新され、繰り返し（回転して）使用できる信用状のことです。

同一取引先と同一商品を継続して取引する場合などに利用される特殊な信用状です。

5 輸入者による信用状の発行依頼の方法

信用状の基礎的な知識を押さえたところで、実務での信用状取引の手順や注意点を見ていきます。まずは、輸入者が行う、信用状の発行依頼の手順について確認しましょう。

信用状の発行依頼手順

取引交渉で決済方法が信用状取引と決まれば、輸入者は自社の取引銀行に**輸入信用状発行依頼書**（Application for Opening L/C）を提出して、信用状の発行を依頼します（→次ページ・図表44参照）。

このとき、銀行取引約定書、外国為替取引約定書、商業信用状約定書なども提出します。

依頼された銀行の側では、短期の融資審査と同じように輸入者の信用審査を行い、信用状を発行するかどうかを判断します。

企業規模が小さいとか社歴が浅いなど、中小企業では信用が足りない場合も多いので、そのようなケースでは担保の提供を求められることも少なくありません。具体的には、信用状金額に見合う円預金（為替相場の変動を考慮してやや多めに要求される）などが担保として求められます。資金繰り等が厳しい場合には、後述する輸入金融の制度を利用することも考えましょう（→186ページ参照）。

なお、信用状の発行を行うには、金融機関の側でもさまざまな設備投資が必要であり、規模の小さな銀行では応じてもらえないこともあります。取引銀行が信用状発行に対応しているか、事前の確認

図表44 ◆ 信用状発行依頼書サンプル

TO THE BANK OF OSAKA LTD.

APPLICATION FOR OPENING L/C　　　　DATE June 10th, 20XX

APPLICANT'S REFERENCE NO.	CREDIT NO.	ESTABLISHED BY
NB-6164		■CABLE　□AIRMAIL　□SHORT CABLE WITH AIRMAIL

ADVISING BANK	EXPIRY DATE
Fine Koala Bank Ltd.	AUGUST 21, 20XX
5931 Wall Street, Sydney, AUSTRALIA	APPLICANT
BENEFICIARY	Nihon Sogo Bussan Co., Ltd.
SYDNEY RADE Co., Ltd.	123 Ohtemachi, Chiyoda-ku, Tokyo, JAPAN
2123 Grain Street, Sydney, AUSTRALIA	AMOUNT
	AUS $ 1,000,000
	(Australian Dollars One Million Only)

Dear Sirs,

We hereby request you to issue an irrevocable documentary credit available by the beneficiary's draft at XXXXX sight drawn on you or your correspondent at your option of 100% invoice cost accompanied by the following documents marked "X."

　☒　Signed commercial invoice in three copies indicating this L/C NO.
　☒　Full set of clean on board ocean bills of lading made out to order blank endorsed and marked "Freight Prepaid" and notify applicant.
　☐　Air waybill consigned to the Bank of
　☒　Marine insurance policy or certificate, endorsed in blank, for 110% of the invoice cost including :
　　　The Institute War Clauses, and the Institute Cargo Clauses (All Risks) and the Institute Strikes Riots and Civil Commotions Clauses.
　☒　Packing list in three copies　　　☐　Certificate of origin
　☐
　Covering

Trade Terms :

PARTIAL SHIPMENT	TRANSHIPMENT	SHIPMENT		
□ALLOWED ■PROHIBITED	□ALLOWED ■PROHIBITED	FROM SYDNEY, AUSTRALIA	TO Kobe, JAPAN	
LATEST SHIPMENT	THIS DOCUMENTS MUST BE PRESENTED WHITHIN　　DAYS AFTER THE DATE OF SHIPMENT BUT WHITHIN THE CREDIT VALIDITY.			
July 31st, 20XX				
ALL BANKING CHARGES OUTSIDE JAPAN ARE FOR	CONFIRMATION BY ADVISING BANK	T.T. REIMBURSEMENT		
A/C OF ■BENEFICIARY □APPLICANT	□ADDING	■ACCEPTABLE □PROHIBITED		

SPECIAL CONDITIONS :

In consideration of your issuing a letter of credit substantially conforming to the above request, we hereby agree and undertake to hold ourselves liable to you as per provisions set forth in the agreement on letter of credit transactions signed by us separately submitted to you. Nihon Sogo Bussan Co., Ltd.	FOR BANK USE ONLY		
	USANCE FACILITIES		
	(　) DAYS	□HONPOHLOAN	□ACCEPTANCE
		FAX	
_____(signed)_____ AUTHORIZED SIGNATURE			

● 信用状発行依頼書サンプル（左記）の日本語訳

大阪銀行　殿

輸入信用状発行依頼書

日付　20XX 年 6 月 10 日

申請者番号	信用状番号	確定方法
NB-6164		電信による通知にて確定

信用状通知銀行
Fine Koala 銀行
オーストラリア、シドニー、ウォール通り 5931

有効期限
20XX 年 8 月 21 日

信用状発行依頼人
日本総合物産株式会社
日本国東京都千代田区大手町 123

受益者
SYDNEY　RADE 株式会社
オーストラリア、シドニー
グレイン通り 2123

総額
1,000,000 豪ドル
（百万オーストラリア・ドル）

通知方法を選択します

期限には余裕を持って

ご担当者様

以下×印の書類が添付されている送り状の 100％金額につき、貴銀行または代理人宛振出しの受益者発行一覧払い手形の支払保証される取消不能荷為替信用状の発行を依頼致します。

- ☒ 当信用状番号が記載された署名済みの商業インボイスの写し 3 通
- ☒ 指図式で白地裏書をし、運賃支払済みであり、通知先が記載された全通の無故障船積船荷証券
- ☐ （　　　　）銀行に委託された航空貨物運送状
- ☒ 送り状金額の 110％につき白地裏書をした以下担保を含む海上保険証券または保険承認状。
  協会戦争危険担保約款、協会貨物約款（全危険担保）、協会同盟罷業騒擾暴動担保約款
- ☒ 梱包明細書の写し 3 通　　　　☐ 原産地証明書

対象商品

必要な書類を正確に指定します

貿易の条件：

分割船積	積換え	船積み
☐許容される ■許容されない	☐許容される ☐許容されない	船積港　オーストラリア、シドニー　到着港　日本、神戸

船積期限	
20XX 年 7 月 31 日	書類は、船積後（　　）日以内（ただし、信用状有効期限内）に提出される。

日本国外すべての銀行手数料の負担者	信用状通知銀行による確認	電信による償還請求
■受益者　☐信用状発行依頼人	☐利用する	■許可　☐禁止

その他条件：

上記条件をご確認のうえ、貴銀行が信用状が発行されることにより、別途提出している貴銀行および弊社がそれぞれ署名した信用状取引の契約で示されているとおりの責任を負うことに同意し、保証致します。

日本総合物産

（署名）
　　　　　　　承認署名

銀行記入欄

手形支払期限
（　　）日　　☐本邦ローン　☐資格許可

ファックス印

第3章　貿易取引での「決済方法」を知る

※実際の信用状発行依頼書は、依頼する銀行によって書式が異なるため、ここでは典型的な書式の例を紹介しています。

も必須です。

　無事に信用状を発行できることになったら、信用状が発行されて、通知銀行に送付されます。

信用状発行依頼の際の注意点

　信用状の発行依頼にあたっては、記載事項について不備がないよう、慎重に依頼書を作成することが重要になります。

　銀行は、依頼書の内容に基づいて信用状を発行しますから、厳格一致の原則が求められる信用状では、鵜の目鷹の目でチェックすることが求められるのです。

　具体的には以下のような事柄をチェックし、売買契約で輸出者側と合意したとおりの内容となっているかを確認しましょう。

〈条件に関するチェック・ポイント〉
- 信用状発行銀行の名称、住所
- 信用状発行地および発行日付
- 発行依頼人（輸入者）の名称、所在地
- 通知銀行の名称、所在地
- 貨物の船積地と仕向地
- 船積期限
- 書類呈示の有効期限
- 信用状金額
- 分割船積の可否
- 積替えの可否
- 信用状の有効期限
- 本国外の銀行手数料の負担者（通常は輸出者）
- 通知方法（後述）　など

〈内容および添付書類に関するチェック・ポイント〉
- 手形の内容と期限
- 要求するインボイスの内容と枚数
- 要求する保険証券の有無と内容、枚数
- 要求する梱包明細書の内容と枚数
- 原産地証明書添付の要・不要
- 検査証明書などのその他関連書類添付の要・不要　など

これらの項目に間違いがないように依頼書を作成したうえで、輸出者が契約どおりに船積みを行うのに間に合うよう、速やかに銀行に依頼します。

通知銀行への送付方法を選ぶ

なお、信用状の発行依頼の段階で、輸入者は、発行銀行が通知銀行に対して信用状をどのように送付するかを選ぶことができます。

送付方法には、主に以下の2つがあります。

① フル・ケーブル・アドバイス（Full Cable Advice）

信用状の全文を、電信で通知銀行に送付する方法です。もっとも迅速ですが、その分手数料が高くなります。

② プレ・アド（Airmail with Brief Preliminary Advice）

輸出者が行う船積みの準備のために、信用状の要点のみを事前に電信で送付し、原本は後日航空郵便で送付する方法です。

この際、航空郵便で郵送されてくる原本のことを、メール・コンファメーション（Mail Confirmation）と呼びます。

このうちのどちらの送付方法を選ぶかは、一般的には契約交渉の段階で当事者双方で事前に決定します。万一決まっていない場合には、輸出者とも相談したうえで、輸入者が船積みに間に合うように選択します。
　依頼書の作成にあたっては、この送付方法についても間違いがないか確認してください。

信用状を受け取ったら、輸出者は細かく点検する

通知銀行を介して輸出者が信用状を受け取ったら、輸出者はその信用状が売買契約で取り決めたとおりの条件で作成されているか、厳密にチェックしなければなりません。

発行依頼は輸入者側が行いますから、契約内容を輸入者側に有利に解釈している可能性もありますし、たとえ契約の条件どおりに依頼していたとしても、スペルの打ち間違いなどヒューマン・エラーの可能性もあります。

重要なチェック・ポイントを列挙しましょう。

信用状の有効期限と貨物の船積期限

まず最初に、信用状の有効期限と、信用状で要求されている貨物の船積期限を確認します。

信用状は輸入者側銀行が発行する支払確約証ですが、有効期限が設定されています。有効期限までの時間的余裕が短すぎると、船積みを実行して船積書類や関連の書類を揃え、荷為替手形を組んで銀行に呈示するのが間に合わなくなる恐れがあります。

また、貨物の船積期限までの時間的余裕があるかも重要です。信用状で指定された期限を過ぎて船積みをした場合、支払確約は受けられなくなってしまいます。

この2点について、時間的余裕が十分にあるかをしっかりチェックするのです。

なお、期日に関しては、**信用状の発行日**も念のために確認しておきましょう。

契約条件と合致しているかどうか

売買契約で定めた内容と、信用状で求められている内容について、相違がないか細かくチェックします。以下のような項目に気を付けて確認しましょう。

- 信用状の発行銀行の名称、所在地
- 信用状発行地
- 発行依頼人の名称、所在地
- 通知銀行の名称、所在地
- 貨物の船積地と仕向地
- 信用状金額
- 分割船積の可否
- 積替えの可否　など

スペル・ミスの確認

また、すべての項目に渡って、キーの打ち間違いなどによる**スペル・ミス**がないか確認します。

信用状取引は厳格一致が原則ですから、1文字のスペル・ミスでも買取銀行は手形の買取を拒否する可能性があります。

必要な記載の有無を確認

信用状には、必ず記載されていなければならない定型文がいくつかありますので、その記述がきちんとなされているかも確認します。

まず、信用状統一規則の適用文がきちんと記載されているかを確認します。これは、具体的には以下のような表現です（細かい表現には多少のブレがあることもありますが、ほぼ定型です）。

> This Letter of Credit is subject to uniform customs and practice for documentary credits (2007 Revision). International Chamber of Commerce Publication UCP 600.

同じく、支払いの確約文が記載されているかも確認します。具体的な表現は以下のようなものです。

こちらの表現は、意味が同じであれば表現が多少異なっても問題ありません。

> Credit is available with （銀行名など） by negotiation against the documents defined herein and Beneficiary's draft(s) drawn on （荷為替手形の名宛人） at （支払時期）.

by negotiation の部分が買取を意味しますから、この部分がほかの表現になっていると、取立などの別の扱いとされる恐れがあります。なお、against 以降の文章は、為替手形の呈示と引き換えにすることを示しています。

図表45 ◆ 信用状サンプル

LETTER OF CREDIT

Name of Issuing Bank The Commercial Bank of China 3303 Yan-an Road, Shanghai, China	Documentary Credit	Number 98765

Place and Date of Issues Shanghai, July 15, 20XX	Expiry Date and Place for Presentation of Documents
Applicant : Wuxi Ling Electronics Co., Ltd. 90 Huigian Road, Wuxi Jiangsu Province, China	Expiry Date : September 15, 20XX Place of Presentation : Shanghai, CHINA
Advising Bank : Reference No : The Bank of Owari, Ltd. Nagoya Office 5-19-3 Nishiki, Naka-ku, Nagoya JAPAN	Beneficiary SAKAE Electronics Kogyo Co., Ltd. 1-6-12 Sakaemachi, Minami-ku, Nagoya, JAPAN
	Amount USD 120,000
Partial shipments ☐ allowed ■ not allowed	Credit available with Negotiated Bank (s) :
Transshipment ☐ allowed ■ not allowed	The Bank of Owari, Ltd. Nagoya Office
☐ Insurance covered by Buyer	■ by payment at sight
	☐ by delivered payment at
Shipment	☐ by acceptance of the draft (s) at
from Nagoya, JAPAN	☐ by negotiation
for transportation to Shanghai, China	Against the documents defined herein
not later than August 20, 20XX	■ and Beneficiary's draft (s) drawn on
	The Commercial Bank of China, Shanghai, China at sight

Signed Commercial Invoice, one original and 3 copies

Insurance Policy in duplicate covering the Institute Cargo Clauses (All Risks), the Institute War Clauses and the Institute S.R.C.C. Clauses for 110% of the invoice value endorsed in blank

Full set of clean on board bills of lading made out to order of shipper and blank endorsed and marked "Freight Prepaid" and showing the above applicant as "Notify Party"
One original of certificate of origin
Covering Electronics parts 200,000pcs CIPShanghai
　　　(SAKAE BRAND)

Documents to be presented within 21 days after the date of shipment but within the validity of the Credit.

This credit is subject to uniform customs and practice for documentary credits (2007 Revision), International Chamber of Commerce Publication **UCP600**

Name and signature of the issuing Bank

● **信用状サンプル（左記）の日本語訳**

信用状

| 発行銀行
中国商業銀行
中国上海市延安通り3303 | 取消不能荷為替信用状 | 番号 98765 |

発行銀行の信用度もチェック

発行日・発行地　　上海　20XX年7月15日	信用状有効期限および提出場所
信用状発行依頼人 Wuxi Ling Electronics 株式会社 中国江蘇省無錫市会見通り90	有効期限: 20XX年9月15日 提出場所: 中国、上海
	受益者
信用状通知銀行:　　　　照会番号: 尾張銀行　名古屋支店 日本名古屋市中区錦5-19-3	サカエ電子工業株式会社 日本国名古屋市南区栄町1-6-12
	総額 　　　　120,000米ドル

| 分割船積　　　　□許容される　■許容されない
積換え　　　　　□許容される　■許容されない
□保険は買い手が付保する。
船積み
船積港　　　　　　日本、名古屋
到着港　　　　　　上海
船積期限　　　　　20XX年8月20日 | （支払い、引き受け、買い取り、後日払いの指示）
この信用状は、下記の書類および受益者が振り出した当行（発行銀行：中国商業銀行）を支払人とする一覧払いの為替手形の呈示と引き換えに尾張銀行名古屋支店にて一覧払い形式で使用できます。 |

支払いの確約文を確認します

署名済みの商業インボイス　原本1通および写し3通

送り状金額の110%につき、協会貨物約款（全危険担保）、協会戦争危険担保約款、協会同盟罷業騒擾暴動担保約款を担保している、白地裏書をした2通の海上保険証券

荷送人（シッパー）の指図式で白地裏書をし、運賃支払済みであり信用状発行依頼人を通知先として記載された全通の無故障船積船荷証券
原産地証明書原本1通

貨物：電子部品（サカエ製）200,000個　　貿易条件：CIP上海

書類は船積後21日以内に呈示され、かつ、信用状の有効期限内に呈示されなければならない。
この信用状は荷為替信用状に関する統一規則および慣例（2007年改訂）国際商業会議所出版物番号600を適用します。

信用状統一規則の適用文を確認します

〔署名〕
〔発行銀行名〕

記載内容が売買契約で合意したとおりか、細かく確認します

第3章　貿易取引での「決済方法」を知る

要求される船積書類の種類

信用状で要求されている書類のなかに、準備するのに手間や時間がかかるものがないかもチェックします。さまざまな事情で入手困難な場合もありますし、信用状の有効期限までに発行が間に合わない場合もあります。

発行銀行自体の信用

信用状の発行銀行自体が、金融機関として信用できる銀行かどうかもチェックします。地方の小さな銀行などの場合は信用力が低いので、確認銀行での再保証を付ける確認信用状に変更してもらうよう、輸出者側から要請するケースもあります。

これらのポイントを確認し、もし契約条件との不一致や間違い、輸出者側からの修正希望などがあれば、すぐに修正を依頼することになります。修正方法については次節で解説しましょう。

実際の信用状のサンプルを前ページに掲載していますから、参考にしてください。

点検で不具合が見つかった場合の「アメンドメント」

取消不能信用状なので、再発行はされない

　もし、輸出者側での点検の段階で、信用状の内容に不備（ディスクレパンシー：Discrepancy、略して「ディスクレ」と呼びます）があったり、契約と相違する内容が発見されたりした場合には、どうすればよいでしょうか？

　この場合、輸出者は輸入者に、現状の信用状の不具合を伝え、輸入者から発行銀行に対して、不具合の修正をしてもらうように依頼してもらいます。

　ただし信用状では、いったん発行した信用状を取り消して再度発行し直す、ということは原則行いません（当事者全員の同意があれば可能ですが、実際にはそのようにはしません）。

　そこで、輸入者による信用状の変更依頼を受けた発行銀行は、当該信用状の変更・修正内容を作成したあと、輸出者側の通知銀行に電信などの手段で通知し、通知銀行がその内容を記した書類、いわゆる「アメンド書類」を輸出者側に手渡すことによって対応します。

　このように、いったん発行した信用状に修正を加えることを、アメンドメント（Amendment、略して「アメンド」）と言います。次ページに、アメンド依頼書のサンプルを掲載しておきますので、参考にしてください。

　輸出者は、入手したアメンド書類をもともとの信用状と併せて輸出者側の銀行に呈示することによって、変更・修正された条件で手

図表46 ◆ アメンド依頼書サンプル

TO : The Commercial Bank of China

DATE August 3, 20XX

APPLICATION FOR AMENDMENT TO DOCUMENTARY CREDIT	CREDIT NO. 98765	APPLICANT'S REFERENCE NO. PC6-10
ADVISING BANK The Bank of Owari, Ltd. Nagoya office	FOR ACCOUNT OF Wuxi Ling Electronics Co., Ltd.	
BENEFICIARY SAKAE Electronics Kogyo Co., Ltd. NAGOYA, JAPAN	ORIGINAL AMOUNT US$120,000	EXPIRY DATE September 15, 20XX

Dear Sirs,

We hereby request you to amend the above mentioned credit as follows :

ORIGINAL　　　　　Latest Shipment:　August 20, 20XX
　　　　　　　　　　Expiry Date:　　　September 15, 20XX

TO BE AMENDED　　Latest Shipment:　August 25, 20XX
　　　　　　　　　　Expiry Date:　　　September 25, 20XX

All other terms and conditions remain unchanged.
☐ Kindly obtain the beneficiary's consent on this matter. (Please check, if necessary.)

In consideration of your having accepted the above mentioned alteration(s), I / we unconditionally agree to perform all my / our obligations and /or liabilities under the credit as altered without fail, and to assume all the responsibilities as pledged in the original agreement. I / we shall reimburse you with all and any such expenses and charges as may be paid and incurred by you in connection therewith.

Yours faithfully,
Wuxi Ling Electronics Co., Ltd.

FOR BANK USE ONLY

検 印	主務印	署名照合印

AUTHORIZED SIGNATURE

● **アメンド依頼書サンプル（左記）の日本語訳**

中国商業銀行 御中

日付　20XX年8月3日

荷為替信用状 条件変更申請書	信用状番号 98765	申請者番号 PC6-10
信用状通知銀行 尾張銀行 名古屋支店	口座名義 Wuxi Ling Electronics 株式会社	
受益者 サカエ電子工業株式会社 日本 名古屋	当初金額 120,000米ドル	有効期限 20XX年9月15日

ご担当者様

上記の電信で通知された信用状を以下のとおり修正頂けますよう、依頼致します。

修正前　　　　　　　船積期限：　　20XX年8月20日
　　　　　　　　　　有効期限：　　20XX年9月15日

修正後　　　　　　　船積期限：　　20XX年8月25日
　　　　　　　　　　有効期限：　　20XX年9月25日

> 修正依頼する内容を、正確に記載します

その他の条件は変更なし。
□ この件につき、受益者の承認を得る。（必要であればチェック）

上記修正が認められたことにより、
弊社はすべて原契約どおりに確実に
この信用状を修正するという責任を
無条件で果たします。
そして、これに関連して発生し、
貴社が負担した費用を返金いたします。

銀行使用欄

> ディスクレに関連して銀行に何らかの損害が発生した場合、それをすべて負担することを保証しています

Wuxi Ling Electronics 株式会社

承認署名

検印	主務印	署名照合印

※実際のアメンド依頼書は、依頼する銀行によって書式が異なるため、ここでは典型的な書式の例を紹介しています。

第3章　貿易取引での「決済方法」を知る

形買取や手形取立をしてもらうことが可能になるのです。

無条件で受け入れられるわけではない

　アメンドメントの依頼においては、**輸出者からの変更依頼が無条件で受け入れられるわけではない**点にも注意してください。

　たとえば、輸出者からの変更依頼の内容が、輸入者にとって納得できるものではない場合には、そもそも輸入者は発行銀行への変更依頼を行わないでしょう。

　変更依頼の内容が、売買契約の解釈に関するものだった場合などには、輸入者側がその変更を承諾しない可能性が高くなります（そのようなことがないように契約を結ぶことが大切です）。

　また、輸入者が変更依頼に同意して発行銀行への手続きを行ったとしても、発行銀行がそれを認めるかどうかの問題もあります。

　何度も述べているとおり、発行銀行にとっての信用状発行は輸入者への与信行為の1つであり、その条件の変更は、与信条件の変更にほかなりません。条件変更にあたっては再度の審査が必要になりますから、担保条件などが変更になる可能性もありますし、時間もかかるのです。

　なお、アメンドメントは、信用状の記載内容の不具合や、契約内容との不一致のほかに、契約締結後の貿易当事者同士での条件変更の結果として行われることもあります。

　上述のように、アメンドメントでは手続きに多少時間がかかりますから、時間的余裕がない場合には、**ケーブル・ネゴや保証状の差し入れ**（後述）など、別の方法でディスクレに対応することになります。

信用状に基づいて船積書類を準備し、荷為替手形を組む

信用状の点検で問題がなければ、輸出者は船積みを実行し、代金の回収のために各種の船積書類を準備します。

そうして準備した船積書類をまとめ、為替手形を作成してこれらの書類とセットにすることで荷為替手形を組み、輸出者はこれを買取銀行に持ち込んで買取を受けます。

「荷為替手形」とは何か？

順番に解説していきましょう。まずは為替手形です。

従来、為替手形は紙ベースであり、金融機関によってその形や大きさは異なります。ただ、最近ではインターネットを使ったシステムが利用されるようになり、紙ベースの為替手形を使用するケースは減ってきています。とは言え、為替手形の仕組みを学ぶ基礎は、紙ベースの為替手形にありますから、本書では、まずこの紙ベースの為替手形について詳述していきましょう。

為替手形（Bill of Exchange）とは、振出人（Drawer）が支払人に宛てて作成し、手形で指定された期日に、指定された金額（手形金額）を、支払人が受取人（Payee）に支払うよう委託する有価証券のことです。英語では、Commercial Billとすることもあります。

ところで、日本の国内取引で使用される約束手形（原則、振出人が支払人となる）とは違い、為替手形は、指定された支払人（＝名

図表47 ◆ 為替手形のサンプルと手形内容の骨格

BILL OF EXCHANGE

二重払いを防ぐための記述

No.202143

FOR (① USD 120,000.00)　　　　　　　NAGOYA, August 30, 20XX

AT (② XXXXXXXXXXXX) SIGHT OF THIS FIRST BILL OF EXCHANGE (SECOND BEING UNPAID) PAY TO (③ The Bank of Owari, Ltd. Nagoya office) OR ORDER THE SUM OF (④ US DOLLARS ONE HUNDRED TWENTY THOUSAND ONLY) VALUE RECEIVED AND CHARGE THE SAME TO ACCOUNT OF (⑤ Wuxi Ling Electronics Co., Ltd.) DRAWN UNDER (⑥ The Commercial Bank of China, 3303 Yan-an Road, Shanghai, CHINA) L/C No. (⑦ 98765) DATED (⑧ JULY 15, 20XX.)

TO　⑨ The Commercial Bank of China
　　　3303 Yan-an Road,
　　　Shanghai, CHINA

Revenue Stamp

(⑩ SAKAE Electronics Kogyo Co., Ltd.)

額面金額に応じた印紙の貼付けが必要です

※日本語訳や記載内容については78ページを参照。

● 信用状取引の場合の為替手形の骨格（L/C発行銀行が支払人となるケース）

為替手形

英国通貨1万ポンドを受取人（C）にお支払いください。

名宛人（B）　殿　　　　　　　振出人（A）

輸出者 ------------------------ 振出人（A）
輸入者 ------------------------ 買主
輸出者側銀行 ------------------ 受取人（C）
輸入者側(L/C発行)銀行 --------- 名宛人・支払人（B）

信用状の内容に基づき、買主に関わる内容を表示する

支払人を誰にするかは、信用状に具体的に明記されます。

● D/P、D/Aの場合の為替手形の骨格

為替手形

英国通貨1万ポンドを受取人（C）にお支払いください。

名宛人（B）　殿　　　　　　　振出人（A）

輸出者 ------------------------ 振出人（A）
輸入者 ------------------------ 名宛人・支払人（B）
輸出者側銀行 ------------------ 受取人（C）

宛人：Drawee）は振出人とは別の企業あるいは個人です。

　支払人は、指定されただけでは支払義務は負わず、手形の引き受け（後述）をすることによって、初めて手形の債務者となります。

　また、貿易取引で利用される**外国為替手形**は、国内で利用される内国為替手形とは異なり、輸送途中の紛失等に備えて2通セットの**組手形（Set Bill）**とするのが一般的です。

　2通はどちらも同じ効力を持ちますが、先に着いたほうを利用します。なお、二重払いにならないよう、組手形の片方が未着の場合にのみ支払いを依頼する旨の記述（「第2券に対して支払いが行われていないならば…」など）が記載されています（→左図表47参照）。

　信用状取引など、貿易取引における決済のために、この外国為替手形に船積書類が添付されると、初めて「荷為替手形」と呼ばれるようになります。

図表48 ◆ 荷為替手形とは

船積書類(Shipping Documents)

船荷証券(B/L)	
インボイス(INV)	
梱包明細書(P/L)	
領事用インボイス(任意)	為替手形
原産地証明書(任意)	(Draft /
検査証明書(任意)	Bill of Exchange)
重量容積証明書(任意)	
海上保険証券(CIF、CIP条件の際に必要)	

荷為替手形
(Documentary Draft / Documentary Bill of Exchange)

信用状取引で作成し、買取銀行が買取の対象とするのはこの荷為替手形ですから、輸出者はこの荷為替手形に必要な各種の船積書類を準備するのです。

荷為替手形を組むのに必要な船積書類と、その注意点

　荷為替手形とするために為替手形に添付しなければならない船積書類は、信用状取引の場合は信用状によって細かく指定されてきますから、輸出者はその指示に従って書類を準備します。

　ただ、通常は以下の3つの書類は必ず要求されます。

- インボイス（Invoice → 223ページ参照）
- 船荷証券（B/L → 233ページ参照）
- 梱包明細書（P/L → 229ページ参照）

　船荷証券は、航空輸送の場合は**航空運送状（Air Way Bill：AWB）**に変わります（→ 246ページ参照）。また、貿易条件によっては（CIFなど）、**保険証券（I/P）**も要求されます（→ 276ページ参照）。

　もちろん、信用状取引なら信用状原本も必須です。

　このほか、必要に応じて以下のような書類が信用状で要求されることもあります。

- 原産地証明書（Certificate of Origin → 359ページ参照）
- 検査証明書（Inspection Certificate → 62ページ参照）
- 領事インボイス（Consular Invoice → 224ページ参照）
- 重量容積証明書（Certificate or List of Weight & Measurement）　など

　これらの船積書類を、すべて信用状の記載と一致するように作成

したり、発行したりしてもらうことによって、輸出者は初めて買取銀行での手形の買取を受けられるようになるわけです。

　これら船積書類の準備にあたっては、輸出者は次のようなポイントに注意して作業を進めましょう。

- 手形と書類の発行日が、信用状の有効期間内であること。
- インボイス、運輸証券（船荷証券または航空運送状）、保険証券の発行日が、信用状で指定された船積期限内であること。
- 商品名が信用状とインボイスの両方に記載される場合、スペリングを絶対に一致させること。その他の書類における商品名は、信用状と矛盾しない記載であれば問題ありませんが、インボイスについては特に厳密な一致が要求されます。
- すべての数量単位が一致していること。
- 手形金額とインボイスの金額は、信用状の条件に従うこと（通常、信用状の記載金額を超えられません）。
- それぞれの書類の通数、原本・写しの別は、信用状の指示に従うこと。
- インボイスと船荷証券の荷印（→232ページ参照）、および記載内容が一致していること。
- 船積日から買取銀行への持ち込みまでの期間を、信用状の文言どおりにすること。信用状に条件記載がない場合でも、期間経過船荷証券（Stale B/L →241ページ参照）にならないよう、船積日から21日を越えないように買取銀行へ持ち込むこと（実務では非常に重要）。
- 船積船荷証券（Shipped B/L →237ページ参照）になっていること。受取船荷証券の場合は、船積証明（On Board Notation →238ページ参照）が付記してあること。
- 船荷証券の名宛人が、to order あるいは to order of

> shipper になっている指図式船荷証券（Order B/L → 239 ページ参照）であること。
> - リマークの付いていない無故障船荷証券（Clean B/L → 240 ページ参照）であること。
> - 保険条件が信用状の指図どおりであること。

　船荷証券など、自社で作成しない書類について修正が必要な場合は、スピーディーに手続きしないと有効期限に間に合わなくなります。

荷為替手形の作成にあたっての注意点

　為替手形そのものの作成にあたって注意しなければならない点についても、ここで解説しておきましょう（→ 166 ページ・図表 47 も参照）。

- 名宛人の指定

　荷為替手形での名宛人（支払人）は、信用状取引の場合は信用状の指図に従って指定します。

　信用状で Drawn on.... とあるのが名宛人の指定で、Drawn on us とか Drawn on Opening Bank などとあるときは信用状発行銀行を名宛人とします（これが一般的）。Drawn on Applicant とあれば輸入者、Drawn on XXX Bank と特定の銀行名があれば、その銀行を名宛人として手形を作成します。

- 支払期日の指定

　支払期日についても、信用状の指定どおりとするのが原則です。
　At _____ sight と表記されている空白の部分を、ハイフン等で埋めてしまい at sight とすれば**一覧払い手形（Sight**

Bill) となり、XX days after と入れて at XX days after sight とすれば「一覧後 XX 日での支払い」の意味になり、**期限付き払い手形 (Usance Bill)** となります。

　一覧払い手形は、手形が支払人に呈示（Presentation）された日が満期日となるので、支払人は直ちに手形金額を支払う必要があります。

　これに対して期限付き払い手形は、呈示から決められた一定期間が経過した期日を満期日として、手形金額を支払えばよいとする手形です。

● その他の注意点

　手形用紙については、紙ベースの場合、一般的には取引銀行から専用の手形帳を貰い受けて利用します。

　また、手形に貼り付ける印紙の税額は、手形の額面金額が 10 万円未満の場合は非課税です。額面 10 万円以上の場合は、日本国内の事業者が発行し、金額を外貨で表示するものであれば一律 200 円、金額を邦貨で表示するものであっても、貿易取引に利用する手形であれば大抵は一律 200 円となります（邦貨表示の期限付き払い手形の場合は、通常の手形と同じく額面金額によって印紙税額が変化するケースもありますので、個別に確認してください）。

　なお、印紙は第 1 券にのみ貼り付けます。

　荷為替手形を組むのに必要な船積書類が揃ったら、買取銀行（または取立銀行）に持ち込んで、所定の**手形買取依頼書**（または**手形取立依頼書**）を提出して買取を依頼します。これによって、輸出者は代金の回収を行えるわけです。

　なお、手形買取依頼書や手形取立依頼書は、各金融機関によって書式が異なるので、サンプルは掲載しません。

9 信用状による代金回収の仕組みを理解する

　信用状取引において、銀行に持ち込んだ荷為替手形がどうして買い取ってもらえるかについてもおさらいしておきましょう。なお、**買取**は英語では Negotiation です。

輸出者は手形の割引手数料についても留意しておく

　輸出者が船積みを実行して船荷証券を受け取り、荷為替手形を組んで買取銀行に持ち込むと、買取銀行は必要書類の有無や信用状との文言の一致を確認し、問題がなければこれを買い取ってくれます。ただし、そのとき手形代金の満額を支払ってくれるわけではなく、**手形割引手数料**と呼ばれる手数料を差し引かれます。

　このように、一定の手数料を差し引いたうえで手形を買い取ってくれるので、手形を買い取ってもらうことを「**手形を割引する**」と言うこともあります。

買取銀行→発行銀行→輸入者の順番に荷為替手形が動く

　さて、為替手形と船積書類、つまり荷為替手形を入手した買取銀行は、それらを信用状の発行銀行に郵送します。発行銀行はこれを引き受け、手形の支払条件に従って買取銀行に代金を支払います。

　荷為替手形を買い取った発行銀行は、次は輸入者にこれを呈示し、引き受けを求めます。

図表49 ◆ 荷為替手形の買取

売り手は、船積みが完了した時点で為替手形を振り出し、船積書類とともに取引銀行に持ち込みます（荷為替手形）。すると、取引銀行が手形を割り引いて、代金を売り手に支払います。

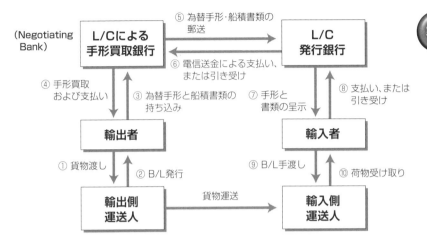

輸入者がこの手形を引き受ける、あるいは代金を支払うことで、発行銀行は船荷証券をはじめとする各種の船積書類を輸入者に引き渡します。

原則的には、輸入者は船荷証券を入手することで、初めて船会社から輸入貨物を引き取ることができるようになるわけです。

なお、信用状取引以外でも、輸入者が発行銀行から船荷証券を受け取る条件として、為替手形の引き受けをした時点で手渡す**引受書類渡し手形（D/A）**と、為替手形の代金を支払った段階で手渡す**支払書類渡し手形（D/P）**の2つの方式があります。

10 買取銀行による検査の段階で「ディスクレ」が見つかったら

さまざまな対応方法がある

　信用状取引で輸出者がすべての船積書類を準備し、荷為替手形を組んで買取銀行に買取を依頼した際、銀行側のチェックで信用状と船積書類との間に記載内容の不一致が見つかることもあります。輸出者側でのチェック時に見つかった不備と同じく、このような不一致についてもディスクレ（Discrepancy）と呼びます。

　この場合、信用状取引の厳格一致の原則に反しますから、買取銀行では代金支払いを拒絶します。

　しかし、それでは代金回収に支障を来たし輸出者が困りますから、さまざまな対応策をとることが可能です。主なディスクレへの対応策としては、次のような3つの方法が考えられるでしょう。

① ケーブル・ネゴ（Cable Negotiation）

　買取銀行での検査時に発見されたディスクレでは、信用状や船荷証券の有効期限の関係で、前述したアメンドメントを輸入者および発行銀行に依頼する時間的余裕はまずありません。

　そのため、電信（＝ケーブル）によって、買取銀行が発行銀行に不一致の内容を伝え、発行銀行および輸入者の承諾を得たうえで買取を行うという方法がよくとられます。

　これを「ケーブル・ネゴ」と言い、ディスクレの発生時にもっとも一般的に利用される方法です。

② 保証状（L/G：Letter of Guarantee）の差し入れ

輸出者が買取銀行に、支払いに関する責任を全面的に負うことを約束した保証状を差し入れ、ディスクレはそのまま買い取ってもらう方法もあります。

この場合の「支払いに関する全面的な責任を負う」というのは、ディスクレが原因で手形が不渡りになった場合には、その代金を輸出者が支払うことを買取銀行に保証するという意味です。

さほど重要でない部分のスペル・ミスなど、ディスクレの内容が軽微な場合にとられることが多い対応策です。

③ 取立（Collection）扱い

ディスクレの内容が重大で、輸出者の信用にも問題があり、保証状の差し入れでは輸出者側の銀行が安心できない場合には、銀行が手形の買取に応じてくれず、**取立扱い**とされることもあります。

図表50 ◆ 荷為替手形の取立

為替手形を持ち込まれた取引銀行が、売り手が振り出した為替手形を買取せず、これを内部的に取立扱いとします。

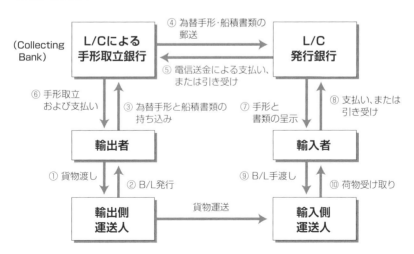

「取立」とは、輸出者側の銀行が呈示された荷為替手形に対して、手形指定の期日（一覧払い、あるいは期限付き払い）での支払いをせず、輸入者や発行銀行からの実際の支払いがなされるのを待ってから、輸出者への代金支払いを実行する方法です。輸出者にとっては、資金回収までの見込期間が延びることになります。

通常の買取の場合とは、お金や書類の流れの順番が変わりますから、前ページの図表50を確認してみてください。

なお、輸出者が輸出者側銀行での荷為替手形現金化に要する手数料支払いを低く抑えたい場合に、あえて取立扱いとすることもあります（一般的に、取立のケースのほうが、買取のケースよりも手数料は安くなるからです）。

「D/P手形」による決済を理解する

信用状取引にはさまざまなメリットがありますが、信用状の発行依頼手続に手間や時間がかかるほか、輸入企業の信用状況によっては高額な担保や保険料を要求されることもあります。

そのため、中小企業が輸入者となるにあたっては、信用状以外の決済方法についても理解しておくことが必要になります。

また、輸出者としての立場でも、海外の輸入者から信用状を利用しない決済方法を希望されることが少なくありませんから、同じくこれらの決済方法についてしっかり理解しておく必要があります。

送金決済に関してはすでに第2章13節で詳述していますから、本章では信用状を付けない荷為替手形による決済方法、つまりD/P手形およびD/A手形について、詳しく解説していきます。

「D/P手形」による決済の基本

D/P手形のD/Pとは、Documents against Paymentの略で、輸入者側が取立銀行に手形金額を支払わないと、銀行から輸入者に船積書類が引き渡されない支払条件を言います。

輸出者側が為替手形を作成し、船積書類を添付して荷為替手形を組むのは信用状取引と一緒です。輸出者はこの荷為替手形を輸出地の取引銀行に持ち込み、買取、もしくは取立扱いにしてもらうことで早期に代金の回収をするのです。

輸入者は、貨物を引き取るためには原則として船積書類、特に船

荷証券を必要とします。その重要書類を入手するためには、輸入者は手形金額の支払いを実行したり、契約による満期日での支払いを約束したりする必要があります。このため、手形の取立を依頼された輸入地の銀行も、ある程度は輸入者の支払いに関与します。

なお、この輸入者側の銀行には、輸出者側の銀行と外国為替取引の提携契約を結んでいるコルレス銀行、あるいは輸出者側銀行の海外支店が指定されます。

貿易保険の有無で、輸出者側銀行の対応が変わる

信用状取引で、輸出者側銀行の対応方法には手形の買取と取立扱いの2つがあったのと同じように、D/P手形による取引でも、輸出者側銀行の対応は買取扱いと取立扱いに分かれます。

● 取立扱い（Bill for Collection）

D/P手形では、銀行による代金の支払確約証である信用状がありません。また、一般的にD/P手形による決済方法は、カントリー・リスクの高い発展途上国（特に南米諸国）でよく利用されます。そのため、輸出者側銀行は、持ち込まれたD/P手形を原則として取立扱いにして対応します。

取立扱いでは、輸出者側銀行は輸出者から持ち込まれた荷為替手形を輸入地の銀行に送付し、輸入者から輸入者側銀行に手形代金の支払いが行われたのを確認してから初めて、輸出者に手形の代金を支払います。もちろん、輸出者への支払いにあたっては、輸出者側銀行が取立手数料などを差し引きます。

右図表51は、この場合の書類とお金の流れを示したものです。

図表51 ◆ D/P手形・取立扱い（輸出手形保険の付保なしの場合）

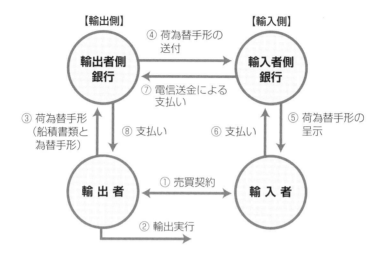

● 買取扱い（Bill Bought）

　上述のように、D/P手形では取立扱いが基本なのですが、輸出者にとっては、それでは代金回収までの期間が長くなってしまいます。

　そこで、銀行が代金を回収できないリスクをカバーする保険を輸出者がかけ、その保険の約定書などを買取銀行に提出することによって、信用状のない荷為替手形でも買取に応じてもらえるようになります。

　こうした用途で使われる保険は**輸出手形保険**と呼ばれ、**株式会社日本貿易保険**などが提供する**貿易保険**の一種です（→283ページ以降で詳しく解説）。次ページの図表52に、買取扱いの場合のD/P手形の仕組みをまとめました。

　ちなみに、貿易保険をかけていないD/P手形であっても、輸入者が信用力のある大企業であり、かつ比較的カントリー・リスクの

図表52 ◆ D/P手形・買取扱い（輸出手形保険の付保ありの場合）

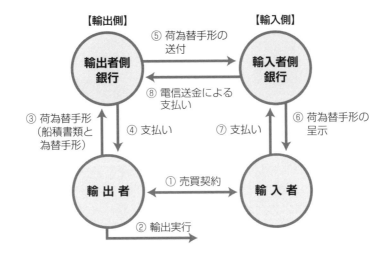

低い国向けの輸出の場合には、輸出者側銀行が買取に応じてくれることもあります。

D/P手形作成の手順

　輸出者の実務では、D/P手形決済の場合には貿易保険をかけて、買取扱いとして早期の代金回収を図ることが一般的です。

　また、D/P手形の作成にあたっては、支払期日については一覧払い手形とするのが原則です。ただ、まれに欧州などとの取引で、航海日数が長期の場合に、手形の支払期日をその日数に合わせて設定するケースも存在するようです。

　D/P手形の場合、手形の名宛人は輸入者です。あとは、Documents against Paymentの文字を明記するほかは、信用状取引の場合と作り方は変わりません。

12 「D/A手形」による決済を理解する

D/P手形よりも代金回収までの期間が長い

　信用状なしの荷為替手形取引には、D/P手形による決済のほかに、D/A手形による決済があります。D/A手形のD/Aとは、Documents against Acceptance のことです。

　基本的な書類やお金の流れ、当事者などはD/P手形と同じですが、船積書類を輸入者に引き渡すタイミングが、輸入者が手形金額を支払ってからではなく、輸入者が手形を引き受けた段階、つまり、「期日どおりに代金を支払うよ」と輸入者が約束した段階になっている点が異なります（したがって、輸入者が本当に期日どおり代金支払いを実行するかどうかが常に問題となります）。

　正確には、手形の引き受け（Acceptance）とは、期限付き払い手形の場合に、手形満期日に手形金額を支払うことを支払人が約束することを言います。

　輸出者の立場から見ると、代金回収までの期間はさらに長くなり、D/P手形よりも不利になります。もちろん、輸入者側から見れば、逆に非常に有利になる決済条件です。

取立と買取の判断基準はD/P手形と原則同じ

　日本からの輸出案件では、D/A手形の場合も先述のD/P手形と同様に、主に貿易保険が付保されているかどうかによって、輸出者

図表53 ◆ D/A手形の場合の書類と資金の流れ

●輸出手形保険の付保なしの場合

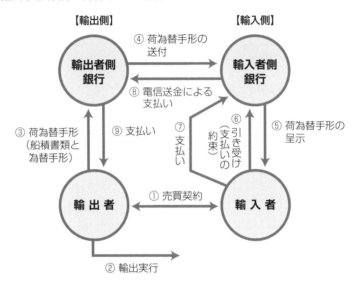

●輸出手形保険の付保ありの場合

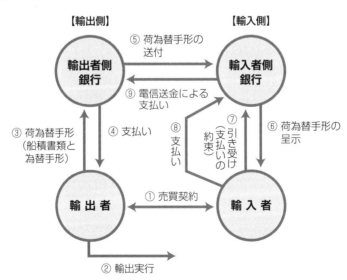

が輸出者側銀行に持ち込んだときに、買取に応じてもらえるか取立扱いとされるかが異なります。

輸出者側銀行は、貿易保険がなければ原則取立扱いとし、貿易保険があれば買取に応じてくれる可能性が高くなります。

それぞれの場合の書類とお金の流れを、左の図表53で確認してください。

D/A手形の実務上の注意点

D/A手形の場合は、輸入者が支払いを約束するのですから、支払いまでに必ず一定の期間が開きます。ですから、作成の際に設定する手形の支払期限も必ず at XX days after sight となり、期限付き払い手形となります。

D/Pの場合と同じく、D/Aの場合も為替手形の名宛人は輸入者です。

あとは、Documents against Acceptance の文字を明記するほかは、信用状取引の場合と同様に為替手形を作成します。

なお、D/A手形の場合も、日本では輸出者の実務として貿易保険をかけて、早期に代金回収を図ることが一般的です。

これはD/P手形の場合も同様ですが、信用状なしの荷為替手形を輸出者側銀行に持ち込み、買取依頼する際には、所定の買取依頼用紙に必要事項を記入し、信用状取引では必要なかった売買契約書も提出する必要があります。

売買契約書が必要な理由は、信用状がないので銀行側が買取の際のチェックをするとき、契約書がないと判断できないためです。

このほか、輸出企業の登記簿謄本や定款などを求められることもあります。

13 「法人向けインターネット版外国為替サービス」など

その他の新しいサービスにも素早く対応する

　このほか、最近では日本の大手銀行を中心として、法人顧客向けに、インターネットを利用した外国為替取引業務のサービスを一体的に提供することが一般化してきており、外国送金や信用状を使った以下のような業務を、ネット画面をとおして簡便に行えるようになってきています。

- 輸入取引による代金支払いのための外国送金
- 輸出取引による代金受領の確認や法人口座への入金手続き
- 輸出L/C・輸入L/Cサービス
- 輸出手形買取・取立依頼サービス
- 為替予約取引
- 外貨預金振替機能
- 外国為替相場情報
- その他の外為取引に関する情報やサービス　など

　前述したように、従来の為替手形は紙ベースでやりとりされることが多かったのですが、最近はこの法人向けインターネット版外国為替サービスの普及により、データ通信での交換に切り替わってきています。今後の貿易業務では、こうした新しい決済サービスにも、素早く確実に対応していくことが大切になるでしょう。

図表54 ◆ 法人向けインターネット版為替サービスの仕組み

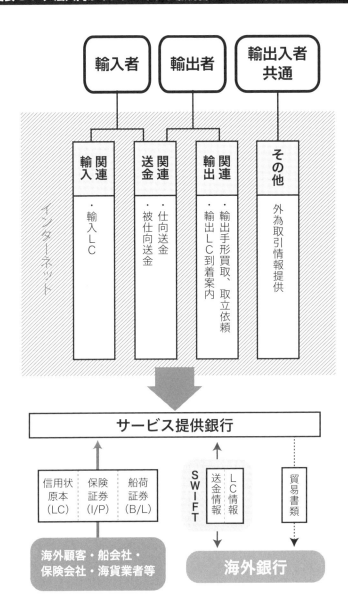

14 貿易企業を資金面から サポートする「貿易金融」

　貿易取引のさまざまな段階では、輸出企業、輸入企業ともにさまざまな形で資金ニーズが発生します。これを側面から支援するのが、まとめて「貿易金融」と呼ばれるさまざまな金融サービスです。
　本章のテーマである「貿易決済」の関連項目として、こうした貿易金融についても把握しておきましょう。ただし、貿易金融は複雑なので、ここでは概略のみを紹介するに留めます。

さまざまな輸入金融の方式を知る

　輸入取引における各段階で発生する資金ニーズに合わせ、多くの方式の金融サービスが用意されています。こうした輸入者側の貿易金融を輸入金融と総称します。代表的なものを列挙しましょう。

① 輸入ユーザンス
　輸入者が輸入貨物の代金を支払う際に、その支払いを一時的に猶予される形の金融サービスを輸入ユーザンスと言います。猶予してくれる主体がどこかによって、以下のように呼び名が分かれます。

　●本邦ローン（自行ユーザンス・為銀ユーザンス）
　　輸入者が日本の企業の場合に、わが国の銀行によって行われる輸入ユーザンスを特に「本邦ローン」と言います（「自行ユーザンス」とか「為銀ユーザンス」などと呼ぶこともあります）。

日本の銀行が、輸入者に代わっていったん支払いを決済し、輸入者は代金の支払いまでに一定の時間的猶予を得られるという金融サービスです。

具体的には、信用状発行銀行が一覧払い手形の決済時に輸入者から外貨約束手形を受け取り、外貨資金を輸入者に貸し付けてこれを一覧払い手形の決済に充当させます。そして後日、外貨約束手形の期日に輸入者から代金を取り立てる、という方法です。

● アクセプタンス方式（外銀ユーザンス・他行ユーザンス）

信用状の発行銀行とコルレス契約を結んでいるコルレス銀行が支払いの猶予を行う方式を、「アクセプタンス（Acceptance）方式」とか「外銀ユーザンス」、あるいは「他行ユーザンス」などと呼びます。

まず輸出者は、信用状に基づいて期限付き払いの為替手形を振り出します。このとき名宛人は指定されたコルレス銀行とします。

この為替手形は、輸出地の買取銀行で買い取られたあと、ロンドンやニューヨークのコルレス銀行（手形の名宛銀行）に引き受けられ、買取銀行は手数料や期間利息などを差し引いた代金を回収します。これにより、コルレス銀行によって、手形期日までの支払いの猶予が行われたことになるわけです。

このように、コルレス銀行が支払期日まで引き受けた手形をBA手形（Banker's Acceptance Bill）と言いますが、コルレス銀行はこのBA手形を金融市場で転売します。この金融市場はBA市場と呼ばれます。

手形期日には、手形の宛名銀行は信用状発行銀行から決済を受け、その代金で引受手形の決済を行います。

● リファイナンス（Refinance：再融資）方式

　輸出者が信用状に基づいて振り出す手形を一覧払い手形とし、この一覧払い手形の決済資金を調達するために、信用状発行銀行が輸入者に期限付き払い手形を振り出させ、この手形によって手形割引市場から資金調達する方式です。

　一覧払い手形の決済後に再融資（リファイナンス）を受けるので、リファイナンス方式と呼ばれます。

● BCユーザンス

　輸出者の振り出した信用状に基づかない手形を、海外の銀行が買い取り、輸入者の代金支払いを一定期間猶予する方式です。

　日本の輸入企業に対して、邦銀の海外支店が猶予を与えるケースが一般的です。

● シッパーズ・ユーザンス

　輸出者（または輸出地の銀行）が、輸入者に直接猶予を与える方法です。当然、輸入者に対する与信行為となります。

　輸出者（または輸出地の銀行）が振り出したD/A条件の期限付き手形に対して、輸入者が裏書を行って引き受けすることで、船積書類が引き渡されます。

② はね返り金融

　上記のようなさまざまな方法で輸入ユーザンスを受けると、輸入企業は輸入した商品を販売するなどして、支払期日までに資金を用意するよう努めます。

　しかし、商品を売りさばくのに時間がかかったり、販売先からの代金回収に時間がかかったりして思惑が外れると、期日までに支払代金を用意できない状況に陥ることもあります。

こうした、輸入代金の支払期日と貨物売却代金の受領日にずれが生じたケースで、緊急避難的に銀行から輸入者へ行われる円融資をはね返り金融と言います。

輸入者としては、できれば利用を避けたい金融サービスと言えますが、こうした方法があることを知っておくことも、実務では非常に重要になります。

③ スタンドバイ・クレジット

日本の銀行が、海外で営業する企業（通常は日本企業）に対して与信を行い、その企業の借入保証や入札保証、契約履行保証などを海外現地の銀行に与えることを（あるいはそのために用いられる信用状を指して）スタンドバイ・クレジットと言います。

この用途に使われる信用状をスタンドバイ信用状（Stand-by Credit）と呼び、船積書類などの添付が必要ないので、クリーン信用状とも言います（ちなみに、船積書類などの添付が必要な通常の信用状は、ドキュメンタリー信用状です）。

なお、前述したとおり信用状の発行も与信行為であり、その買取なども含めて、信用状取引自体も輸入金融の1つと言えます。

輸出金融の概要を把握する

輸出取引においても、貿易取引の各段階に対応したさまざまな金融サービスが用意されています。これを輸出金融と言います。

① つなぎ融資

契約成立前の見込生産の段階で行われる融資を、特に「つなぎ融資」と言います。ただし、通常の企業運営における融資との境界は

非常に曖昧です。

② 輸出前貸金融

　売買契約の成立、あるいは信用状の到着のあと、船積みまでの期間に、買い手からの注文に応じた生産をしたり、原材料を仕入れたりするのに必要な資金を借り入れることを「**輸出前貸金融**」と言います。

　販売先が決まっていることから、資金回収の目処が立っており、銀行にとっては①のつなぎ融資よりも貸しやすいと言えます。

　貸越口座契約を事前に結び、小切手を利用する**輸出当座貸越**や、信用状金額の 80 ～ 90％を上限に手形貸付を行う**輸出前貸関係準商業手形**などの方法があります。

③ 輸出手形の買取など

　輸出者は、商品を船積みしたあと銀行に荷為替手形を持ち込んで買取を依頼し、早期の代金回収を行いますが、この輸出手形（＝輸出荷為替手形）の買取も一種の輸出金融です。

　銀行は、信用状付き荷為替手形の買取はもちろん、D/A 手形やD/P 手形などの信用状なし荷為替手形の引き受け、一覧払いやユーザンス払い（＝期限付き払い）等の支払期日の選択など、さまざまな金融サービスを行います。

④ 日本政策金融公庫および国際協力機構などの制度金融

　航空機・船舶・発電プラントなど、日本国内で生産された一定の設備等を開発途上地域へ輸出したり、技術支援を行ったりする際には、**日本政策金融公庫**や**国際協力機構**、その他の公的機関による制度融資を受けられる場合があります。

第4章

「国際運輸」の知識と実務

貿易取引では貨物を海外まで輸送する必要があります。主力である海上輸送と、航空輸送の仕組みを理解したうえで、やり取りされる書類についてもしっかり把握しましょう。

1 わが国では海上輸送が主力

海に囲まれた日本では、陸上貿易はありえない

　日本企業の貿易取引では、わが国は四方を海に囲まれていますから、船舶による海上輸送が輸送手段の主力となります。現状、日本には陸上国境はありませんから、大陸国家のような陸上輸送による貿易取引はありえません。

　航空機による航空輸送もありますが、運賃が高く付くため、特段事情がなければ海上輸送で取引を行うことが一般的です。

運賃の安さが最大の特長

　海上輸送は、航空輸送に比べると時間はかかりますが、一度に大量の商品を運ぶことができ、運賃も安価に抑えられるという特長があります。

　日本の加工貿易を支える工業原材料や、日本人の胃袋を支える食料品の多くは、こうした海上輸送による貿易取引で調達されているのです。

　まずは、海上輸送についての基礎的な知識を理解しましょう。

「定期船」と「不定期船」がある

海上輸送であっても、安定的な物流が提供されている

　海外諸国との海上輸送には、北米航路やアジア航路、中国航路、欧州航路、中東航路など、輸送サービスを提供する船会社がさまざまな**航路**を設定しています。そうした一定の航路を、定期的に航行する貨物船を**定期船**（Liner）と言います。

　近年では、船舶の航行スピードが上がり、同時にGPS等を利用した運行管理の技術が発展したため、毎週決まった曜日に出港・到着する**ウィークリー・サービス**（Weekly Service）などが実現しています。

　国際的な海上輸送と言うと、貿易をよく知らない人にとっては「波と風まかせで到着日がいつになるかわからない」というようなイメージがあるかもしれませんが、それは遥か過去の話で、現在では国際海上輸送であっても、安定的な物流インフラを利用することができるのです。

　ちなみに定期船では、後述する**コンテナ船**が多く利用されます。

　こうした定期船に対して、荷主の依頼に応じて不定期なスケジュールで航行する貨物船を**不定期船**（Tramper）と言います。定期船では自社の運送ニーズを満たせない場合には、こうした不定期船が利用されます。

　なお、不定期船には、特定の貨物の運送に特化した専用船がよく

利用されます。

「個品運送契約」と「用船契約」

定期船と不定期船では、船会社と交わされる運送契約の種類も異なります。

① 個品運送契約（Carriage in a General Ship Contract）

定期船では通常、船会社が多数の荷主から小口商品を集め、**混載貨物**（Consolidated Cargo：荷主が複数の貨物）にすることで定期的な輸送サービスを実現しています。こうした輸送サービスは、船会社が常時提供している固定的なものなので、輸出者や輸入者は必要なときにこのサービスを利用して、商品の国際運送を簡単に行うことができます。また、運賃も比較的安価に抑えることができるほか、輸送依頼する貨物が少量であっても国際海上輸送することが可能になります。

定期船を利用したこのような運送で交わす契約を、**個品運送契約**と言います。

個品運送契約では、荷主が多数になるため、一般に特別な契約書は発行されません。船荷証券（後述）は発行されますので、それが契約書の代わりとなるとされていますが、万一事故が起きたときには荷主の権利や立場は比較的弱いものとなります（国際条約等で最低限の権利は保護されています）。

また、個品運送契約では、取り扱う商品は梱包されていなければなりません。

② 用船契約（Charter Party Contract）

「バラ荷」と呼ばれる個別梱包することができない大型貨物（たと

えば鉄鉱石など）や、専用の船腹を必要とするような貨物は、上記の個品運送契約を利用できません。

また、定期船のスケジュールを利用できない不定期な輸送でも、個品運送契約は結べません。

こうした場合には、船会社と荷主の間で、個別に**用船契約**という種類の契約を結びます（「**傭船契約**」とも言います）。いわゆる「チャーター契約」のことです。

用船契約では、毎回、双方で**用船契約書**を取り交わします。契約の内容も、その都度、双方で定めることが可能です。そのため、荷主の権利という面では個品運送契約より有利になりますが、その分、運賃は割高になります。

用船契約は、木材や鉱物、穀物、自動車など、専用の船腹が必要な貨物を大量に輸出入する際に多く利用されています。

図表55 ◆ 定期船と不定期船の比較

	定期船（Liner）	不定期船（Tramper）
航路・航行日程	あらかじめ決められた航路を、決められた日程で航行する	荷主の依頼に応じて、不定期なスケジュールで航行する。航路についても荷主の依頼に応じて決められる
利用される船舶	コンテナ船が多い	特定貨物の運送に特化した専門船がよく利用される
利用の際に交わされる契約の種類	●個品運送契約 荷主　　：多数 契約書　：通常は発行されない 積載状態：混載 運賃　　：比較的安価 梱包　　：梱包されていなければならない	●用船契約（傭船契約） 荷主　　：単独 契約書　：毎回取り交わす 積載状態：混載ではない 運賃　　：比較的高価 梱包　　：梱包されていなくてもよい

3 「コンテナ船」と「在来船」の違いを理解する

すでに何度か登場していますが、海上輸送に利用される貨物船の種類についても理解しておきましょう。

「コンテナ船」はコンテナだけを運ぶ

国際的に一定の規格に統一された**コンテナ（Container）**のなかに貨物を積み込み、これらのコンテナだけを輸送する貨物船を**コンテナ船（Container Vessel）**と呼びます。

コンテナ船は、1960年前後から利用が開始されましたが、その利便性の高さから一気に世界中に普及し、現在では鉱物や穀物、木材、自動車など、貨物の性質上コンテナが利用できない場合以外はコンテナ船を利用することが一般的になっています。

●コンテナ船の２つの輸送方法

コンテナ船を利用する場合は、FCL（Full Container Load：フル・コンテナ・ロード）とLCL（Less than Container Load：レス・ザン・コンテナ・ロード）という、２つの輸送方法の違いを理解しておく必要があります。

FCLは、コンテナ１本単位で輸送を依頼する方法で、輸出者（あるいは輸出者の依頼を受けた海貨業者）は船会社に、コンテナに商品を詰めた状態で貨物を引き渡します（コンテナに商品を詰めてシール〈封印〉することを**バンニング〈Vanning〉**と言います）。

この方法の場合、1本のコンテナの中身は、1人の荷主の荷物で満載されている状態になります。

商品をバンニングされたコンテナは、船会社が管理する**コンテナ・ヤード（Container Yard：CY）**に運び込まれ、そこで船会社に引き渡されます。

CYは港に隣接しているので、CYに持ち込まれたコンテナは、巨大なクレーンを使ったり、船の側面に開いた搬入口から直接運び込んだりして、本船に船積みされます。

これに対してLCLは、少量取引などの際に、荷主の異なる小口の複数貨物を、同じ1本のコンテナ内に混載して輸送する方法です。

輸出者（あるいは輸出者の依頼を受けた海貨業者）は、梱包した貨物を船会社の管理する**コンテナ・フレート・ステーション（Container Freight Station：CFS）**に持ち込み、そこで船会社に引き渡します。

船会社はCFSで、複数の荷主からの小口貨物を集めて1本の混

図表56 ◆ FCLとLCL

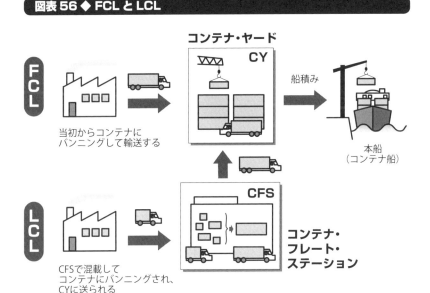

載貨物とし、コンテナにバンニングしたのちに CY に送ります。

CY からは、FCL の場合と同じように本船に船積みされます。

輸送方法の違いによって、輸出者が商品を搬入する場所が異なりますから、注意が必要です。また、輸入者側での引き取りの手順も多少異なります。

● **コンテナ船の場合の貿易条件**

コンテナ船では、輸出者が船会社に貨物を引き渡すのが CY や CFS となり、後述する在来船の場合とは事情が異なります。また、上述したように埠頭からクレーンを使わずに直接船腹に船積みする場合もあるため、FOB、CFR、CIF 条件では実態に合致しない場合があります。

そこで、コンテナ船を利用する場合には、インコタームズ 2020 においては FOB、CFR、CIF 条件ではなく、FCA、CPT、CIP 条件を利用することとされています。

「在来船」は対応能力が高い

コンテナだけを運ぶコンテナ船に対して、コンテナ以外の一般貨物を運ぶ貨物船が**在来船**(Conventional Vessel)です。本船自体がクレーンを装備していることが多く、それを使って船積みを行うことが可能です。

コンテナ船では、輸出港・輸入港双方でコンテナ用の湾港設備、つまり CY が必要ですが、在来船では船積みに大規模な施設は必要ないので、発展途上国など湾港設備が整備されていない国々との国際海上輸送には、いまでも在来船が活躍しています。

弱点は、コンテナ船に比べて積載能力が小さいことや、船積作業が雨や風などの天候不順の影響を受けやすい点などです。

4 海上運賃の計算方法を知る

「基本料金＋割増運賃・特別料金」が基本

船会社に支払う海上運賃は、基本料金（Base Rate）に各種の割増運賃（Additional Rate）や特別料金（Special Charge）が加算されて決定されます。

割増運賃や特別料金は、諸チャージ（Surcharge）と呼ばれることもあります。

図表57 ◆ 海上運賃の基本構成

まずは、基本料金の計算方法について解説しましょう。

コンテナ船の基本料金は、ボックス・レートが主流

● ボックス・レート（Box Rate）

現在、海上輸送の主力となっているコンテナ船では、主にコンテナ1本あたりいくら、という形で運賃が決定されます。コンテナの種類に合わせて、20フィート・コンテナ、40フィート・コンテナ

それぞれに異なる運賃が課せられます。

こうした方法で決まる運賃を、ボックス・レート（Box Rate）と呼びます。

コンテナにバンニングされた商品の品目別に値段が分かれる**クラス別ボックス・レート（Commodity Box Rate）**と、コンテナ内の商品の種類には関係なく一定の値段を課す**品目無差別ボックス・レート（FAK Box Rate）**があります。

● **重量建て運賃（Weight Basis：W）**

重量を基準として料金を決める運賃体系です。主に、在来船や不定期船、重い商品（鋼板や鉄鉱石など）に対して用いられます。

単位としては、通常はメートル法のトン（MT）が使われますが、一部の不定期船では英トンや米トンが使われることもあるので、注意してください（英トン、米トン→67ページ）。

● **重量・容積建て運賃（Weight & Measurement Basis：W/M）**

重量および容積を基準に運賃を決める運賃体系です。前述した1フレート・トンごとに運賃を課していく方法であり、主に在来船の定期船で利用されます（フレート・トン→68ページ）。

● **従価建て運賃（Ad Valorem）**

宝石などの著しく高価な商品の輸送に適用される運賃体系で、商品価値の数％を運賃とします。

● **梱包建て運賃（Piece Package Unit Basis）**

自動車などの運送で使われる運賃体系で、車1台いくら、というような形で運賃が課せられます。自動車専用船などで利用される基本料金です。

- 最低料金（Minimum Charge）

　運賃体系の最低基準に満たない少量輸送の場合、最低料金が課せられます。通常は、船荷証券1通につきいくら、という形で運賃が決められています。

さまざまな割増運賃・特別料金がある

　こうした基準で決まる基本運賃には、次に挙げるようなさまざまな割増運賃・特別料金が加算されます。これらは、すべてが毎回加算されるわけではなく、そのときどきの状況や輸送ルート、時期、使用する船舶や貨物の種類などによって加算されるものが決まります。

　なお、場合によっては逆に割引されることもあります。

- 通貨変動調整金（Currency Adjustment Factor：CAF）

　運送中に為替レートが急変動する事態に備えて課せられる割増運賃です。一般的には米ドルの為替レートが対象となり、運賃の数％あるいはコンテナ1本あたりいくら、という形で課金されます。

- 円高損失補填金（Yen Appreciation Surcharge：YAS）

　通貨変動調整金のうち、特に日本円の高騰に備えて課せられる割増運賃をYASと言います。東南アジア航路では、採用しているところが少なくありません。

- 船舶燃料費調整金（Bunker Adjustment Factor：BAF）

　原油価格等の変動による、船舶の燃料代の高騰に備えて課せられる割増運賃です。FAF（Fuel Adjustment Factor）やFRC（Fuel Recovery Charge）などと略表記されることもあります。

●長尺割増運賃（Lengthly Cargo Charge）
　定期船で、一定の基準を越える長さの商品を輸送する際に課せられる割増運賃です。

●CFSチャージ（Container Freight Station Charge）
　コンテナ・フレート・ステーションを利用する場合に、小口荷物を集荷して混載貨物を仕立て、コンテナにバンニングする作業に対して発生する特別運賃です。

●コンテナ取扱手数料（Container Handling Charge：CHC）
　上記のCFSチャージと似ていますが、コンテナ・フレート・ステーションではなくコンテナ・ヤードを利用する際に発生する特別運賃です。THC (Terminal Handling Charge) とかECHC (Empty Container Handling Charge) などと言うこともあります。

●到着地コンテナ荷役料（Destination Delivery Charge：DDC）
　配送先の港でのコンテナ荷捌きに課せられる特別運賃です。アメリカではDDC、それ以外の国ではDTHCと略表記します。

●船積書類発行手数料（Document Fee：Doc. Fee）
　船荷証券などの船積書類の発行手数料です。アジア航路では課金されることが多く、特に船荷証券の発行手数料を指してB/L Feeと言うこともあります。

　その他、割増運賃や特別運賃にはさまざまなものがあります。右の図表58に主なものをまとめましたので、参考にしてください。

図表58 ◆ その他の主要な割増運賃・特別運賃

割増運賃・特別料金の名称	概　　要
AMS (Advance Manifest Security Charge)	米国およびEUへの輸出品に対する「24時間ルール」※1への対応費用。
CSC (Container Security Charge)	「ISPSコード」※2に対応するための諸費用。CSS（Carrier Security Surcharge）、ISPSチャージなどとも言う。
PCS (Panama Canal Surcharge)	パナマ運河を航行する際にかかる通行料。PCC（Panama Canal Charge）とも言う。
PSC (Peak Season Charge)	貨物取扱量が増大するピーク期間に、割増運賃として請求される料金。PSS（Peak Season Surcharge）などとも言う。
SPSC (Summer Peak Season Charge)	上記のPSCと同じだが、特に夏期のピーク期間の割増運賃を指す。米国向け貨物に適用されることが多く、原則7～10月に課金される。SPSS（Summer Peak Season Surcharge）とも言う。
WRS (War Risk Surcharge)	戦争や紛争などの危険がある航路を通過する際に請求される割増運賃。
Despatch / Dispatch	早出料。船舶の効率的な運用のため、用船契約の際に、事前に取り決められた荷役のための滞船期間より早く出港した場合に、船会社が荷主に支払う料金のこと。
Demurrage	滞船料。上記の早出料とは逆に、用船契約で事前に取り決められた荷役のための滞船期間より遅く出港した際に、荷主が船会社に支払わなければならない料金のこと。

※1: 24時間ルールとは、米国・EUに輸入される海上貨物（および米国・EUを通過する海上貨物）について、米国・EU各国の税関宛てに、船積み24時間前までに船積情報（マニフェスト情報）を提出することを義務付けるルールのこと。
※2: ISPSコード（船舶保安国際コード）とは、SOLAS条約（国際海上人命安全条約）の改定に伴い、2004年7月に発効した国際条約のこと。船舶および港湾施設の保安強化を目的とし、各国の政府、海運会社・港湾施設等の協力を求めている。国際航海に従事する500総トン以上の貨物船には、船舶保安規程（SSP）の備置き、国際船舶保安証書（ISSC）の所持などが求められる。

5 運賃の支払時期は、貿易条件で決まる

運賃には前払いと後払いがある

運賃の支払時期は、通常は貿易条件によって決まります。

● CFR、CIF、CPT および CIP の場合

これらの貿易条件では、船が出港する前の**運賃前払い**（Freight Prepaid）となり、船積みを行う段階で、直ちに売主側がいったん運賃を支払います（ただし、実務上では、売主に代わって売主側の物流通関業者が仲介業務として立替払いするのが一般的なため、売主の船貨支払時期は、船の出航後の清算時となることが多いです）。

船会社は運賃の支払いを受けてから船荷証券を発行し、船荷証券には"Freight Prepaid"と記載されます。なお売主は、事前に業者から見積もりを取得して運賃等や保険料を計算し、さらに商品代金や売主側の国内諸掛金額等も合算して、買主に対し代金請求を行い、運賃や保険料相当額を貿易取引契約代金として取り立て回収します。

● FOB、FCA および FAS などの場合

FOB 等の貿易条件では、**運賃後払い**（Freight Collect）となり、貨物が輸入地に到着したあと、買主側が直接船会社に対して輸入貨物と引き換える形で運賃を支払います。輸出地では、船会社が買主から貨物を引き取っても、船会社は売主に対して船賃の請求はしません。ただし、運賃後払いであっても、船荷証券は輸出地で船会社が船積みを完了した時点で発行されます、船荷証券には"Freight Collect"と記載され、運賃が後払い（または「着払い」）であることが明示されます。

定期船か不定期船かで、船内荷役費の取り扱いが異なる

海上運賃に関しては、積地および揚地での船内荷役費を荷主が別途支払うのか、それとも船賃に含まれているのかについても、事前に確定しておく必要があります。

定期船では「バース・ターム」が一般的

一定の航路を定期的に航行し、物資輸送のサービスを提供する定期船では、船内荷役費は積地・揚地ともすべてが船賃に含まれるとする条件、バース・ターム（Berth Term）が利用されることがほとんどです。

なお、定期船のなかでも、定期在来船ではライナー・ターム（Liner Term）と言うことがありますが、これはバース・タームとほぼ同じ条件を指しています。

不定期船では4つの選択肢がある

用船契約となる不定期船では、船内荷役費の負担条件に4つの選択肢があります。個品運送契約で一律に条件が決定されることが多い定期船とは違い、不定期船では荷主と船会社との間で個別に契約内容を取り決める範囲が大きいのです。

不定期船では、上記のバース・タームに加えて、次の3つの船内荷役費負担条件が選択できますから、運送を依頼する際に船会社と

交渉して条件を確定してください。

●FIO（Free In & Out）
積込・荷卸し両方の費用を、船賃とは別途に荷主が支払う条件です。

●FO（Free Out）
積込費用は船賃に含まれていますが、輸送先での荷卸し費用は荷主が別途支払う条件です。

●FI（Free In）
積込費用は荷主が別途支払う一方で、輸送先での荷卸し費用は船賃に含まれている条件です。

図表59 ◆ 船内荷役費負担条件の選択肢

条件	定期船（個品運送契約）		不定期船（用船契約）	
バース・ターム	○	ほとんどのケースで、バース・タームとなる	○	選択できる
FIO	×	原則、選択できない	○	選択できる
FO	×	原則、選択できない	○	選択できる
FI	×	原則、選択できない	○	選択できる

一定の地位を築いた「航空輸送」についても理解する

金額ベースでは、約3割が航空輸送を利用している

　ビジネスの現場で迅速な商品供給が求められるケースが増え、同時に航空運賃の低価格化も実現したことから、近年では貿易取引に航空輸送を使うケースがますます増えています。

　最近は、軽少短薄のIT産業などが日本経済のなかでの存在感を高めており、こうした産業の関連部品輸送では、航空運送が海上運送をしのいでいるという現状もあります。

　重量や数量ベースで見れば海上輸送が圧倒的ではあるのですが、金額ベースでの航空輸送の存在感は増しており（輸出入とも3割前後）、これまでのように「貿易取引＝海上輸送」と考えることは、必ずしも現実を反映していないことになるので注意が必要です。

　特に、生花などの冷凍できない生鮮品、情報の新しさが求められる雑誌・新聞・書籍、重量が軽いハイテク製品など、自社の商品特性が航空輸送に向く場合には、航空輸送の仕組みや仕事の流れについてもしっかりとマスターしておく必要があります。

航空輸送の主要なプレイヤーは？

　第1章でも簡単に触れましたが、航空輸送では航空会社、航空貨物代理店、混載業者の3者が主要なプレイヤーとなります。

● 航空会社

　航空輸送では、船会社に変わって航空会社が商品の輸送を担当します。ただ、輸出企業が航空会社と直接契約を結ぶことは少なく、貿易当事者は後述する航空貨物代理店をとおすか、混載業者をとおすかして商品の輸送を依頼するのが普通です。

　なお、航空会社が請け負うのは積出空港から仕向空港までの航空輸送のみで、集荷や配送などは通常行いません。

● 航空貨物代理店

　航空貨物代理店は、契約に基づいて航空会社の業務を代行する会社です。**国際航空運送協会**（IATA：International Air Transport Association）加盟の航空会社の業務を代理するには、この協会が規定する条件を満たした**IATA代理店**でなければなりませんから、この資格を持った正規の代理店を利用するようにしましょう。

　代理店では、航空会社が請け負わない輸出者からの貨物の集荷や、輸入者が指定した場所までの配送サービスなども提供してくれることがあります。

● 混載業者

　航空貨物代理店が航空会社の正規の代理店であるのに対して、混載業者は航空会社とは独立して、独自に航空輸送を請け負う企業です。日本では、一般に「**フォワーダー（Forwarder）**」と呼ばれ、代理店よりも安い料金で航空輸送を請け負っています。

　混載業者は、複数の荷主から小口の貨物を集め、混載貨物にまとめたうえで自らが荷主となって航空会社に輸送を依頼します。

　通常、航空輸送の運賃は、貨物の重量が重くなるに従って運賃が安くなる**重量逓減制**をとっていますから、小口の依頼主から集めた運賃と、航空会社から課せられる大口貨物での運賃に差額が発生し

ます。混載業者は、この差額で儲けを得るのです。

　自らは輸送手段となる航空機を保有せずに、航空会社の輸送サービスを利用して運送請負を行うことから、「**利用航空運送事業者**」と呼ぶこともあります。

　航空輸送したい貨物の数量が少ないときにも気軽に利用できますから、小規模な貿易取引を行いたい企業には特に便利な存在でしょう。もちろん、通常は貨物の集荷や指定地点までの配送についても依頼できます。

8 「航空輸送」での契約形態

主に3つの契約形態がある

貿易当事者が代理店や混載業者と結ぶ航空運送契約には、主に次の3種類があります。

① 直接貨物輸送契約

代理店をとおして、荷主が直接、航空会社と運送契約を結ぶ契約を「**直接貨物輸送契約**」と言います（代理店をとおさないケースもあります）。

航空会社が提供している定期便のサービスを利用し、運賃に関してはIATAが定める一律の**運賃表（Tariff：タリフ）** が適用されます。

ただし、貿易の実務では荷主が航空会社と直接貨物運送契約を締結することは少なく、もっとも多いのは以下に説明する③の形態です。

② チャーター輸送契約

飛行機を使って緊急に大量の商品を送りたい場合には、「**チャーター輸送契約**」を結びます。

これは、不定期便を専用に飛ばして商品を送る契約で、①の直接貨物輸送契約とは異なり、運送期間・スペース・運賃などは荷主と航空会社が個別に協議して決定します。

船舶の場合の用船契約に類似するものと考えるとよいでしょう。

運賃についても、当然ながら定期便を利用した直接貨物輸送契約よりも高額になります。

この契約も、通常は代理店をとおして契約します。

③ 混載貨物運送契約

前述したように、混載貨物業者は複数の荷主から小口で貨物を集めたあと、自らが荷主となって大口貨物にまとめ、それを航空会社に輸送させます。

こうした混載貨物業者に依頼する場合には、輸出者や輸入者は混載業者と**混載貨物運送契約**を結びます。

混載貨物運送契約では、運賃についてはそれぞれの混載業者独自の運賃表（タリフ）が適用されます。

9 コンテナ輸送なら、「国際複合一貫輸送」も可能

コンテナによって一貫輸送が容易になった

　コンテナ船で利用されるコンテナの大きさは、国際規格のISOで共通規格が設定されています。そのため、コンテナ船で利用したコンテナを、そのままトラックや鉄道などの陸上輸送機関でも使用できます（国によって規格が異なることもあります）。

　そこで、船舶による海上輸送だけに限らず、輸送経路の途中に陸上輸送や航空輸送を含んだ経路を、船会社あるいは船などの輸送手段を持たない運送業者が開発し、一貫して輸送するサービスを提供しています。

　こうした、海上輸送と陸上輸送、ときには航空輸送をも組み合わせた経路を利用した輸送のことを、**国際複合一貫輸送**と言います。

　また、上記の船などの輸送手段を持たない運送業者のことはNVOCC（Non-Vessel-Operating Common Carrier）と言い、従来の船会社とともに、国際複合一貫輸送のサービスや、さまざまな付帯的なサービスを提供しています。

　ルートによっては、NVOCCしか提供していないものもあります。

国際複合一貫輸送の主なルートを知る

　国際複合一貫輸送の代表的なルートには、次のようなものがあります。なお、これらのルートは、複合輸送が必要な巨大な消費セン

ター（米国東岸やメキシコ湾岸、欧州など）を最終目的地とすることが一般的です。これは、中国や東南アジアの沿岸部、米国西岸向けなどでは、直接海上輸送ができるので、複合一貫輸送は必要ないためです。

① アメリカ・ランド・ブリッジ（American Land Bridge：ALB）

　日本から北米大陸を横断して、欧州へ商品を輸送するルートです。

　日本→（船）→北米西岸→（鉄道）→東岸→（船）→欧州という経路を辿り、主に船会社が提供しています。

② カナダ・ランド・ブリッジ（Canadian Land Bridge：CLB）

　アメリカ・ランド・ブリッジと似た経路を辿りますが、陸上部分でカナダ鉄道を利用します。

　日本→（船）→北米西岸→（鉄道）→カナダ東岸→（船）→欧州という経路を辿り、船会社およびNVOCCが提供しています。

③ ミニ・ランド・ブリッジ（Mini-Land Bridge：MLB）

　日本から、アメリカの巨大な消費市場である東岸地帯やメキシコ湾岸地帯へ商品を輸送するルートです。

　日本→（船）→北米西岸→（鉄道）→東岸・メキシコ湾岸という経路を辿り、主に船会社が提供しています。経由ルートの途中で、カナダ領内を通過したり、北米東岸沿いの海上輸送を含んだりすることもあります。

④ インテリア・ポイント・インターモーダル・サービス
　（Interior Point Intermodal：IPI）

　日本から、北米大陸の主要都市に設置されているインテリア・ポイントまで一貫輸送を行うサービスです。買い手は、これらのイン

図表60 ◆ 国際一貫複合輸送の主要ルート（北米方面）

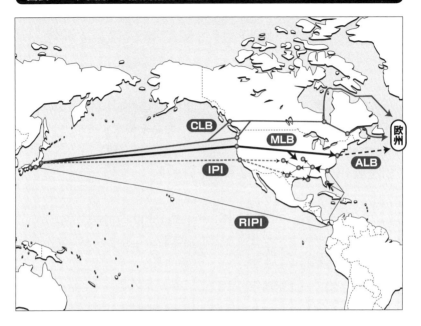

テリア・ポイントで商品を受け取ります。

　日本→（船）→北米西岸→（鉄道／トレーラー）→主要都市のインテリア・ポイントという経路を辿り、主に船会社が提供します。

⑤ リバースド・インテリア・ポイント・インターモーダル
　（Reversed Interior Point Intermodal：RIPI）

　これも北米主要都市のインテリア・ポイントまでの輸送ルートで、日本からパナマ運河を通過して、アメリカ東岸までを海路で輸送し、そこから鉄道やトレーラーで各インテリア・ポイントまで商品を輸送します。

　日本→（船）→北米東岸→（鉄道／トレーラー）→主要都市のインテリア・ポイントという経路です。

図表 61 ◆ 国際一貫複合輸送の主要ルート（大陸方面）

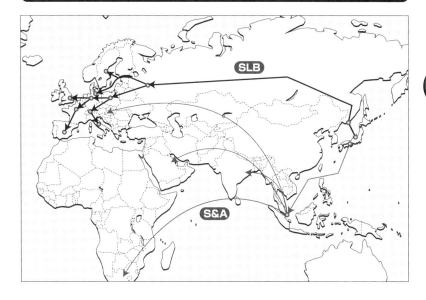

⑥ シベリア・ランド・ブリッジ（Siberian-Land Bridge：SLB）

　日本から欧州に向けてのルートで、シベリア鉄道を利用します。

　日本→（船）→ロシア東部→（鉄道）→欧州の中継地点→（鉄道／トレーラー／船など）→欧州という経路を辿り、NVOCC がサービスを提供しています。

⑦ シー＆エア・サービス（Sea & Air Service：S&A）

　中継地点となる国（シンガポールなど）の港まで海上輸送し、その国で航空便に積み替えて、任意の目的地まで輸送するルートです。航空輸送が含まれるため、大量の商品を送ると高価になります。

　なお、このほかにもさまざまな国際複合一貫路線が開発されています。

10 少量取引や重要書類送付には「国際郵便」と「国際宅配便」

　船会社や航空会社に運送を依頼するほどでもない少量取引の場合や、交渉段階でのサンプル送付、あるいは各種の書類送付などには、国際郵便や国際宅配便（いわゆる「クーリエ」）を利用します。

　これらの方法は本格的な海上輸送や航空輸送に比べて手続きが簡単で、専門的な知識がなくても利用できるため、取り扱う商品の特性が許す場合には主要な運送手段として利用する企業もあります。

郵便局で利用できる「国際郵便」

● SAL便（Surface Air Lifted）

　SAL便は、多くの国の郵便局が提供する国際郵便サービスの一種です。日本では、「エコノミー航空便」とも言います。

　国際区間は航空機で輸送しますが、発送国内および到着国内では「船便扱い」とされて、EMS（後述）や通常の航空便よりは低い優先度で処理される郵便物のことです。

　通常の航空便よりは安く、同時に船便よりも早く荷物を届けることができますが、荷物の到着までに最低1週間、相手国の取り扱いによっては数週間かかることもあるため、早く確実に荷物を届けたいときにはあまり適しません。

　また、SAL便を送るには、相手国でもSAL便を取り扱っている必要があります。

- 航空便（Airmail）

　SAL便と、次に紹介するEMSとの中間に位置する通常の航空便です。航空機を利用して3～6日程度で世界のどの国にも郵便物を届けられます。当然、料金はSAL便よりも高くなります。

- EMS（Express Mail Service）

　郵便物をもっとも迅速に、かつ確実に送達する国際サービスがEMSです。日本語では「国際スピード郵便」と言います。

　料金は割高ですが、**国際便のなかでも最優先に扱われるため**、2～4日程度で約120ヵ国の相手に荷物を届けられます。

　引き受けから配達までを記録しているので、追跡調査することも可能ですし、万一の場合に実損額を損害要償額の範囲内で補償する損害賠償制度も備えています。追加料金での到着時指定や、無料の集荷サービス、書類・荷物同時送付など、さまざまな追加的なサービスもあります。ただし、送れる荷物は30kgまで（国によっては20kgまで）です。

国際宅配業者が提供する「国際宅配便（クーリエ）」

　郵便サービスでは不安な場合には、FedEx社やDHL社など、国際的な宅配業者が提供する国際宅配便を利用するのも手です。

　全般的に割高な料金になりますが、確実な"ドア・トゥー・ドア"の配送が期待できますし、選択するサービスによってはEMSと同等、あるいはより早く荷物を届けることが可能です。もちろん、追跡調査や損害賠償保険なども完備しています。

　それぞれの業者ごとに多様なサービス・メニューを用意しているので、自社のニーズに合わせてサービスを選択しましょう。実務でも、特に重要書類の送付などによく使われています。

輸出書類の作成と貨物の船積手順を把握する

　ここまで海上輸送や航空輸送、およびその他の方法による国際運輸について解説してきました。これまでの解説で、それぞれの輸送方法に関する最低限の知識は身に付けることができたと思います。
　次は、国際運輸の実務手順や、その過程で必要となるさまざまな貿易書類について、詳しく解説していきます。
　まずは、貨物船による海上輸送のケースを見てみましょう。

船積準備から船積実行までの流れ

　電信送金・前払いなら入金を確認したあと、信用状取引なら信用状の内容が契約書と一致しているかを確認したあとで、輸出者側で各種の船積準備を始めます。なお、電信送金・後払いや信用状なしの荷為替手形取引などでは、契約書を交わしたらすぐに船積準備に入ります。

●船積準備

　輸出者側では、商品の発送に備えてまず以下の輸出書類を作成します（それぞれの書類について、詳しくは後述します）。

① インボイス
② 梱包明細書
③ 保険申込書（輸出者側で損害保険契約をする場合のみ必要）

そして、商品が輸送に耐えるように、①パッキングする、②パッキングしたものに荷印（Shipping Mark→232ページ）を印字する、といった作業を行います。なお、梱包明細書は、このときの商品の梱包形態に合わせて作成します。貨物の準備が整ったら、次は船会社に連絡して船の手配（Booking）を行います。

船の手配がついたところで、貿易量の多い商社なら「**船積依頼書（Shipping Instruction：S/I）**」を作成し、通関・船積作業を取り仕切る海貨業者（通関業者を兼ねる）に発行します。このとき、インボイス、梱包明細書などの書類も添付します。なお、**貿易量の少ない企業では、船積依頼書は発行しないことが普通**です。

同時に、必要であれば、貨物を船に積み込む前に保険会社に保険申込書を提出して海上保険契約を結び、海上保険証券を入手します。

さらに、通関業者を兼ねる海貨業者によって輸出通関手続が行われ、税関長から輸出許可書が発行されます。

● 船積みの実行

輸出許可が出ると、いよいよ船積みが実行されます。

コンテナ船の場合は、海貨業者が「**船積申込書（Shipping Application：S/A）**」を船会社に提出し、「**ドック・レシート（Doc Receipt：D/R）**」という書面を受け取って、それをやり取りすることで船積みを実行します。

コンテナ船の場合は、貨物をCYやCFSに搬入した段階で「**船荷証券（Bill of Lading：B/L）**」をもらえますが、これは受取船荷証券なので、船積みが実行されたら必ず船会社から**船積証明（On Board Notation）**をもらいます。コンテナ船の場合の船積みの流れについては、次ページの図表62でも確認できます。

一方、在来船の場合は、海貨業者が「**船積申込書（Shipping Application：S/A）**」を船会社に提出し、「**船積指図書（Shipping

図表62 ◆ コンテナ船の場合の船積みの流れ

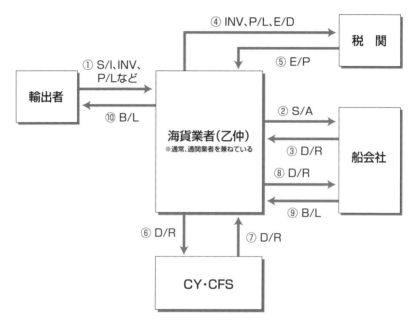

Order：S/O)」という書面を受け取ります。

　この船積指図書を本船に提出し、貨物の積込みが完了したら、「**本船貨物受取証（Mate's Receipt：M/R）**」を本船の一等航海士から受け取ります。そして、この書面を船会社に提出すると、船会社から「船荷証券」をもらえます。在来船の場合についても、右ページの図表63で確認してください。

図表63 ◆ 在来船の場合の船積みの流れ

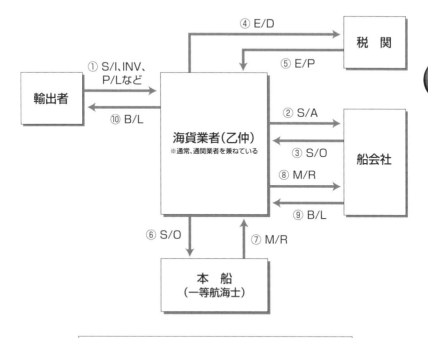

船積実行後、船積書類を送付する

船積みが完了して船荷証券を入手できたら、輸入者側への船積関係書類送付の手続きに入ります。

輸出の支払条件が、電信送金・前払いの場合には、輸出に関係す

る船積書類は国際郵便や国際宅配便などを利用して直接外国のバイヤーに送付します。

しかし、信用状取引や、信用状を使わない輸出為替手形を使った支払条件（D/P手形・D/A手形）の場合には、オリジナルの船積書類は銀行経由でバイヤーに手渡すこととなり、輸出者が輸入者に宛ててオリジナルの書類を直送することはありません。

貿易条件や支払条件によって、船積み実行のタイミングや船積み後の書類送付の手続きは変わることになるわけです。

また、船積み後に発送する船積書類（Shipping Documents）としては、以下のような書類があります（支払条件や契約内容によっては不要なものもあります）。

図表64 ◆ 荷為替手形とは（再掲）

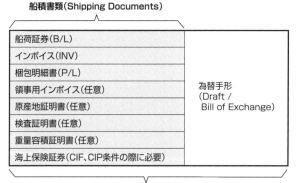

なお、支払条件に関わらず、船積完了の段階で、輸出者が輸入者にインボイス、船荷証券、保険証券、梱包明細書のコピーをファックス・Eメール等で送付しておいてあげると、輸入者側の通関手続の準備がスムーズに進むため、喜ばれます。

12 「インボイス」の性質と記載内容を押さえる

貿易取引を行う際に、売主が必ず作成しなければならないインボイス（Invoice）について学習しましょう。

「インボイス」にはさまざまな呼び名・種類がある

インボイスは、①貨物の明細書・計算書・出荷案内を合わせた請求書として使用されると同時に、②通関手続の際の必要書類として、税関に提出するために作成されます。

以下の各項目の記載が求められており、インボイスを見れば契約の内容がひととおり理解できるようになっています。

- 貨物の記号
- 番号
- 品種
- 数量
- 価格
- 仕入書の作成地
- 作成年月
- 仕向地および仕向人（輸入者）
- 価格の決定に関係のある契約条件（FOB, CIF）　など

またインボイスは、同じ内容であっても、発行先や利用主体の違いによって呼び名が異なる点にも注意しておきましょう。

225ページの図表65のように、同じ内容のインボイスでも、売主が売主側銀行や買主側銀行、あるいは買主に宛てて発行する場合には商業インボイス（Commercial Invoice）と呼び、輸出通関や輸

入通関のために発行する場合には**公用インボイス（Official Invoice）**と呼びます。公用インボイスは通常、輸出国の税関や輸入国の税関などに発行されるので、**通関用インボイス（Customs Invoice）**とも呼びます。

　貿易取引でただ「インボイス」と言う場合には、**商業インボイスを指す**ことも覚えておいてください。

　また日本語では、同じ内容のインボイスを売主（荷送人）側では「**送り状**」、日本の税関や買主（荷受人）側では「**仕入書**」と異なる名称で呼ぶこともあります。

● **領事インボイス（Consular Invoice）**

　このほか、いくつかの種類のインボイスが存在します。

　領事インボイスは、売主（荷送人）が作成した通関用インボイスに、荷送国に設置された外国領事館の領事による認証が付加されているものです。

　これは、いくつかの外国（主に発展途上国）において、輸入の際の脱税を防止したり、統計資料作成の材料としたりするためにその国の税関が要求するもので、荷送人側で各国が規定する所定の様式でインボイスを作成するか、あるいは通常の様式でインボイスを作成し、それに領事の認証をもらいます。

　なお、領事の認証をもらうには、通常は手数料が必要です。

● **プロフォーマ・インボイス（Proforma Invoice：仮インボイス）**

　正式なインボイスではない、仮のインボイスとして発行される書面が**プロフォーマ・インボイス**です。このインボイスは、一般的に交渉・契約段階での見積書の役割を果たします。

　また、一定の発展途上国では、商品輸入の際の外貨割当を政府からもらうためや、買主が政府から輸入許可を得るためにこの書類が

図表 65 ◆ インボイスの種類

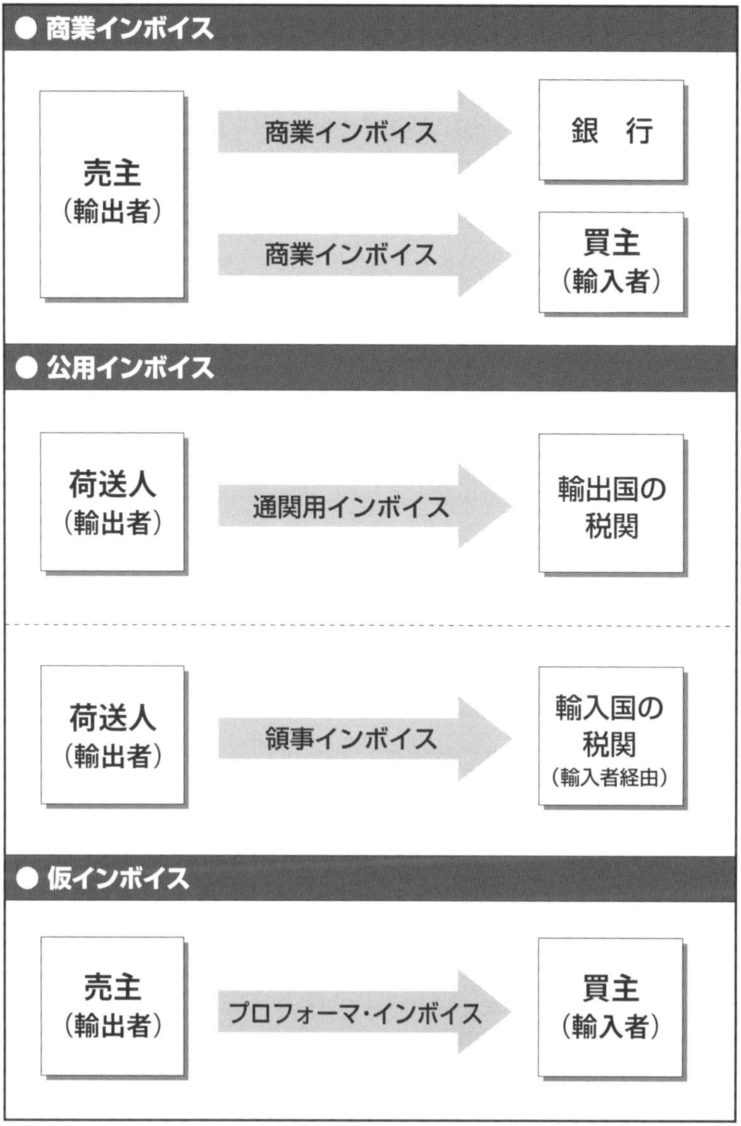

● 商業インボイス

- 売主（輸出者） →[商業インボイス]→ 銀行
- 売主（輸出者） →[商業インボイス]→ 買主（輸入者）

● 公用インボイス

- 荷送人（輸出者） →[通関用インボイス]→ 輸出国の税関
- 荷送人（輸出者） →[領事インボイス]→ 輸入国の税関（輸入者経由）

● 仮インボイス

- 売主（輸出者） →[プロフォーマ・インボイス]→ 買主（輸入者）

第4章 「国際運輸」の知識と実務

図表66 ◆ インボイス・サンプル

INVOICE

INVOICE NO : SE 101 / 72
(インボイス番号)

INVOICE DATE : August 20, 20XX
(インボイス日付)

FOR ACCOUNT AND RISK OF :
(買い手名・住所)
    Wuxi Ling Electronics Co., Ltd.
    90 Huigian Road, Wuxi Jiangsu Province, China

MARKING :
(荷印)
    SE
SHANGHAI
C/No. 1/50
Made in Japan

SHIPPED PER :
(船名)   "Tokyo Maru"

SAILING ON OR ABOUT :
(出航日・予定日)   August 25, 20XX

PORT OF LOADING :
(積港)   Nagoya, Japan

PORT OF DESTINATION :
(仕向港)   Shanghai, China

PAYMENT :
(支払い)   L/C at Sight

DESCRIPTION (商品名)	QUANTITY (数量)	UNIT PRICE (単価)	TOTAL AMOUNT (総額)
		DELIVERY TERMS : (受渡条件)	CIP SHANGHAI
Electronics Parts SAKAE BRAND	200,000 pcs	USD0.6	USD120,000
C/No. 1/50 50 cases each containing 4,000pcs			
	TOTAL : (合計)		USD120,000

NET WEIGHT :   8.0MT
(純重量)

GROSS WEIGHT :   9.6MT
(総重量)

MEASUREMENT :   7.0M3 (0.14M3×50)
(容積)

COUNTRY OF ORIGIN :   JAPAN
(原産国)

MANUFACTURER :   SAKAE Electronics Kogyo Co., Ltd.
(製造者名)

                                                SAKAE Electronics Kogyo Co., Ltd.
                                                    (売り手名)
                                                      (署名)

● インボイス・サンプル（左記）の日本語訳

インボイス

インボイス番号：	SE101/72	インボイス日付：	20XX年8月25日

買い手：
Wuxi Ling Electronics 株式会社
中国江蘇省無錫市会見通り90

荷印： SE
SHANGHAI
C/No. 1/50
Made in Japan

船名：　　　　　東京丸

出航日・予定日：　20XX年8月25日

積港：　　　　　日本、名古屋

仕向地：　　　　中国、上海

支払い：　　　　一覧払い信用状

> 信用状取引の場合は、信用状の内容と厳密に一致するようにインボイスを作成します

商品名	数量	単価	総額
電子部品 サカエ製	200,000 個	0.6 米ドル 受渡条件　CIP 上海	120,000 米ドル
箱番号 1-50　50箱、各 4,000 個入り			
		合計：	120,000 米ドル

> 特に商品名は、信用状の記載と完全に一致するように！

純重量：　　8.0MT

総重量：　　9.6MT

容積：　　　7.0 ㎥（0.14 ㎥×50）

原産国：　　日本

製造者名：　サカエ電子工業株式会社

サカエ電子工業株式会社
（署名）

第4章　「国際運輸」の知識と実務

必要になることがあります。

この場合は、買主からの依頼を受けて、売主が買主にプロフォーマ・インボイスを発行して対応します。

インボイスはすべての貿易取引で作成する

前述したように、インボイスは輸出貨物の明細書・計算書・出荷案内を合わせた請求書であり、税関への提出書類でもあります。そのため、原則すべての貿易取引で作成されます。

通関業務に必要なため、通常の取引では一番最初に作成が必要となる輸出書類でもあります。

特に決済条件が信用状取引の場合には、作成したインボイスが信用状が求めているとおりの内容となっているか、売主側でしっかりと確認する必要があります。

もちろんそのほかの決済条件の場合にも、スペルミスや数字の桁の間違いがないよう、十分注意して作成にあたってください。

226ページ・図表66にサンプルを掲載していますから、注意すべきポイントをよく確認しておきましょう。

13 「梱包明細書」の性質と記載内容を押さえる

商品の包装状態、およびその中身を明示する書類

　売主側で作成する重要な輸出書類の１つに、梱包明細書（Packing List：P/L）があります。日本語でも、英語をそのまま読んで「パッキング・リスト」と言うこともあります。

　貿易取引される貨物は、長い距離を時間をかけて運送されるわけですから、商品の形態や性質に応じて、少々の衝撃や気温・湿度の変化で変質しないよう、厳重なパッケージングがされます。

　こうして梱包された貨物は、外側から見ただけではすぐに内容物を判別できませんから、それぞれの貨物にどんな商品が梱包されているかを示す書類が必要です。また、大量の貨物のなかで、同じ荷主が送った一連の貨物であることが識別できることも重要です。

　梱包明細書はこうした目的のために使用され、通関や船積み、輸入者への受け渡しの際などに必要になります。

梱包明細書で重要なのは、貨物の状態を表した部分

　インボイスと同じく、梱包明細書にも売主、買主、輸出港、仕向港などの基本的な取引の情報が記載されますが、梱包明細書でもっとも重要な内容は、商品の正味重量や総重量、容積、梱包の種類（たとえば木箱・ドラム缶など）、個数などを明らかにしている部分です。

　このような内容はインボイスにも記載されることがありますが、

図表67 ◆ 梱包明細書サンプル

PACKING LIST

BUYER :　　　　　　　　　　　　　　INVOICE DATE :　August 20, 20XX

Wuxi Ling Electronics Co., Ltd.　　　　INVIOCE NO. :　SE 101 / 72
90 Huigian Road,
Wuxi Jiangsu Province, China　　　　　L/C NO. :　98765

　　　　　　　　　　　　　　　　　　VESSEL :　Tokyo Maru

　　　　　　　　　　　　　　　　　　PLACE OF RECEIPT :　SHANGHAI, CHINA

DESCRIPTION　QUANTITY　NET WEIGHT　GROSS WEIGHT　MEASUREMENT　CASE NO.

Electronics Parts　200,000 pcs　8.0MT　9.6MT　7.0M3　No.1/50
SAKAE BRAND　50 cases each containing 4,000 pcs

　IC Chip maker　　　Packing size
　Capacitor　　　　　0.14M3×50
　Glasstube
　Connectors
　Switch
　Power Transformer
　Solder

TOTAL :　　200,000 pcs　8.0MT　9.6MT　7.0M3　50 Cartons(CTNS)

　　PACKING :　4,000 pcs / CTN,
　　　　　　　Total : 50 CTNS (0.14M3 / CTN)
　　COUNTRY OF ORIGIN :　JAPAN　　　SHIPPING MARK :　　SE
　　　　　　　　　　　　　　　　　　　　　　　　　　SHANGHAI
　　　　　　　　　　　　　　　　　　　　　　　　　　C/No. 1/50
　　　　　　　　　　　　　　　　　　　　　　　　　　Made in Japan

　　　　　　　　　　　　　　　　　SAKAE Electronics Kogyo Co., Ltd.

　　　　　　　　　　　　　　　　　　　　　　(sign)

● 梱包明細書サンプル（左記）の日本語訳

<u>梱包明細書</u>

買い手：	インボイス日付：	20XX 年 8 月 25 日
Wuxi Ling Electronics 株式会社		
中国江蘇省無錫市会見通り 90	インボイス番号：	SE101/72
	信用状番号：	98765
	船名：	東京丸
	荷物受取場所：	中国、上海

> セットとなるインボイスや信用状の番号を記入

商品名	数量	純重量	総重量	容積	ケース番号
電子部品	200,000 個	8.0MT	9.6MT	7.0 ㎥	1-50 番
サカエ製	50 箱（4,000 個/箱）				
IC チップメーカー	梱包サイズ				
コンデンサ	0.14 ㎥×50				
ガラス管					
コネクタ					
スイッチ					
電源トランス					
はんだ					
合計	200,000 個	8.0MT	9.6MT	7.0 ㎥	50 箱

> 梱包された商品の状態や、積載した商品の詳細を詳しく記載します

梱包： 4,000 個/箱
　　　合計：50 箱（0.14 ㎥/箱）
原産国： 日本

荷印： SE
SHANGHAI
C/No. 1/50
Made in Japan

> 実際の梱包に記載したのと同じ荷印を明記します

サカエ電子工業株式会社

［署名］

第4章 「国際運輸」の知識と実務

梱包明細書ではより詳細な情報が記載されます。前ページのサンプルで、細かい記載内容を確認しておいてください。

地味ながら重要なポイント「荷印(Shipping Mark)」

また、貨物に付けられた荷印に関する記述も重要です。

荷印は、梱包の外側に直接印刷されたり、シールで張り付けられたりする貨物識別のための表記です。通常は、次のような情報が記載されます。

図表68 ◆ 荷印の表示内容

※さらに、品質を示す「品質マーク」や、輸出者や製造企業を示す「副マーク」を付けることもあります。

荷印は、荷物を扱う作業や通関での検査をスムーズにする助けとなり、相手先に間違いなく荷物を届けるための大きな手がかりにもなります。

作成にあたっては、梱包明細書の荷印の記載が、実際に貨物に付けた荷印と一致しているかしっかり確認しておきましょう。

14 「船荷証券」の性質と記載内容を知る

もっとも重要な船積書類である船荷証券（Bill of Lading：B/L）についても、詳しく理解しましょう。

船荷証券はさまざまな性質を持った重要書類

すでに何度も登場している船荷証券は、船積みが終了したときに船会社から荷送人（売主）に発行される書類で、海上輸送の際に必要となる船積書類のなかでももっとも重要です。なぜそれほど重要なのかは、船荷証券の持つさまざまな性質を把握すると理解できます。

① 船会社が輸出者から、輸出する貨物を受け取ったことを証明する「受取証」である

船荷証券のもっとも基礎的な性質は、船会社が荷物を荷送人（売主）から受け取ったことを証明する「受取証」であることです。

② 輸入者が貨物を引き取るための「引換証」である

海上を運んできた荷物を、輸入国側の港などで荷受人（買主）に引き渡すとき、船会社は原則として、船荷証券と引き換えにしなければ荷物を引き渡しません（例外的に、荷受人側で船荷証券の入手が遅れているような場合には、"保証書"等によって一時的に荷受人が貨物を引き取ることが可能です→後述）。

つまり、船荷証券は、運ばれてきた荷物を受け取るための「引換

図表69 ◆ 船荷証券サンプル

Shipper	Booking No.	B/L No.:MOLU
SAKAE Electronics Kogyo Co., Ltd. 1-6-12, Sakaemachi, Minami-ku Nagoya, Aichi, JAPAN		

AICHI Lines, Ltd.
BILL OF LADING

Consignee
To order of shipper

SHIPPED on board the Goods, or the total number of Containers or other packages or units enumerated below (*) in apparent external good order and condition except as otherwise noted for transportation from the Port of Loading to the Port of Discharge subject to the terms hereof.

Notify Party
Wuxi Ling Electronics Co., Ltd.
90 Huigian Road, Wuxi Jiangsu Province, China

One of the original Bills of Lading must be surrendered duly endorsed in exchange for the Goods or Delivery Order unless otherwise provided herein.

In accepting this Bill of Lading, the Merchant expressly accepts and agrees to all in terms whether printed, stamped or written, or otherwise incorporated, not withstanding the non-signing of this Bill of Lading by the Merchant.

IN WITNESS whereof the number of original Bills of Lading stated below have been signed, one of which being accomplished, the other(s) to be void.

(Terms of Bill of Lading continued on the back hereof.)

**Local vessel	From
Ocean vessel Voy.No.	Port of loading
"Tokyo Maru" 52	Nagoya, JAPAN
Port of discharge	For transshipment to Final destination (for the merchant's reference only)
SHANGHAI, China	

Declared value USD _____ subject to clause 5 (5) overleaf. If no value declared, liability limit applies as per clause 5 (4) or 32 as applicable.

Marks and Numbers	No.of Pkgs or units	Kind of packages: description of goods	Gross weight (KGS)	Measurement (M3)
SE SHANGHAI C/No. 1/50 Made in Japan		50cases (200,000pcs) of Electronics Parts (SAKAE BRAND)	9,600KGS	7.0M3

"FREIGHT PREPAID"

Particulars furnished by shipper

*Total number of packages or units.	Fifty (50) CASES ONLY		
Freight and charges	Rate		Collect
Exchange rate	Place and date of issue Nagoya, JAPAN August 25, 20XX	No. of original B/L(s)	Prepaid at Nagoya, JAPAN	Payable at
	Total prepaid in national currency			

**Applicable if carriage by local vessel to port of loading of ocean vessel arranged by carrier as agent for the Merchant in accordance with clause 7.

AICHI LINES, LTD.

● 船荷証券サンプル（左記）の日本語訳

荷送人		予約番号	船荷証券番号
サカエ電子工業株式会社 日本国愛知県名古屋市 南区栄町１－６－１２		アイチライン会社 船荷証券	

荷受人
荷送人の指図による

指図式か記名式かはここで見分けます

通知宛人
Wuxi Ling Electronics 株式会社
中国江蘇省無錫市会見通り９０

...ds, or the total number of Containers or other packages or units enumerated below (*) in ...
... condition except as otherwise noted for transportation from the Port of Loading to the ...
... the terms hereof.

One of the original Bill of Lading must be surrendered duly endorsed in exchange for the Goods or Delivery Order unless otherwise provided herein.

In accepting this Bill of Lading the Merchant expressly accepts and agrees to all its terms whether printed, stamped or written, or otherwise incorporated, not withstanding the non-signing of this Bill of Lading by the Merchant.

IN WITNESS whereof the number of original Bills of Lading stated below have been signed, one of which being accomplished, the others to be void.

(Terms of Bill of Lading continued on the back hereof)

Declared value USD _____ subject to clause 5 (5) overleaf. If no value declared, liability limit applies as per clause 5 (4) or 32 as applicable.

**内航船	出港地		
積載船名	航海番号	積込港	
"東京丸"	52	日本、名古屋	
陸揚げ港	積替え	最終仕向地〔荷主の責任と費用による〕	
中国　上海			

貨物の荷印および番号	貨物の個数	包装形態、商品名	総重量 (KGS)	容積 (M3)
SE SHANGHAI C/No. 1/50 Made in Japan	50 箱 (200,000 個)	電子部品 (サカエ製)	9,600KGS	7.0M3
		"運賃前払い"		

運賃を前払いすると、このように記載されます

*貨物の合計個数
　　　　５０箱

運賃及びその他費用	運賃率		運賃着払い
換算率	発行地及び発行日 日本、名古屋 20XX 年 8 月 25 日	船荷証券原本数	支払地；運賃元払時 日本、名古屋	支払地；運賃着払時
	元地で支払われる運賃及び料金の合計			

**第 7 条に従って、外航船までの内航船での輸送を
　商人の代理で運送業者が手配した場合に記入する。

アイチライン会社

詳細は荷送人より提供される

第4章　「国際運輸」の知識と実務

証」でもあるのです。

③ 担保にもできる「有価証券」

上述のように、船荷証券には荷物との引換証の性質があります。原則として、船荷証券さえ持っていれば、当初の購買者でなくても荷物を引き取れますから、船荷証券自体に貨物と同等の価値が発生します。

つまり、船荷証券は、荷物に関する権利を証券化した**有価証券**でもあるのです。そして、有価証券ですから、たとえば銀行などから資金を借りる際には、担保とすることも可能です。

船荷証券の有価証券（＝金銭的価値を持つ書類）としての性質は、国際条約や日本の商法でも認められています。

④ 売買できる「流通証券」

また、有価証券ですから、場合によっては船荷証券自体を売買することも可能です。このように、売買できる有価証券のことを**流通証券**と言いますが、船荷証券も流通証券の一種です。

石油や鉱石などでは、実際の商品が海上で輸送されている間に、何度も船荷証券だけが転売されるようなこともあります。

⑤ 世界共通の「要式証券」である

船荷証券の記載内容は、世界共通で様式が決まっています。そのような書類のことを**要式証券**と言いますが、船荷証券も要式証券の1つです。

なお、このほかにも、船会社と荷主との間で交わされる"運送の約束"の証拠書類としての性質も有しています。記載内容については、234ページのサンプルを参照してください。

15 「船荷証券」には多くの種類がある

船荷証券の持つさまざまな性質を把握したところで、次は船荷証券の種類について詳しく説明しましょう。主な種類は、以下の図表70のとおりです。

図表70 ◆ 船荷証券の種類

		日本語	英語
(1)	①	船積船荷証券	Shipped B/L / On Board B/L
	②	受取船荷証券	Received B/L
(2)	③	指図式船荷証券	Order B/L
	④	記名式船荷証券	Straight B/L
(3)	⑤	故障付き船荷証券	Foul B/L / Dirty B/L
	⑥	無故障船荷証券	Clean B/L
(4)	⑦	期間経過船荷証券	Stale B/L
(5)	⑧	複合運送証券	Combined Transport B/L

「船積船荷証券」と「受取船荷証券」

まず、船荷証券は、発行されるタイミングによって、①船積船荷証券（Shipped B/L または On Board B/L）と②受取船荷証券（Received B/L）の大きく2つの種類に分かれることを知っておき

ましょう。

　①の船積船荷証券は、「貨物が本船に積み込まれたこと」を確認してから発行されるもので、証券面（表面）にも船積みしたことを明確に証明してあります。
　在来船を利用する場合には、こちらの船荷証券が発行されます。

　これに対して、②の受取船荷証券は、船会社が「船積みのために貨物を受け取ったこと」を確認したときに発行されるものです。
　コンテナ船を利用する場合には、CYやCFSで貨物が船会社に引き渡されるので、一般的にこちらの船荷証券が発行されます。
　受取船荷証券の証券面には、荷物を受け取ったことは明記してありますが、本船に船積みしたかどうかまでは記載してありません。つまり、船会社が貨物を受け取ったことは確認できますが、そのままでは船に積み込んだことまでは確認できないわけです。
　これが、信用状取引では問題になります。**信用状取引では、信用状統一規則**（→137ページ参照）**によって、船積船荷証券のみが銀行での買取対象になると定められています。受取船荷証券は、そのままでは買取をしてもらえません。**
　しかし、それでは困りますから、受取船荷証券の場合は、貨物が船積みされたことを証明する記載「**船積証明（On Board Notation）**」を付記することで、船積船荷証券と同じと見なされることとされています。
　つまり、受取船荷証券にはあらかじめ本船名が記載してありますから、そこに船積日の記載と船会社責任者の署名（＝船積証明）をもらって、初めて銀行に買い取ってもらうことが可能になるのです。
　実務でも、船積証明がきちんと付記されているかを確認することは、非常に重要なポイントだと言えるでしょう。

「指図式船荷証券」と「記名式船荷証券」

上述のように、すべての船荷証券は発行されるタイミングの違いによって、受取船荷証券か船積船荷証券のどちらかに分けられます。

そしてそれと同時に、荷受人の指定の仕方によって、③指図式船荷証券（Order B/L）と④記名式船荷証券（Straight B/L）のどちらかにも分けられます。

③の指図式船荷証券とは、船荷証券の証券面にある荷受人欄に、特定の企業名などが記載されず、以下の3種類の表記のうちいずれかが記載されている船荷証券です。

- to order
  （「指図による」の意）
- to order of shipper
  （「荷送人の指図による」の意）
- to order of ○○
  （「○○の指図による」の意。○○には、信用状の発行銀行名が入ることが多い）

荷受人欄にこうした表記がある場合、貨物の受取人は荷送人等によって指示された人、つまり「指図人」になります。

こうした表記にする理由は、船荷証券が有価証券として、船積後に売買されたり、金融機関への担保とされたりすることがあるからです。つまり、船積みや受け取りの時点では、引渡時の荷受人や所有者が誰であるのか、事前に確定できないのです。

事前に船荷証券で荷受人を特定していると、船会社はその特定の荷受人にしか貨物を引き渡しません。それでは売買したり担保にし

たりするのに不都合がありますし、荷為替を組んでの銀行での買取にも支障が出かねません。そのため、譲渡される可能性を前提にしたこうした表記にするのです。

④の記名式船荷証券は、船荷証券の荷受人欄に、買主や銀行など、特定の者の名前・住所等が記載されている船荷証券を言います。

記名式船荷証券では、あらかじめ貨物の受取人が定められているので、船会社は貨物が仕向地に到着したら、受取人に相違ないことを確認して引き渡します。

記名式船荷証券は、③の指図式船荷証券と違って所有権の移転を前提としていません。つまり流通性がないので、荷為替を組んでの銀行買取もスムーズにいかない可能性があります（ただし、輸入者の裏書によって流通性を持たせることも不可能ではありません→245ページも参照）。

「故障付き船荷証券」と「無故障船荷証券」

さまざまな船荷証券が出てきて混乱するかと思いますが、まだいくつか押さえておかなければならい船荷証券の分類があります。

次は、船荷証券に記載されている貨物に、部分的な紛失や損害が見つかったときに出される⑤の**故障付き船荷証券**（Foul B/L / Dirty B/L）と、そうでない船荷証券である⑥の**無故障船荷証券**（Clean B/L）の分類を説明しましょう。

貨物を船会社に引き渡したときに、外観上貨物に異常があったり、指定された梱包の数量より足らなかったりするなど不完全な点があると、船会社はその異常の状況を船荷証券に記載します。

その記載のことを、**事故摘要**とか**リマーク**（Remark）と言いま

すが、このリマークの付いた船荷証券を総称して「故障付き船荷証券」と呼びます。

逆に、貨物が良好な状態であり、数量もあらかじめ通知を受けているとおりであれば、当然ながら通常の手順どおりにリマークのない船荷証券が発行されます。こうした問題のない船荷証券のことを総称して「無故障船荷証券」と呼びます。

つまり、貨物の状態について特に異常の記載がない船荷証券は、すべて⑥の無故障船荷証券ということです。

信用状取引では、**無故障船荷証券が要求されます**。万一、信用状取引で故障付き船荷証券になってしまった場合には、**保証状（Letter of Indemnity）を作成して船会社に提出し、無故障船荷証券に変更してもらう**などの対応策をとる必要があります。

不当に遅延した船荷証券は「期間経過船荷証券」となる

船積日後、21日以上経過した船荷証券は、**期間経過船荷証券、遅延船荷証券、ステイル B/L** などと呼ばれます。英語では Stale B/L です。

一般に、信用状には銀行買取の有効期限が記載され、信用状の買取期限内、かつ信用状の有効期限内に銀行での買取が行われます。しかしこれとは別に、信用状統一規則で船積日の翌日から21日以内に銀行へ船積書類の提出がなければ、銀行は買取を拒絶する旨が定められており、信用状に銀行買取の有効期限が定められていないときにはこちらの規定が適用されます。これは、書類の到達が貨物の到着より遅れ、貿易当事者間で紛争が起こるのを防ぐための規定です。

この規定に引っかかってしまった船荷証券は、⑦の期間経過船荷

証券となって買取を受けられないのです。

　信用状取引の場合は、期間経過船荷証券とならないように、信用状に期限が定められていなければ必ず21日以内に銀行買取を行わなくてはなりません。

国際複合一貫輸送では「複合運送証券」が発行される

　前述した国際複合一貫輸送など、1つの運送契約で船や鉄道、航空機など、2種類以上の運送方法を利用する場合には、通常の船荷証券ではなく⑧の複合運送証券（Combined Transport B/L）と呼ばれる書類が発行されます。

　こうした運送方法の場合には、複合運送人は船積地から仕向地まで、途中のいろいろな運送業者をまとめて、全体を1つの運送契約として貨物の運送を引き受けます。そのため、輸出者に発行される書類も1つだけになるのです。

　これら複合運送証券は、鉄道やトレーラー、航空機などの運送手段を利用しますが、**船荷証券の一種と見なされます**。指図式船荷証券にすれば所有権の移転もできるので、通常の船荷証券と同じく、荷為替を組んで銀行に買い取ってもらうことも可能です。

　なお近年、船荷証券の代わりに利用されることが多くなってきた**海上運送状（Sea Waybill：SWB）**については、255ページで別途詳しく解説しています。

16 「船荷証券の裏書」を理解する

指図式船荷証券では原則必要となる裏書

　前述した指図式船荷証券では、実際に権利を移転させるために、船荷証券の裏面に白地裏書（Blank Endorsement）をする必要があります。

　白地裏書とは、被裏書人を指定しないで（＝白地）、裏書人である荷送人による裏書だけをすることです。

　また、裏書とは、証券の裏面に署名等をすることで、権利（この場合は貨物の所有権という権利）を譲渡する意思表示のことです。

　具体的には、荷送人の会社名と責任者の名前・肩書きを船荷証券の裏面に記載し（通常はゴム印を用意して押印する）、そこに署名をします（→次ページ・図表71参照）。

　白地裏書がないと、その船荷証券に記載された貨物の所有権を移転させることができませんから、銀行は担保として利用できません。荷為替手形を組んでの銀行買取も難しくなるので、信用状取引などの決済方法をとるときには、以下のような信用状の記載により、白地裏書付きの指図式船荷証券を要求されることが一般的です。

- Made Out To Order & Blank Endoresed.
- Made Out To Order of Shipper & Blank Endoresed.
- Made Out To Order of ○○ & Blank Endoresed.

図表71 ◆ 船荷証券の裏面約款と裏書のサンプル

ところで、to order と to order of shipper には実際的な違いはないのですが、信用状取引では厳密な一致が求められますから、信用状で要求されている場合はその指示のとおりに船荷証券を発行してもらうことが大切になります。

　なお、to order of ○○の○○の部分が信用状の発行銀行になっている場合は、裏書はその発行銀行が行います。そのため、輸出者は裏書する必要はありませんので注意してください。

記名式船荷証券の場合は記名式裏書

　記名式船荷証券の場合には、通常、荷送人（売主）の裏書は不要です。

　ただし、流通させたい場合には、輸入者が裏書をすることで、売買したり担保にしたりすることが可能になります。

　この場合、白地裏書ではなく、被裏書人を指定した記名式裏書（Full Endorsement）が必要となる点にも注意しましょう。

　いわゆる「裏書の連続性」も必要となります。

17 航空輸送の場合は、「航空運送状」が利用される

　航空輸送では、海上輸送の際に利用される船荷証券（B/L）は発行されず、代わりに**航空運送状**（Air Waybill：AWB）が発行されます。この航空運送状についても、詳しく理解しておきましょう。

航空輸送でもっとも重要な書類

　航空運送状は、航空運送の際に荷送人、あるいはその代理として代理店が作成し、航空会社に提出する書類です。

　航空輸送においてはもっとも重要な書類ですが、海上輸送での船荷証券とは基本的な部分で異なる性質を持つ書類ですから、混同しないように十分注意してください。

　航空運送状の持つ主な性質・役割は次のようなものです。

- 運送契約の証拠書類
- 運送物品の受領書
- 運賃やその他料金の請求書
- 荷主保険の証明書（保険が付保された場合）
- 税関申告書類
- 運送品の取り扱い・発送・引き渡しに関する荷送人から航空会社への指図書　など

　このように、船荷証券以上に多くの役割を兼ねた書類です。ただ

し、船荷証券とは違って有価証券ではありませんから、譲渡性・流通性はなく、売買したり、譲渡したりすることはできません。

そこで、信用状取引で航空輸送を利用する場合には、荷受人を信用状の発行銀行とすることで銀行のリスクを保全します。航空運送状は、常に荷受人欄が記名式だからです。

裏面約款には、運送人の定義や有限責任、荷物の減失等に関する過失責任、荷主保険、引き渡しと到着通知など、国際条約（ワルソー条約）で規定されている国際航空輸送契約における主要な契約条項が記載されています。原本3枚、副本最低6枚から構成され、それぞれの役割に応じて決まった色分けがされています。このように、書式が統一されているので、船荷証券と同じ**要式証券**でもあります。

発行されるタイミングは、実際に飛行機に貨物が積み込まれたときではなく、貨物が航空会社の上屋に搬入され航空会社に引き渡されたとき、あるいは混載業者に荷物が引き渡されたときです。そのため、**受取式証券**です。

混載業者を利用する際の航空運送状

混載業者を利用する場合の航空運送状は、次の2種類に分けられます。

● **マスター・エア・ウェイビル（Master Air Waybill：Master AWB）**
混載業者が混載貨物を1つの貨物として航空会社に引き渡す際、航空会社が発行する航空運送状を**マスター・エア・ウェイビル**と言います。航空会社の運送約款や規則、運賃率に基づき、IATAや国際条約の定める要式に沿って発行されます。英語では、Air Consignment Note とも言います。

混載業者を利用する場合には、小口の荷物発送依頼人（＝輸出者）

図表72 ◆ 航空運送状サンプル

PARIS World Express　　　　　　　　　　　　　　　　　　　PWE-1816123

Shipper's Name and Address
BON MARCHE S.A.
56 RUE E. HERRIOT 69002 LYON
FRANCE

Not negotiable
Air Waybill (Air Consignment Note)
Issued by　**PARIS World Express**

It is agreed that the goods described herein are accepted in apparent good order and condition (except as noted) for carriage SUBJECT TO THE CONDITIONS OF CONTRACT ON THE REVERSE HEREOF. THE SHIPPER'S ATTENTION IS DRAWN TO THE NOTICE CONCERNING CARRIER'S LIMITATION OF LIABILITY. Shipper may increase such limitation of liability by declaring a higher value for carriage and paying a supplemental charge if required.

Consignee's Name and Address
NIHON SOGO BUSSAN Co., Ltd.
1-1, Bakuromachi, Chuo-ku,
Osaka, JAPAN

Also Notify
NIHON SOGO BUSSAN Co., Ltd.
1-1, Bakuromachi, Chuo-ku,
Osaka, JAPAN

Copies 1, 2 and 3 of this Air Waybill are originals and have the same validity Special Accounting Information

Airport of Departure	Airport of Destination									
PARIS	OSAKA									
to	By first Carrier	Routing and Destination	to	by	to	by	Currency	WT/VAL PPD COLL	Other PPD COLL	Declared Value for Carriage / Declared Value for Customs
CDG	CX		OSA	CX			EUR	X		N.V.D

MAWB NO.	Flight/Date	For Carrier Use Only	Flight/Date	Amount of Insurance	INSURANCE-if carrier offers Insurance and such Insurance is requested in accordance with conditions on reverse hereof. Indicate amount to be insured in figures in box marked Amount of Insurance.
160-22081905	CX-0505/06		CX-0701/31	EUR16,500-	

No. of pieces RCP	Actual Gross Weight	Kg/lb	Rate Class / Commodity Item No.	Chargeable Weight	Rate	Weight Charge	Nature and Quantity of Goods (Incl. Dimensions and Volume)
	40.0	K	Q	40.0			Dresses for girls Culottes for boys
	40.0			40.0		AS ARRANGED	REF.NO.02-111 FREIGHT COLLECT ORIGIN FRANCE

Handling Information (Incl. Marks, Number and Method of Packing)

MARKS:　　　　　　　　　100X　100X　70X　2
AS PER ATTACHED INV.

VOL　1.4M3

Prepaid	Weight Charge	Collect	Other Charges
	Valuation Charge		
	Tax		
	Total Other Charges Due Agent		
	Total Other Charges Due Carrier		

Shipper certifies that the particulars on the face hereof are correct and that insofar as any part of the consignment contains dangerous goods, such part is properly described by name and is in proper condition for carriage by air according to the applicable Dangerous Goods Regulations.

....
Signature of Shipper or his Agent

Total Prepaid	Total Collect	AS CARRIER PARIS WORLD EXPRESS
Currency Conversion Rates	CC Charges in Dest. Currency	6th May, 20XX　CDG　PARIS
		Executed on (Date) at (Place)　　Signature of issuing Carrier
For Carrier's Use only At Destination	Charges at Destination	Total Collect Charges
		PWE 1816123

REGISTERED AIR CARGO CONSOLIDATOR/IATA APPROVED CARGO AGENT

● 航空運送状サンプル（左記）の日本語訳

パリ・ワールド・エクスプレス									PWE-1816123	
荷送人の名称および住所 ボン・マルシェ株式会社 69002 フランス共和国リヨン市 E・ヘリオット通り 56					買取不可 航空運送状 発行元　　パリ・ワールド・エクスプレス It is agreed that the goods described herein are accepted in apparent good order and condition (except as noted) for carriage SUBJECT TO THE CONDITIONS OF CONTRACT ON THE REVERSE HEREOF. THE SHIPPER'S ATTENTION IS DRAWN TO THE NOTICE CONCERNING CARRIER'S LIMITATION OF LIABILITY. Shipper may increase such limitation of liability by declaring a higher value for carriage and paying a supplemental charge if required.					
荷受人の名称および住所 日本総合物産株式会社 日本国大阪市中央区馬喰町					通知ူ 日本総合物産株式会社 日本国大阪市中央区馬喰町1-1					
			【空港名、航空会社名などは略表記されます】		第1、第2、第3 コピーが、本航空運送状の原本であり、"Special Accounting Information"と同じ効力を持つ。					
出発空港 パリ			目的空港 大阪							
to CDG	当初航空会社 キャセイ・パシフィック	経由地および目的地	to	by	by 大阪	通貨 ユーロ	WT/VAL		その他	運送に対する申告価額 税関に対する申告価額 無申告
							PPD	COLL	PPD	COLL
							X			
MAWB 番号 160-22081905	フライト/日付 CX-0505/06	航空会社使用欄	フライト/日付 CX-0701/31		付保金額 16.500 ユーロ			【付保金額を指定している例】		
個数 RCP	実重量	Kg/ポンド	レート・クラス コモディティ・アイテム番号	課金重量	換算率	重量料金	貨物の名称および数量 (容積および重量を含む)			
	40.0	kg	Q	40.0			女児用ドレス 男児用衣服 参照番号：02-111 運賃：後払い 原産地：フランス			
	40.0			40.0		取り決めによる				

貨物取扱情報 (荷印・番号・梱包方法を含む)

荷印：
　　添付のインボイスのとおり　　100cm X 100cm X 70cm X 2 個　　　　容積　　1.4 立方メートル

前払い	重量料金	後払い	その他の料金	【貨物の情報も詳細に記入します】
	査定料金			
	税			
	代理店へのその他料金		荷送人は、本書に記載された内容が正確であること、貨物が危険物を含んでいないこと、万一危険物がある場合は危険物取扱規則に則って航空運送に適した状態に梱包し、名称および梱包状態を申告していることをここに保証します。	
	航空会社へのその他料金			
			荷送人もしくは荷送人代理人の署名	
前払総額		後払総額	航空会社：パリ・ワールド・エクスプレス 20XX 年 5 月 6 日　シャルル・ド・ゴール空港　パリ	
通貨換算率		目的地通貨での通貨換算率	発効　(日付)　(発行場所)　発行航空会社署名	
航空会社使用欄 (目的地)		目的地での料金	総料金 PWE 1816123	

国際航空運送協会 (IATA) 登録航空貨物代理店

にはマスター・エア・ウェイビルは発行されません。

● ハウス・エア・ウェイビル（House Air Waybill：House AWB）

　混載業者を利用する場合に、小口の荷物発送依頼者、つまり輸出者に対して発行される航空運送状を、**ハウス・エア・ウェイビル（House Air Waybill：House AWB）**と言います。日本語では、**混載運送状**とか**混載原票**などとも言います。発行するのは混載業者で、航空会社から発行されたマスター・エア・ウェイビルをもとに作成され、仕向地への到着時に各荷主へ連絡するために利用されます。

　ハウス・エア・ウェイビルにも統一要式（IATA様式とFIATA様式）がありますが、基づく運送約款や規則、運賃率は混載業者独自のもので、運送目録としての役割も有しています。

荷主保険が自動で付保されることが多い

　航空会社にもよりますが、**航空輸送では通常、荷主保険が自動で付保されてきます**。航空輸送ではスピードが重視されるため、海上輸送のように個別に保険会社と契約を交わしていては間に合わず、一律で保険を付けるようにしているケースが多いのです。

　前述したように、航空運送状はこの荷主保険の証明書の役割も兼ねています。付保金額（Amount of Insurance）の欄に貨物の価格を記載すれば、それが自動的に荷主保険における運送人の最高責任限度額となります。

　ただし、実務ではいちいち貨物の価額を記入していては煩雑なため、この欄には「NVD」と記入することがほとんどです（No Value Declaredの略で「無申告」の意味）。この場合、IATAのルールで、1kgあたりUS＄20の運送人責任限度額が一律適用されることになります。

18 船荷証券未着へのさまざまな対応策を知っておく

近隣国との取引では船荷証券が間に合わないことが多い

　船荷証券（B/L）を使った取引では、船会社から貨物を引き取る際に船荷証券の正本（Original）の呈示が求められます。船荷証券は有価証券ですから、その正本の所持者こそが船会社が運んできた貨物の所有者であり、船荷証券の正本がないと船会社は貨物を引き渡すことが原則できないのです。

　しかし近年、コンテナ船等の航行スピードが上昇したことから、中国や韓国など日本と地理的に近い外国と貿易取引をする場合、船荷証券よりも先に荷物が到着してしまうことが頻繁に起こるようになりました。

　このような状態では、輸入者は船荷証券が届くまで貨物を引き取ることができず、時間の経過による機会損失や保管料の支払いなどのリスクを背負わざるをえません。そこで、こうした状態への実務上の対応策として、次のようなさまざまな方法が取られています。

① 保証状（L/G）による引き取り
② 船荷証券（B/L）正本の一部呈示による引き取り
③ 元地回収（サレンダー）方式による引き取り
④ 海上運送状（SWB）による引き取り

それぞれ、詳しく見ていきましょう。

① 保証状(L/G)による引き取り

　船荷証券未着の際に以前から使われてきた方法に、荷受人（輸入者）が貨物引取にともなう諸々のリスク（引渡人相違の際の損害賠償、訴訟費用など）をすべて負担することを誓約する**保証状（Letter of Guarantee：L/G）**を作成し、これを船会社に差し入れて貨物を引き取る、という方法があります。

　この保証状を、荷受人（輸入者）の署名のみで作成した場合は**シングルL/G（Single L/G）**と言い、荷受人（輸入者）の署名にプラスして銀行の連帯保証（荷物引取保証）も付けた場合には**銀行保証状（Bank L/G）**と言います。

　当然、銀行保証状のほうが船会社のリスクは少なくなりますから、通常、船会社はシングルL/Gではなく銀行保証状を求めます。

　船荷証券未着の際にシングルL/Gで貨物を引き取るには、船会社と個別の取り決めをする必要があります。大口取引先など、船会社に対して大きな信用力を持っていないと、実際にはシングルL/Gは利用できないと言っていいでしょう。

　なお、保証状によって貨物を引き取ったあとは、後日、船荷証券が銀行に届いたら速やかにそれを買い取って船会社に差し入れ、保証状を回収します。

　このとき、たとえ船荷証券にディスクレがあったり、引き取った貨物に異常があったりした場合でも、すでに貨物を引き取っていますから、船荷証券の買取を拒否できない点にも注意してください。

　また当然ながら、銀行保証状を作成する場合には、銀行に手数料（保証料）の支払いが必要になります。

② 船荷証券(B/L)正本の一部呈示による引き取り

　通常、船荷証券の正本は複数枚発行されます（日本なら正本は3枚）。

　貿易の両当事者で支払条件を信用状取引とした場合、通常すべての船積書類は、船荷証券の正本全部とともに売主から売主側銀行経由で買主側の信用状発行銀行に送付されます。そしてその後、買主は買主側の信用状発行銀行から船荷証券全部を入手することになります。

　この場合、買主が輸入貨物を引き取る際に、船荷証券の正本全部の入手が輸入貨物の到着よりも遅れると、買主は輸入貨物の引き取りができません。

　そこで、船荷証券の正本3枚のうち1枚について、売主（荷送人）が船積みを終えた時点で、作成者である船会社から受領したあと、売主から買主に国際宅配便等によって直送し、この1枚を呈示することで輸入地での貨物引取を行う方法があります。

　これも、船荷証券の未着に対応するために以前から行われている方法ですが、この方法を可能にするには、信用状（L/C）に船荷証券正本のうち1枚を別送することを明記しておくことが必要であり、信用状の発行を依頼する時点で、買主が信用状発行銀行とその旨を交渉する必要があります。

　つまり、この方法では、船荷証券が実際に未着してからでは対応できないうえに、銀行がこの条件を認めてくれなければならないということを知っておきましょう。

　なお、このとき、船荷証券正本の残りの2枚については、売主側銀行経由で、荷為替手形として買主側信用状発行銀行に送付されます。

③ 元地回収(サレンダー)方式による引き取り

　船会社は、荷送人（売主）から貨物を受領して船積みを完了した時点で、船荷証券の正本とコピーを発行します。その後、これらの書類一式が荷送人（売主）に手渡されますから、売主は船荷証券の正本・コピーを、国際郵便等を利用して直接（支払条件が信用状取引、D/P または D/A の際には売主側の銀行を経由して）、買主に送付することになります。

　しかし、**元地回収（Surrender：サレンダー）方式**では、船荷証券の正本とコピーを船会社がいったん荷送人（売主）に手渡すのですが、このうち正本３枚については、荷送人（売主）の裏書署名（白地裏書）のあと、すぐに船会社に差し戻してしまいます（最近では、船会社と荷送人［売主］の事前合意に基づいて、船会社で確認後、自動的に船荷証券の正本全部を回収済みとする簡易な方法も多くなっています）。

　つまり、船会社は、発行した船荷証券の正本全部を、輸出地（＝元地）で回収してしまうのです。

　このようにすれば、貨物が輸入地にいつ届いても、船会社はすでに船荷証券の正本を輸出地／元地で回収して所持していますから、船会社が輸入地で船荷証券正本の呈示を荷受人（買主）に求める必要がなく、すぐに荷受人（買主）に貨物を引き渡すことができます。

　荷受人（買主）にとっても、船荷証券の受領遅れによる輸入貨物の引取遅延という事態に、効率的に対応できるわけです。

　荷受人の識別については、荷送人（売主）から荷受人（買主）に船荷証券のコピーを送ってもらい（FAX や E メールを利用する）、そのコピーと船会社の所持する正本との記載事項の一致確認によって行われています（このとき送られてくるコピーには、「元地回収方式適用済み」という意味の"Surrendered"の文字が記載されま

す)。

　なお、元地回収方式で発行される船荷証券は「サレンダードB/L (Surrendered B/L)」と呼ばれ、受取人欄に荷受人（買主）固有の企業名等が記入される記名式です。そのため、譲渡性や流通性が制限されることになり、銀行から見るとサレンダードB/Lは担保としての価値はないということになります。

　また、この方式を利用するには、売主（荷送人）・買主（荷受人）・船会社等、関係者全員が、元地回収方式で輸送を行うことを船積み前に合意していることも大事な条件となります。

④ 海上運送状（SWB）による引き取り

　船荷証券未着の問題が頻発する原因が、船荷証券が有価証券であることに起因する点はすでに述べました。上記のようなさまざまな実務上の工夫が必要なのも、貨物の引取時の所有者が船積み時点で確定しない以上、輸入地での貨物引取に、船荷証券の正本呈示が原則必要であることが変えられないからです。

　そこで、船荷証券の発行自体をやめてしまい、有価証券ではない代わりの書類を利用することによって、より簡易に貨物の引き渡しを行えるようにしたのが**海上運送状（Sea Waybill：SWB）**です（→次ページ・図表73のサンプル参照）。

　この海上運送状は、原則として船会社が発行する貨物受取証であり、輸入時の荷受人や通知宛人を記載した書類（運送証券）でもあります。

　しかし、船荷証券とは違って、荷受人の記載を"to order"などとする指図式にすることはできません。つまり、**常に記名式であるため譲渡性がなく、裏書による流通性もないため、有価証券ではない**のです。

図表73 ◆ 海上貨物運送状サンプル

Shipper (荷送人)	SEA WAYBILL NO. (海上運送状番号)
Consignee (荷受人)	**ABC Marine Co. Ltd.** SEA WAYBILL NON-NEGOTIABLE (買取不能海上運送証券)
Notify Party (通知宛先)	Received by the Carrier from the shipper in apparent good order and condition unless otherwise indicated herein, the Goods, or the container(s) or package(s) said to contain the cargo herein mentioned, to be carried subject to all the terms and conditions appearing on the face and reverse of this Waybill by the vessel named herein or any substitute at the Carrier's option and/or other means of transport, from the place of receipt or the port of loading to the port of discharge or the place of delivery shown herein and there to be delivered unto the consignee named herein or his authorized agent named hereon on production of proof of identity. In witness whereof, the undersigned, on behalf of ABC Marine Co., Ltd., has signed this Waybill, all of this tenor and date.
Place of Receipt (受取地) / Port of Loading (積込地)	
Ocean Vessel (積載船名) / Voy.No. (航海番号)	Party to contact for cargo release (貨物引渡連絡先)
Port of Discharge (陸揚地) / Place of Delivery (引渡場所)	Final destination for the Merchant's reference only (最終仕向地〔荷主の責任と費用によるる〕)

Container No. (コンテナ番号)	Seal No. Marks and Numbers (シール番号) (荷印〔マーク〕 および番号)	Number of Containers or Packages (コンテナの個数または貨物の梱数)	Kind of Packages; Description of Goods (包装形態、貨物の品名)	Gross Weight (総重量)	Measurement (容積)

> 記載内容は、船荷証券とほとんど変わりません

TOTAL NUMBER OF CONTAINERS OR
OTHER PACKAGES OR UNITS RECEIVED
BY THE CARRIER (IN WORDS)
(コンテナまたは貨物の合計数のアルファベット文字表記)

SHIPPER DECLARED VALUE
(荷送人申告価格)

Freight and Charges (運賃およびその他費用)	Revenue Tons (トン数)	Rate Per (運賃率および計算単位)	Prepaid (運賃元払い)	Collect (運賃着払い)

Exchange rate (換算率)	Prepaid at (支払地;運賃元払時)	Payable at (支払地;運賃着払時)	Place and Date of Issue (発行地および発行日)
	Total prepaid (元地で支払われる運賃合計)		ABC Marine Co., Ltd. As Carrier
Date	LADEN ON BOARD THE VESSEL (本船積込日) BY _____		By _____

256

有価証券ではありませんから、船会社も荷受人に対して、貨物を引き渡す時点で海上運送状の正本呈示を求める必要がありません。海上運送状を利用する取引では、船会社は輸入地で、海上運送状に記載されている荷受人かどうかを確認するだけで、輸入者に荷物を引き渡してくれます。

　海上運送状には、上記のようにさまざまな利点がありますが、まだ国際的なルールが確立しきっていないという点に注意が必要です。一応、1990年に万国海法会が定めた「CMI統一規則」という国際的な取り決めがあるのですが、強制力がある国際条約ではなく、荷送人の貨物処分権などに関しても問題が残っています。実務では、運送契約内にCMI統一規則を取り込んで、契約上の義務とすることで対応しているケースが多いのが現状です。

　同じように有価証券ではない航空運送状（AWB）では、荷受人を信用状発行銀行とすることで担保を確保し、信用状取引にも対応できるのですが、海上運送状ではこの方法はまだ普及しておらず、実務的な手順も確立していないようです。今後は可能になると思われますが、まだしばらくは個別の交渉が必要になるかもしれません。

　元地回収方式と同じく、輸出者（荷送人）・輸入者（荷受人）・船会社等、関係者全員が海上運送状ベースで輸送を行うことを、船積み前に合意していることも重要な条件です。

船荷証券の形骸化が進んでいる

　前述したように、現在、貨物船の高速化等により船荷証券の未着と輸入貨物の引取遅延の問題が増加しています。

　この状況に対応するため、実務では船荷証券に代えて海上運送状を利用するケースが急激に増えています。また、船荷証券を利用する場合でも、前述③の元地回収（サレンダー）方式を利用するケー

スが増え、特に反復して取引を行うケースでの船荷証券の形骸化が進んでいます。

　実際にさまざまなデータを見ると、すでに南米航路やアフリカ航路などの発展途上国向け以外のほとんどの航路で、海上運送状と船荷証券の使用比率がほぼ半々、あるいは海上運送状のほうが多く利用されている状況になっています。

　ただ、現在のところは、今後短期間のうちに船荷証券が使われなくなることは考えられません。貿易取引を行ううえでは、両方の知識が必要なのです。

　船荷証券・海上運送状どちらの書類が必要とされても、即座に対応できるようにしておくことが、これから貿易取引を始めようとする企業の担当者には求められます。

　なお、上記①〜④の引取方法のうち、近年よく使われているのは③の元地回収（サレンダー）方式および④の海上運送状であることも覚えておきましょう。

ほかにもさまざまな種類の運送状がある

どんな書類か見極めよう

　前述したように、運送状は運送契約の証明書および運送の指示書としての性格を持つ書類ですから、ここまでに見てきた海上運送状や航空運送状以外にも、さまざまな運送状が存在します。また、運送状によく似た書類も多数存在します。
　ここでは、主なものを紹介しておきましょう。

● 陸上運送状（Truck Waybill）
　トレーラー等による国際陸上輸送の際に発行される運送状です。海上輸送の際の海上運送状、航空輸送の際の航空運送状にあたる書類で、**有価証券ではありません**。
　日本には陸上国境がないため、利用されることはまずありませんが、欧州などの遠隔地での取引等では登場する可能性があります。

● 鉄道運送状（Rail Waybill）
　特に鉄道による国際陸上輸送の際に発行される運送状です。これも、地理的条件から日本で利用されることはまずありません。特徴・性質などは上記の陸上運送状に準じます。

● FIATA-FCT（Forwarding Agents Certificate of Transport）
　海貨業者やNVOCCなどのフォワーダーが発行する運送状で、国

際フォワーダー協会連合会（FIATA）が規定する書式で作成されます。FIATA-FCT は、船荷証券と同じく有価証券として扱われ、流通性がある運送証券である点に注意が必要です。

● FIATA-FCR（Forwarders Certificate of Receipt）
　フォワーダー、またはその代理人が発行する運送状です。同じく、FIATA の定める書式に従って作成されます。
　FIATA-FCR は、輸出地で船積みを行うことを目的として、荷主から海貨業者等が貨物を受領したことを証明する貨物受取証です。
　FIATA-FCT と違うのは、**受取証にすぎず、有価証券ではない点**です。

ポイントは有価証券かどうかと、流通性があるかどうか

　このほかにも、各種の国際機関や業界団体が定めたさまざまな書式の運送状や受取証があります。また、それぞれの業者が独自に作成する書類も存在します。
　実務では、ときどきこうした珍しい種類の運送状・受取証などに出会うことがあります。その際の判断のポイントは、**その書類が有価証券かどうか、流通性があるかどうかを正しく見極める**ことです。
　対応の仕方がすぐにはわからない書類が出てきても、いったん受け取ったうえで対応の仕方を調べたり、必要であれば相手に質問するなどして、求められる適切な処理を迅速に行うことが重要でしょう。

第5章

貿易取引に欠かせない「保険」について把握する

遠く離れた外国にまで商品を輸送する貿易取引では、
輸送途中の損害に備える貨物海上保険が必須です。
また、このほかにも、貿易保険や
PL保険の知識が求められます。

1 貿易取引では「貨物海上保険」が必須！

貨物海上保険とは

　貿易取引では、輸出にしろ輸入にしろ、商品を長期間・長距離移動させて輸送を行います。当然、抜荷や盗難、遺失、火災、事故、船舶の沈没、飛行機の墜落、虫食いなど、輸送の途中で商品が損害を受ける危険性がたくさんあります。輸送中のこうしたリスクは貿易取引を行う限り決してなくなりませんから、リスクをカバーする保険が必須です。それが、**貨物海上保険**（Marine Insurance）です（単に「**海上保険**」と言うことも多い）。航空輸送や陸上輸送の際には、「**国際貨物損害保険**」「**航空貨物保険**」等の名称を用います。

　保険を引き受ける保険会社などを**保険者**（Insurer / Assurer）、保険料を支払って保険契約を締結する者を**保険契約者**（Applicant）と言いますが、貿易取引でどちらが保険契約者となるのかは、主に**貿易条件**によって決まります。

　たとえば、FCA（FOB）やCPT（CFR）なら買主が自ら保険契約を締結しますし、CIP（CIF）なら売主に保険契約の手配を行う義務があります（もちろん、保険契約のための掛金となる保険料は最終的には買主負担です。ただし、CIP（CIF）では、保険契約発効の際にいったん売主が売主側保険会社に対して保険料を立替払いし、その保険料の代金額を、売主が直接、買主から取り立てる、つまり買主は売主に対して商品代金とともにその保険料を支払うことになります）。

2 貨物海上保険における「損害」の概念を押さえる

貨物海上保険では、保険金支払いの対象となる「損害」の定義が重要な要素となります。損害の度合いや種類により、保障の対象となるかどうかが厳密に決まっているからです。

順番に、それぞれの損害の概念を把握していきましょう。

単独海損と共同海損の違い

損害については、まず負担の仕方によって、**単独海損（Particular Average）** と**共同海損（General Average）** の2つに分けられます。

ところで、貨物海上保険では、損害のことを「**海損（Average）**」と呼びます（これは航空輸送や陸上輸送の場合も同じです）。ですから、単独海損とは「単独損害」、共同海損とは「共同損害」という意味です。

さて、単独海損とは、**損害を受けた貨物の荷主が、その被害となる損失を被る損害**のことです。

たとえば、火災によって多数の荷主の貨物について一部が焼けてしまった場合には、その焼けてしまった貨物の荷主だけが被害を被り、焼けなかった貨物の荷主は被害を受けません。このような種類の損害を、単独海損と言うのです。

これに対して共同海損は、海難事故（たとえば、大嵐や台風）などの際に船長が宣言する特殊な損害です。

海難事故などの場合には、一部の貨物を投棄するなどしなければ、

船舶自体が沈没等の危険にさらされ、貨物のすべてが滅失してしまう可能性があります。このような状況では、一部の貨物の投棄等によって、それ以外のすべての貨物や船舶自体を救います。

こうしたケースで、投棄した貨物の損害を単独海損として、損害を被った荷主のみの損失として処理するのは公平ではありません。そこで、**被害を受けた荷主の損害を、それによって利益を受けたほかの貨物の荷主が共同で負担する**のです。こうした種類の損害を、共同海損と言います。

なお、共同海損が発生した場合は、船会社からその旨を荷主に通知する**共同海損宣言状**（General Average Declaration）が送付され、事故の概要や共同海損として処理すること、また共同海損清算人の選定などが伝えられます。

全損と分損の違い

次に、貨物が被った損害が部分的なものか、全面的なものかによって、単独海損が**全損**（Total Loss）と**分損**（Partial Loss）の2つに分けられます。

全損は、貨物のすべてが滅失した状態、または、滅失とほぼ同じ状態になったと考えられる場合のことで、前者を「**絶対全損**」（あるいは「**現実全損**」）、後者を「**推定全損**」と言います。

これに対して、分損は貨物の一部のみが損害を受けた状態のことです。

分損は、損害の種類や原因等によって、さらに沈没・衝突・船積中の損害などを意味する「**特定分損**」、損害防止や救助料など貨物本体の損害に付随して発生する「**費用分損**」、塩濡れや津波、荒天などに起因する「**その他の分損**」、貨物の破損や盗難、水濡れなどを意味する「**各種の付加危険**」に分けられます（→右図表74参照）。

図表74 ◆ 貨物海上保険における損害の分類

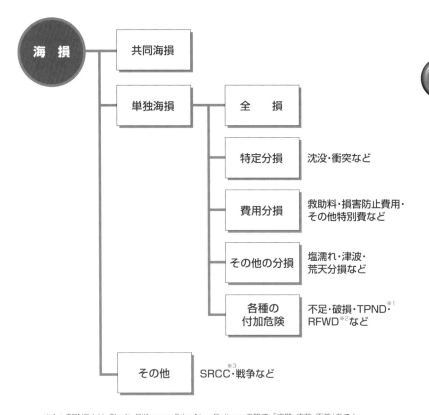

※1：TPNDとは、Theft, Pilferage &/or Non Deliveryの略で、「盗難・抜荷・不着」のこと。
※2：RFWDとは、Rain &/or Fresh Water Damageの略で、「雨・洪水・濡れ損」のこと。
※3：SRCCとは、Strikes, Riots &/or Civil Commotionsの略で、「ストライキ・暴動・騒乱」のこと。

戦争やストライキ等による損害は別扱い

このほか、特に戦争や、SRCC（Strikes, Riots &/or Civil Commotions）とひとまとめにされるストライキや暴動、騒乱などの各種の紛争によって引き起こされた損害についてだけは、別扱

いとされることにも注意してください。

　戦争やSRCCの起こっている状況では、通常の商取引が行えず、治安や法による秩序も機能しません。そのため、貨物海上保険でも、これらによって引き起こされる損害は、特別な保険契約がない限り原則保障できないことになっているのです。

　ただし、特に海上輸送の場合には危険な海域を航行しなければならないことも多く、現実的なニーズがあるため、別途特約を結ぶことによってこれらの損害リスクをカバーできるようになっています（後述）。

3 貨物海上保険における さまざまな「保険条件」

旧ICCによる保険条件

　貨物海上保険は、前述した共同海損と単独海損をそれぞれどの程度カバーするかによって、さまざまな**保険条件**に分かれます。ですから、保険を契約するときには、運送ルートや積荷の種類、国際情勢などを考慮して、適切な保険条件を選択することが重要です（信用状取引では、通常、保険条件を指定されます）。

　ほとんどの貨物海上保険の約款は、いまでも200年以上前に作られたイギリスのロイズ保険証券をもとに作成されているのですが、現代の貿易取引の実態に合わせるために、国際的に取り決められたさまざまな特別約款が追加され、それによっていくつかの典型的な保険条件を設定しています。

　この特別約款の基準として、従来、頻繁に利用されてきたものに、ロンドン保険業者協会が作成した**協会貨物約款**（Institute Cargo Clauses：ICC）というものがあります。

　大きく分けて、略称「**旧ICC**」と「**新ICC**」の2つがあり、現在、実務では少しずつ新ICCの利用が増えていますが、旧ICCのほうもまだまだ利用される状況が続いています。

　まずは、旧ICCによる代表的な3つの保険条件を解説しましょう。

● **全危険担保**（All Risks：A/R）
　例外扱いとなる戦争やSRCCによる損害を除く、すべての損害

をカバーする保険条件です。保障対象になる損害の種類をいちいち明記しない包括責任主義をとっており、保障範囲がもっとも広い保険条件になります。

貿易実務の現場では、旧ICCが使われるほとんどのケースでこの条件によって保険契約をしますから、必ず覚えておいてください。

● 分損担保（With Average：W.A.）

共同海損と全損、および「各種の付加危険」を除く分損が保障される保険条件です。ただし、分損については、一定割合以上の損害のみが補償されます。全危険担保に次ぐ保障範囲の広さで、「**単独海損担保**」と呼ばれることもあります。

なお、対象外となる「各種の付加危険」については、別途特約を結んでリスクをカバーすることも可能です。

● 分損不担保（Free from Particular Average：F.P.A.）

共同海損と全損、および特定分損と費用損害のみが保障される保険条件です。「単独海損不担保」とも言い、さらに保障範囲が狭くなります。

これも、「各種の付加危険」については、別途特約を結んでリスクをカバーできます。

このほか、全損以外の損害は補償しない「**全損のみ担保（Total Loss Only：T.L.O.）**」などの保険条件もありますが、あまり利用されていません。

新ICCによる保険条件

旧ICCは非常に長い歴史を持った特別約款の基準なのですが、

むしろそのために、利用されている英文の表現が古く、新たに貿易取引を始めた新興経済国の貿易当事者にとっては、一読してもなかなか理解できないものになってしまっています。

そこで、1982年に国連貿易開発会議（UNCTAD）がロンドンの貨物業者協会に依頼し、旧ICCで利用されている内容をベースに新たに制定したものが**新ICC**です。

その制定の経緯から、旧ICCと保険条件としての内容は大きく変わりません。ただし、微妙に異なる箇所がいくつかありますから、きちんと理解しておきましょう。

新ICCでの代表的な保険条件は、以下のとおりです。

● ICC（A）

旧ICCにおける全危険担保（A/R）とほぼ同じ内容の保険条件です。

新ICCで新たに変更された点は、旧ICCでは戦争リスクに含まれて保障範囲から外れていた海賊による損害がカバーされ、逆に船会社の倒産等による支払不能、債務不履行を起因とする損害が保障範囲外とされたことです。

● ICC（B）

旧ICCにおける分損担保（W.A.）にほぼ相当する保険条件です。

● ICC（C）

旧ICCにおける分損不担保（F.P.A.）にほぼ相当する保険条件です。

新旧ICCでは、保障対象となる損害の種類が微妙に異なっていますから、次ページの図表75で確認しておいてください。

図表75 ◆ 新・旧協会貨物約款の基本的な保険条件の比較 ＜再掲＞

● 旧協会貨物約款（旧 ICC）の基本的な保障対象

事故の種類＼保険条件	全危険担保 （A/R）	分損担保 （W.A.）	分損不担保 （F.P.A.）
火災・爆発	○	○	○
輸送用具の沈没・座礁	○	○	○
輸送用具の転覆・脱線	○	○	○
輸送用具の衝突	○	○	○
荒天遭遇による潮濡れ	○	○	△
雨・雪等による濡れ	○	●	×
汗濡れ	○	●	×
擦損・かぎ損	○	●	×
虫食い・ねずみ食い	○	●	×
盗難・抜荷・付着	○	●	●
破損・曲がり・へこみ	○	●	●
漏出・不足	○	●	●
汚染・混合	○	●	●
共同海損	○	○	○

● 新協会貨物約款（新 ICC）の基本的な保障対象

事故の種類＼保険条件	ICC(A)	ICC(B)	ICC(C)
火災・爆発	○	○	○
船舶またははしけの沈没・座礁	○	○	○
陸上輸送用具の転覆・脱線	○	○	○
輸送用具の衝突	○	○	○
地震・噴火・雷	○	○	×
海・湖・河川の水の輸送用具保管場所等への侵入	○	○	×
船舶への積込み・荷卸し中の落下による梱包1個ごとの全損	○	○	×
汗濡れ	○	●	×
擦損・かぎ損	○	●	×
虫食い・ねずみ食い	○	●	×
盗難・抜荷・付着	○	●	●
破損・曲がり・へこみ	○	●	●
漏出・不足	○	●	●
汚染・混合	○	●	●
共同海損	○	○	○

○……保険金支払いの対象となる
△……全損の場合のみ保険金支払いの対象となる
×……分損担保（W.A.）あるいはICC(B)の特約として引き受けするのが一般的である
●……特約がある場合のみ保険金支払いの対象となる

戦争危険担保とSRCC担保

　全危険担保や ICC（A）でもカバーされない戦争や SRCC による損害に対しては、それぞれ**戦争危険担保（War Clause）**、**ストライキ・内乱等担保（SRCC Clause）**と呼ばれる保険条件を、特約として別途契約することで対応できます。

　通常は全危険担保条件や ICC（A）条件だけで問題ないのですが、信用状で要求されている場合には必須となりますし、政情が不安定な海域をとおって貨物が輸送されていく場合には、追加契約の検討が求められるでしょう。

　なお、ストライキ・内乱等担保については、「同盟罷業暴動騒乱担保」等の別の名称を用いることもあります。

4 貨物海上保険の「保険金額」と「保険料」

保険金額の多くは「CIP（またはCIF）価格の110%」

　何らかの事故が発生した際、保険会社が支払う保険金の最高限度額を**保険金額**（Amount Insured）と言います。この保険金額をいくらにするのかは、保険を申し込むときに保険契約者が選べるのですが、通常はCIP（CIF）価格に輸入者の**期待利益**（Expected Profit）を10%上乗せし、「CIP（CIF）価格の110%」とすることが多いです。信用状取引の場合には、保険金額についても指定されることが一般的ですから、指示のとおりに申し込みます。

保険料はどのように決まるのか？

　保険金額が決まると、それに**保険料率**（Rate of Insurance Premium）を乗じて、保険契約者が支払う**保険料**（Premium）が決定されます。保険料率は、危険や責任の範囲などの保険条件、貨物の種類、船舶の種類、航路などさまざまな要因を考慮して決められます。

- 保険料 ＝ 保険金額 × 保険料率

これをより詳しくした公式は次のとおりです。

- 保険料 ＝ $\dfrac{（FCA〔FOB〕価格＋運賃）× 110\% × 保険料率}{1 －（110\% × 保険料率）}$

5 貨物海上保険の申込方法と保険証券の入手

実際に貨物海上保険に申し込むステップを確認しましょう。

申込事項すべてが確定しなくても、予定保険は申し込める

まず、**予定保険**について押さえておきます。

実務では、保険を申し込む段階ではまだ船名や出航日が確定していないことが少なくありません。特に輸入者の側が保険契約者になるFCA（FOB）やCPT（CFR）などのケースでは、輸出者側の状況がつぶさにはわからないので、そうした状況になりやすいと言えます。そこで、こうした状況では、確定している項目だけを保険会社に電話・Eメール等で知らせ、契約内容から概算の保険金額を設定して、予定保険を準備してもらいます。

その後、保険の申込事項がすべて確定したら、確定申込を行って確定保険契約に切り替えますが、**予定保険ではそれまで保険料・手数料の支払いが猶予されます**。実務でスピーディーに保険申込を行うための、便利な制度と言えるでしょう。

なお、予定保険には、個別の取引を対象とする**個別予定保険**（Provisional Insurance）と、複数の取引を一括して対象とする**包括予定保険**（Open Cover）があります（契約形態の違いによって、Open Policy、Open Contract、あるいは単にOPと言うこともあります）。継続的に貿易取引を行う際には、保険会社と包括予定保険契約を交わしておくと、事務手続がより迅速に行えます。

図表76 ◆ 海上保険申込書サンプル

INSURANCE APPLICATION

Assured :	SAKAE Electronics Kogyo Co., Ltd.	INVOICE No. :	SE 101/72
		Amount insured :	US$132,000
Policy No. : MC−98765		Conditions :	All Risks
Claim, if any, payable at / in by :			War Clauses
SHANGHAI, CHINA			SRCC Clauses
Ocean Vessel :	Voyage : at and from :	Sailing on or about :	
TOKYO MARU	Nagoya, JAPAN	August 25, 20XX	
Voyage : to / via :	SHANGHAI, CHINA		

Marks and Numbers	No. of Packages	Description of goods	Quantity
SE SHANGHAI C/No. 1/50 Made in Japan	50 cases	Electronics Parts	200,000pcs

OTHER TERMS AND CONDITIONS :

● **海上保険申込書サンプル（左記）の日本語訳**

海上貨物保険申込書

被保険者名： サカエ電子工業株式会社	インボイス番号： SE101/72
	保険金額： 132,000 米ドル
保険証券番号： MC-98765	保険条件： 全危険担保
保険金支払い希望地：	戦争約款
中国、上海	ストライキ・内乱約款

積載船名：	積込地：	出航日：
東京丸	日本、名古屋	20XX 年 8 月 25 日

荷卸地または積替地： 中国、上海

荷印・番号	梱包数	商品名	貨物数量
SE SHANGHAI C/No.1/50 Made in Japan	50 箱	電子部品	200,000 個

その他条件：

吹き出し注記：
- 保険申込者が被保険者と異なるときは要注意！
- CIP（またはCIF）価格の110%とするのが一般的
- この欄で保険条件を指定します
- この欄には、保険証券の発行依頼数、インボイス金額、特約などを記載します

※実際の海上保険申込書は、保険会社によって書式が異なるため、ここでは典型的な書式の例を紹介しています。

第5章 貿易取引に欠かせない「保険」について把握する

海上保険申込書を作成して申し込む

　船積準備が進んで保険申込事項がすべて確定したら、**海上保険申込書**（Marine Insurance Application → 274 ページ参照）に必要事項を記入し、保険会社に提出します。通常は英文で作成します。

　保険金額は、前述したように CIP（CIF）価格の 110％とすることが一般的です。保険条件については、ICC（A）または全危険担保（A/R）とするように求められることが多いでしょう。

　信用状取引の場合には、信用状で求められているとおりの保険内容となるよう注意して作成してください。

海上保険証券を入手する

　海上保険申込書を提出し、保険料を支払うと、原則として保険会社から**海上保険証券**（Policy of Marine Insurance：I/P →右図表77 参照）を入手できます。保険証券には、表面に保険の主な内容が記載してあり、裏面には保険約款が記載されています。国際取引に利用する書面ですから、これも通常は英文で発行されます。

　何か事故が起こった場合には保険金支払いの申請に必要ですし、信用状取引などで荷為替手形を組む際にも必要となります。重要書類ですから、誤表記がないかよく確認しましょう。

　ちなみに、FCA（FOB）などの貿易条件で、輸入者が貨物海上保険の保険契約者になる場合には、一般的に保険証券は発行されません。代わりに、保険の引受条件や保険料の明細を記載した**デビット・ノート**（Debit Note）という書類や、保険証券を簡略化した**保険承認状**（Insurance Certificate）という書類が発行されます。このデビット・ノートは、保険料支払いの証明書として、その後、輸入通関に必要になる場合があります。

図表 77 ◆ 海上保険証券サンプル（典型的な例）

```
Policy Number                POLICY OF MARINE INSURANCE
(証券番号) MC-98765              (海上保険証券)
                                                        (Prov. No.   PO81-123 )
Assured Name                 Invoice No., etc.
(被保険者)    ※1                (インボイス番号)   SE 101/72
Sakae Electronics Kogyo Co., Ltd.
Claim, if any, payable in the same currency as the draft at    Amount Insured
(保険金支払地)   Shanghai, China         (保険金額)    CARGO    USD 132,000.00   ※2
                                              DUTY
                             Conditions
Notify and claim to  (クレーム通知先)  (保険条件)
   Hang Gung Marine Insurance Co., Ltd.      The institute Cargo Clauses (All Risks)
   808, Cheijing Bei                         the institute War Clauses
   Shanghai, CHINA                           and the Institute S.R.C.C. Clauses

Local Vessel or Conveyance        From (interior port or place of loading)
(接続輸送用具)                      (仕出港(地)(国内港または積込場所))
                                                        Nagoya, Japan
Ship or Vessel called the                 Sailing on or about
(積載船(機)名)    "Tokyo Maru"       (出帆月日)     August 25, 20XX
At and From                      Transshipped at
(仕出港(地))    Nagoya, Japan        (積替港(地))
Arrived at                       Thence to
(仕向港(地))    Shanghai, China     (最終仕向港(地))
Goods and Merchandises
(貨物の明細)                                 By Customary Connecting Conveyance

   50 cases (200,000pcs) of Electronics Parts
   (SAKAE BRAND)


Marks and Numbers as per Invoice No. specified as above.   Valued at the same as Amount insured.
Place and Date                   No. of Policies issued    Typist Initial
  Signed in
```

第5章 貿易取引に欠かせない「保険」について把握する

※1：**Assured（被保険者）**
通常、保険契約をした当事者が被保険者となることが多いです。CIP（CIF）契約では、いったん輸出者が保険契約をして被保険者となり、その後、保険証券の裏書を行って輸入者宛に保険証券を送る、という手順をとることが一般的です。

※2：**Amount Insured（保険金額）**
保険事故発生後、保険会社が保険金求償者に支払う保険金の最高限度額のことです。多くの場合 CIP（CIF）金額の 110%の金額が保険金額とされます。もちろん、信用状の条件によって、保険金額の算定方法が変わるので要注意です。

6 貨物海上保険の「付保区間」

貿易条件によって付保責任区間が異なる

貨物海上保険に関しては、貿易条件によって保険がカバーする区間が異なる点にも注意してください。

FOB、CFR、CIFなどの貿易条件では、危険の負担はすべて、物品が本船の船上に置かれた時点で輸入者に移転します。

しかし、保険契約の締結責任は、CIFでは原則として、輸出地の

図表78 ◆ 保険の付保区間と期日

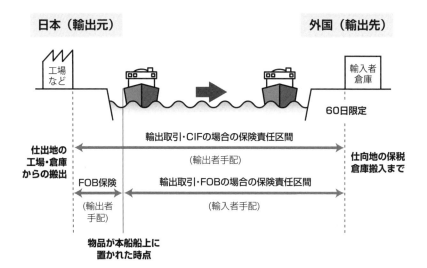

※CIF契約の場合に、輸出者から輸入者への危険責任の移転時期を輸入地到着後と考えている人がよくいますが、これは間違いであり、あくまで本船積込み後の危険責任は輸入者に移転します。

保税地域から輸入地の保税地域までの区間が売主側の保険責任区間となります。

これに対して、FOB、CFRでは、保険契約は買主が自ら行います。しかし、この際の保険責任区間は、あくまで物品が本船の船上に置かれたところからとなっている点に注意しましょう。

つまり、輸出国内での売り手側の倉庫から船積みまでの区間に関しては、売主側で別途保険を手配しなければならない、ということです（→左図表78参照）。この区間について必要な国内貨物の損害保険のことを、一般に**FOB保険**、あるいは**輸出FOB保険**と言います。

FOB保険の保険内容や保険条件、申込方法などは、通常の貨物海上保険とほぼ同じです。

また、コンテナ船や航空機を利用する場合のFCAでも、同じくFOB保険が必要になります。

7 貨物海上保険の「裏書」についても押さえる

被保険者の選択と裏書

　保険の被益者、つまり事故があった場合に保険金の支払いを受ける者のことを**被保険者**（Insured / Assured）と言いますが、貨物海上保険を申し込むとき、売主と買主のどちらを被保険者とするのかも重要です。

　売買契約によって買主が購入した商品にかける保険なのですから、一律に買主を被保険者にすればよい、と考えがちですが、これは大きな間違いです。実務で一般的に利用されている貿易条件では、貨物の責任範囲が買主に移るのは船積みで本船に貨物が置かれたところ（FOB/CFR/CIF）か、コンテナ・ヤードやコンテナ・フレート・ステーション等で運送人に引き渡されたとき（FCA/CPT/CIP）です。貿易条件のインコタームズ上で、貨物引渡しの前までは、貨物の損失負担／危険負担は売主にあるのですから、被保険者を買主にすると不都合が生じることになります。

　ですから、売主側が輸送行程すべての保険契約を行うCIFやCIPでは、保険契約者、つまり売主を被保険者として保険証券に記載することで、船積み、あるいは運送人への引き渡しまでのリスクをカバーします。

　そして、信用状取引などで輸出者が銀行に保険証券を持ち込む前、あるいはそれ以外の決済方法で保険証券を買主に直送する前に、保険証券に輸出者が裏書することによって、売主の保険金支払いを受け

図表79 保険証券の裏書のサンプル

【表面】

```
Policy Number
  MC-98765                POLICY OF MARINE INSURANCE      (Prov. No.  PO81-123 )
Assured Name                       Invoice No., etc.
  Sakae Electronics Kogyo Co., Ltd.             SE 101/72
Claim, if any, payable in the same currency as the draft at   Amount Insured
  Shanghai, China                    CARGO      USD 132,000.00
                                     DUTY
                                     Conditions
Notify and claim to
  Hang Gung Marine Insurance Co., Ltd.      The Institute Cargo Clauses (All Risks)
  808, Cheijing Bei                         the Institute War Clauses
  Shanghai, CHINA                           and the Institute S.R.C.C. Clauses

        Local Vessel or Conveyance          From (interior port or place of loading)
                                                          Nagoya, Japan
        Ship or Vessel called the                 Sailing on or about
                       "Tokyo Maru"                       August 25, 20XX
          At and From                       Transhipped at
                       Nagoya, Japan
          Arrived at                        Thence to
                       Shanghai, China
        Goods and Merchandises
                                                   By Customary Connecting Conveyance

        50 cases (200,000pcs) of Electronics Parts
        (SAKAE BRAND)

                                 【裏面】                 保険証券裏書

Marks and Numbers as per Invoice No. specified as
  Place and Date
    Signed in
```

第5章 貿易取引に欠かせない「保険」について把握する

保険証券裏書 ↓

SAKAE Electronics Kogyo Co., LTD.
Yamada
Export Manager Taro Yamada

裏書によって、保険金支払いを受ける権利を輸入者に移します

る権利を譲渡し、それ以降のリスクを買主側（あるいは信用状の買取銀行）がカバーできるように対応するのです（→前ページ・図表79参照）。

なお、買主が貨物海上保険を契約するFOBやCFRなどの場合は、当然ながら買主が被保険者となります。このとき、売主国内でのリスクをカバーするために、売主によるFOB保険付保が必要となるのは、前述したとおりです。

また、保険証券は上述のとおり裏書によって譲渡できるのですが、**有価証券ではないことにも留意しておきましょう。**

裏書後の修正対応

万一、保険証券に間違いがあったり、保険条件を変更したりした場合には、すぐに保険会社に保険証券を再発行してもらいます（軽微なスペル・ミスなどでは、訂正印での対応をすることもあります）。

しかし、すでに裏書譲渡してしまっている場合には、保険証券を回収することが困難ですからこの方法は使えません。

この場合、**保険追認状**（Rider / Endorsement）という書類を保険会社に発行してもらって、これを銀行あるいは輸入者へ別途送付するという対応をとります。

8 代金回収リスクなどは「貿易保険」でカバーする

貿易保険とは

　国際運送の途上で起きる貨物への損害に対しては、ここまで紹介してきた貨物海上保険でカバーできます。しかし、貿易取引では、このほかにも相手先の倒産や破綻等で代金回収ができないリスクや、相手国の突然の政策変更などで約束した取引ができなくなるリスクなど、さまざまなリスクが存在します。

　こうしたリスクをカバーできるのが、**株式会社日本貿易保険**（Nippon Export & Investment Insurance：NEXI）を中心的な引受先とする各種の**貿易保険**です。かつては、貿易保険は日本貿易保険しか取り扱っていませんでしたが、最近では民間の損害保険会社も貿易保険の取り扱いを始めています。保険料率や保険の引き受けの可否についても、ぜひ直接問い合わせをしてください。

貿易保険がカバーするのは「信用危険」と「非常危険」

　貿易保険では、次の2種類のリスクについて対応します。

● 信用危険

　契約相手の代金不払いリスクや、相手方に責任のある輸出不能リスクのことです。外国の相手方（輸入者）が倒産や破綻してしまい、輸出商品の代金を回収できなくなるケースや、政府系バイヤーから

の一方的なキャンセルのケースなどが該当します。

●非常危険

世界にはさまざま国があり、日本の常識では外国政府の政策決定プロセスや経済情勢について予測できないことも少なくありません。そうした、輸出先国での突然の経済政策変更など、契約の当事者以外の責任で代金不払いや輸出不能が起きるリスクを非常危険と言います。

一方的な輸入の禁止、為替取引の停止、戦争等による取引不能などのケースが該当します。

さまざまな種類の貿易保険が用意されている

貿易保険では、上述のように比較的広い範囲のリスクを対象とします。そのため、取引上のニーズに合わせて、さまざまな保険商品が用意されています。

代表的な種類として、日本貿易保険の**貿易一般保険**、**限度額設定型貿易保険**、**中小企業・農林水産業輸出代金保険**、**輸出手形保険**の4つを紹介しましょう。

●貿易一般保険

輸出契約や仲介貿易契約で、輸出当事者が被保険者となる保険商品が貿易一般保険です。一般的な輸出企業にとっては、もっとも利用頻度の高い貿易保険と言えるでしょう。

相手先企業や輸入国自体にリスクを感じる契約にだけ、個別にかけることも可能ですし（**個別保険**）、すべての貿易契約に一括して保険をかけることも可能です（**企業総合保険**などの**包括保険**）。

● 限度額設定型貿易保険

　リスクを感じる相手先との契約にだけかけられる保険です。カバーするリスクは貿易一般保険と同じですが、てん補範囲やてん補率が異なります。

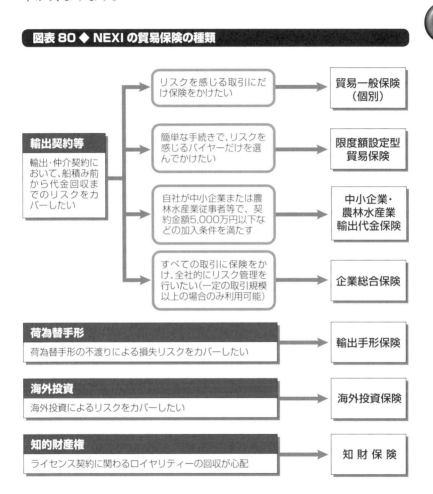

図表80 ◆ NEXIの貿易保険の種類

※このほかにも、海外事業資金の貸付にともなうリスクをカバーする「海外事業資金貸付保険」、前払い輸入代金の返還不能リスクをカバーする「前払輸入保険」などがあります。

● 中小企業・農林水産業輸出代金保険

　特に中小企業（中小企業基本法に定める「中小企業者」）等を対象に、輸出契約にともなう代金回収不能リスクをカバーする保険です。この保険も、カバーするリスクは貿易一般保険と同じですが、てん補範囲やてん補率が異なります。

　個別の契約ごとに保険をかけられるほか、簡単な手続き、迅速な保険金支払い、サービサーの利用による回収負担の軽減など、中小企業が利用しやすい商品になっています。

● 輸出手形保険

　輸出代金回収のための決済方法が、信用状をともなわない売主による振出しの荷為替手形、つまり D/P、D/A 条件の場合に、主に利用される貿易保険が輸出手形保険です（L/C 条件でも対象になります）。

　売主が振り出した荷為替手形の支払いを買主が拒絶し、手形が不渡りとなった場合の危険をカバーできます。

　被保険者は手形買取銀行である日本の金融機関ですが、保険料は輸出者が負担します。

　損失てん補率は最大95％で、非常危険もカバーされますから、信用状なしの荷為替手形決済を行う際には大きな利用価値があります。

　ただし、この保険を付保するには、荷為替手形の名宛人が株式会社日本貿易保険の「**海外商社名簿**」で、各国の政府関連機関を表すG格（GS・GA・GE）、あるいは優良格のEE・EA格、または引受額に一定の制限があるEM・EF格等までの外国企業でなければなりません。それ以下の格付けにある企業宛の荷為替手形では、原則としてこの保険は利用できません（→右図表81および288ページ・図表82参照）。

図表81 ◆ 輸出手形保険の流れ

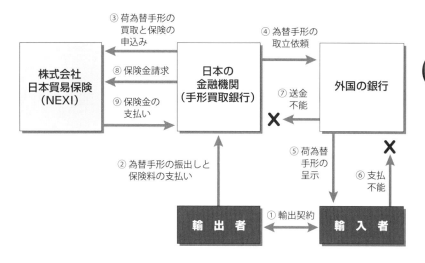

　ちなみに、相手先が未登録の外国企業であれば、規定の書類によって申請することで、商社名簿に登録することが可能です。

● その他の貿易保険

　このほかの貿易保険には以下のようなものがあります。ざっと把握しておきましょう。

a. 前払輸入保険
　　前払いした輸入代金の返還不能リスクをカバーする
b. 海外投資保険
　　海外投資先に対する非常・信用の両危険をカバーする
c. 海外事業資金貸付保険
　　外国法人に事業資金を貸し付けたときの非常・信用両危険をカバーする　など

図表82 ◆ NEXIの海外商社名簿のサンプルとその評価基準

●海外商社名簿(UK)

バイヤーコード	枝番	格付	社名または名称	住　所	備考
009465	0	EA	BBC Industries	00) 1234 Margaret Rd., Sunset Park, London	
001111	1	EE	BT Trading	00) P.O. Box 12-3, Norman Rd., Oxford	
003693	0	EM	BUA International Inc.	00) 33 Linton Gardens SE27, Catford	
002511	0	EC	BMX Brothers Inc.	00) 16 Georgina St. NW1, London	
002222	0	EA	BE MY C... Cor...	...t Rd., ...	

●与信管理区分(一部抜粋)

EE	統計的手法により導出した財務定量分析評価に定性的評価(経営、営業基盤および業界動向等の評価)を加味した信用リスク審査モデル(以下単に「信用リスク審査モデル」と言います)の結果から、信用状態が良好であって財務内容も優良な水準にあり、将来環境等が変化した場合でも債務履行能力が問題となる可能性は極めて低い、と日本貿易保険が判断した者
EA	信用リスク審査モデルの結果から、信用状態が良好であって財務内容が現状良好な水準にあり、将来環境等が変化した場合でも債務履行能力が問題となる可能性は低い、と日本貿易保険が判断した者
EM	EE格またはEA格の基準を満たす者であって、信用状態または財務内容に比して保険責任残高が過大となっている者
EF	信用リスク審査モデルの結果から、信用状態、財務内容は現在問題ない水準にあるが、将来環境等が変化した場合にはその影響を受けやすく債務履行能力が問題となる可能性がある、と日本貿易保険が判断した者
EC	信用リスク審査モデルの結果から、信用状態または財務内容に不安があり、将来環境等が変化した場合に債務履行能力が問題となる可能性が高い、と日本貿易保険が判断した者
SA	信用状態および財務内容が現状一定水準以上にある、と日本貿易保険が認める銀行等(GS格またはGE格に該当する者を除く)
SC	GS格、GE格およびSA格以外の銀行等
PN	創設期の者であって、信用状態が不明な者
PU	信用状態が不明な者(PN格またはPT格に該当する者を除く)
PT	次の各号のいずれかに該当する者 一　経営実態のない者(ペーパーカンパニー等) 二　戦争、革命、内乱等の事情により信用調査を実施できない国または地域に所在する者

※このほか、各国の政府機関や政府関連機関を表すGS、GA、GE格などもあります。

(資料出所:株式会社日本貿易保険HP:https://www.nexi.go.jp/)

9 国内・海外での製造物責任をカバーする「PL保険」

過失がなくても賠償しなければならない可能性がある

　製造物の欠陥を原因として、消費者等に身体上の障害、あるいは財産上の損害を与えた際に、その製造物の製造者等が法的な賠償責任を負うことを**製造物責任**（Product Liability）と言います。

　このとき、米国では特に、消費者などは製造者等に過失がなくても、製造物の欠陥が原因となって被害や損害を引き起こしたこと等のいくつかの重要要素を立証すれば、それで損害賠償が認められます。製造者等にとっては、明確な過失をしていないのにもかかわらず損害賠償を求められるリスクがあるのですから、保険によってリスクをカバーしたいところです。PL保険は、この製造物責任のリスクをカバーする保険です。

輸入者も製造物責任を負っている

　日本の製造物責任法では、輸入商品に関しては輸入者も賠償責任を負うことになっている点に注意が必要です（ちなみに、主要国の製造物責任法でも同様です）。

　つまり、輸入取引を行った貿易当事者は、自社でその商品を製造しているわけではなくても、日本国内における製造物責任を負っているわけです。

　そこで、日本国内に製造物を輸入する場合には、万一の場合に備

えて**国内PL保険**をかけることを検討しなければなりません。

　国内PL保険は、輸入品の欠陥が原因で日本国内で製造物責任を問われた場合に、その損害賠償責任をカバーしてくれます。

輸出の場合も必要になる

　また、輸入だけでなく、輸出の場合にも製造物責任からは逃れられません。

　国によって法律の内容は異なりますが、製造物責任は本来その製造物の製造者が負うものですから、自社が輸出商品の製造者である場合には、被害や損害が起こったのが海外であってもその責任は同じように降りかかります。

　さらには、外国で輸入者として賠償責任を負った相手先企業から、日本の輸出者に対して、損害賠償請求をされることもありえるでしょう。

　特に米国などの先進国では、製造物責任に関する消費者の意識が高く、訴訟が頻繁に起こされます。**輸出PL保険**への加入は、もはや必須と言えるでしょう。

　また、特に米国には**懲罰的賠償金**（Punitive Damages）という日本にはない損害賠償金制度があることも知っておきたいところです。この懲罰的賠償金とは、加害者に社会的制裁を与えることで同様の損害を予防するために、実際の損害額より大きな損害賠償責任を加害者に負わせる制度のことで、特に米国で大きな金額となることが多いものです。

第6章

「通関」の実務と「関税」の知識

貿易取引では、通関に関する実務についても
ひととおりの理解をしておく必要があります。
関税の仕組みについても、正しく
理解しておきましょう。

1 「輸出通関」の原則的な手順を知る

輸出するには税関長の「輸出許可」が必要

　ここでは、通関の手順について確認していきます。

　輸出取引にあたっては、税関長から輸出の許可を得なければなりません。

　国はさまざまな理由で貿易取引する物品を規制していますから（後述→320ページ参照）、これらの規制に反していないことを証明する必要があります。

　また、法律によって、輸出に際しては税関長に対して輸出申告を行い、許可を得なければならないことも定められています。この許可を得るために行うのが、輸出通関手続です。

　原則的な手順は、輸出しようとする貨物を「保税地域」に搬入して、税関に必要情報を提出して輸出申告を行う、というものです。

　税関は提出された情報を審査し、必要があれば現品の検査も実施してから、税関長が輸出の許可を出します（税関長の輸出許可により内国貨物から外国貨物へと取り扱いが変化します）。

　この輸出許可が降りたのを確認して、初めて商品が船舶等へ船積みされるのです。

通関業者に依頼するのが一般的

　こうした一連の輸出通関手続は、荷送人（売主）が自分で行うこ

とも可能です。

　しかし、ほとんどのケースでは通関業者に代理や代行を依頼します（海貨業者が通関業者を兼ねていることがほとんどなので、船積みとあわせて依頼することが一般的です）。

　荷送人（売主）が通関業者に必要な情報（インボイス等）を渡すと、通関業者はそれをもとに輸出申告内容（Export Declaration）を作成し、通関士の確認を受けたうえで、NACCS（輸出入・港湾関連処理システム）という関係する各機関を結んだ業務処理システムを利用して、オンラインで輸出申告を行い、税関長の許可も輸出許可もオンラインで発行されます（現在の通関業務では、紙ベースでの手続きも認められていますが、税関の方針としてオンラインによる業務処理を推進しているので、本書ではオンラインシステムを中心に記載します）。

　また、税関以外の各監督官庁に承認や事前確認、許可等を取る必要がある場合は、原則、荷送人（売主）自身がそうした手続きを行います。場合によっては、荷送人（売主）からの委任状と必要情報の提出を受けたうえで、そうした申請なども通関業者が代理してくれるケースもあります。

　荷送人（売主）が通関業者に提出する主な情報は、以下のようなものです。

- 船積指図情報（Shipping Instruction：S/I）×1通
  （ただし、中小企業の場合は作成しないことが多い）
- インボイス（Invoice）×5通程度
- 梱包明細情報（Packing List：P/L）×5通程度
- 税関以外の監督官庁への届出が必要な場合は、その必要情報
  （代行・代理を通関業者に依頼する場合）
- カタログなど貨物の内容が証明できるもの（必要であれば）

このほか、通関業者の求めに従って、必要とされる情報を提出します。

図表83 ◆ 輸入通関の流れ（NACCS）

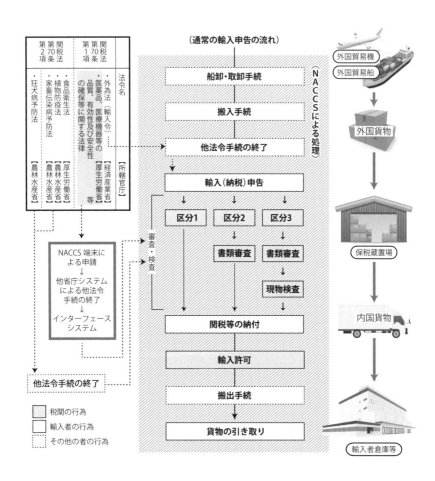

2 「輸入通関」の原則的な手順を知る

輸入の場合には、許可取得に関税等の支払いが必要

　輸入通関の場合の手続きでも、輸出の場合と同じように、税関長の輸入許可の取得が必要です。

　ただし、輸入の場合には、輸出と違って、**関税や消費税等の輸入に関する税の納税申告およびその支払いが必要となる**点が大きく異なります。具体的に見ていきましょう。

　外国から到着した貨物は、原則、まずは保税地域に搬入されます。

　次に、荷受人（買主）の依頼を受けた通関業者が、荷受人（買主）から提出された情報をもとに輸入申告内容（Import Declaration）を作成し、NACCSを使ってオンラインで税関に提出し、輸入許可を求めます。なお、輸入申告情報の作成にあたっては、海貨業者を使う場合は原則として、その業者に勤務していて、かつ税関長から確認を受けた専門家である通関士が代理します。

　税関は輸入申告情報を審査し、必要であれば現物の検査も行ったうえで、原則として消費税等の納税が行われたあと、税関長から輸入許可を出します。**輸入許可を受けると、その貨物は関税法上において外国貨物から内国貨物に切り替わります。**

　通関業者が作成する輸入申告情報は納税申告情報も兼ねており、納税する際の課税標準価格には、輸入品の物品価格（価値）を基本と

して、原則 CIF 価格が用いられます（FOB 価格で輸入する場合には、国際運賃と損害保険料を加えて、CIF 価格として申告します）。

そこで、輸入申告情報に記載されている CIF 価格が正しい価格であるかどうかを確認するために、輸入申告情報とは別に、次のような情報を税関の求めに応じて提出する場合もあります。

- 仕入書（Invoice）
- 運賃明細表（必要な場合）
- デビット・ノート（必要な場合、→276 ページ参照）
- 原産地証明書（必要な場合）　など

輸入通関においても NACCS を利用しますので、場合によっては、上記情報も併せて税関に情報提供します。

税関はこれらの情報から納税額が正しいかどうかを確認し、原則として、輸入申告者からの納税を確認してからでないと輸入許可を出しません。

ところで、これらの輸入通関手続は、輸出通関と同じく、通関業者に代理や代行を依頼せずに荷受人（買主）自身が行うことも可能です。

3 「保税地域」と「保税運送」

保税地域とは？

　前述のとおり、輸出入を行う貨物は、原則的にはいったん**保税地域**に搬入しなければなりません。

　そして、この保税地域で輸出通関を受け、輸出許可を受けると「外国貨物」として扱われ、船積み等に回されます。

　逆に輸入の場合にも、いったん保税地域に外国貨物を運び込み、ここで輸入通関手続を行って輸入許可を受けると、関税法上「内国貨物」となります。

　このように、保税地域とは、法規で定められた**通関手続を行うための暫定的な貨物の置き場所**なのです。

　保税地域には、次のようにいくつか種類があります。

● **指定保税地域**（Designated Hozei [Bonded] Area：DHA）
　財務大臣によって指定される国や地方自治体の土地。蔵置期間は原則1ヵ月です。

● **保税蔵置所**（Hozei Warehouse：HW）
　税関長が許可した民間の保税地域。海貨業者や通関業者の倉庫、船会社のCYやCFSなどが申請を出し、保税地域になっていますから、そうした場所では海貨業者が輸出者から引き渡しを受けた貨物や輸入した外国貨物を、輸出通関や輸入通関のためにわざわざ国

の保税地域へ移動させる必要がありません。蔵置期間は原則2年。

● 保税工場（Hozei Manufacturing Warehouse：HMW）
　関税の取り扱いを留保したまま、貨物の加工や仕分け等が行える工場です。税関長の許可が必要で、蔵置期間は原則2年です。

● 保税展示場（Hozei Display Area：HDA）
　外国貨物のまま、貨物を展示できる場所のことです。国際的な見本市などの際に、期間限定で指定されます。

● 総合保税地域（Integrated Hozei Area：IHA）
　こちらも外国貨物のまま展示ができる場所です。ただし保税展示場と違い、蔵置期間は原則2年と長期になっています。

　これらの保税地域では、定められた期間のうちに通関を行い、輸入の場合は関税等の支払いをしたうえで、船積みや引き取りを行うことになっています。
　ところで、もしその蔵置期間を過ぎても貨物が引き取られない場合は、該当の貨物が税関に没収されます。これを、関税法では「収容」と言います。

保税地域の例外は？

　商品の性質上、保税地域へ搬入することが不可能、あるいは適切ではない場合には、税関長に申請して許可を受けることで、保税地域ではない場所に外国貨物を保管したり、その場所で税関の検査を受けたりできます。これを「他所蔵置」と言い、次のような貨物に認められる制度です。

- 巨大な貨物、あるいは重すぎる貨物
- 量が多すぎる貨物
- 保税地域との交通が著しく不便な地域にある陸揚貨物または積込貨物
- 腐敗や変質などでほかの貨物を汚損する恐れのある貨物
- 貴重品や危険物、生鮮食料品など、保管に特殊な施設を必要とする貨物
- その他、税関長が保税地域外の場所に置くことが必要だと認めた貨物

こうした貨物を取り扱う場合、通関業者を通じて（あるいは自身で）他所蔵置許可申請書を税関長に申請する必要があります。

本船検査と艀船検査がある

上述したように、保税地域に搬入することが不可能、あるいは不適当な貨物は、保税地域外で保管、つまり他所蔵置したまま通関手続を行うことになります。

これらの貨物は、本船に船積みした状態で、あるいは船積みや荷卸しのために「はしけ」に載せた状態で税関の検査を受け、輸出許可・輸入許可を受けられます。

●本船検査

本船に貨物を積み込んだまま検査を受ける方法を、「本船検査」あるいは「本船扱い」などと言います。例としては、セメントや鋼材、ソーダ、石炭などの鉱物や、小麦、大豆などの穀物、公海上で採捕した魚介類などが本船扱いとされることが一般的です。

● 艀船検査(ふせん)

主に輸出の際に、本船に船積みするために貨物をはしけ（＝艀船）に載せた状態のまま、税関の検査を受ける方法です。「艀船検査」のほか、「ふ船扱い」とか「船中検査」などと言うこともあります。

どちらの場合も、別途、他所蔵置許可申請書を税関長に提出し、許可を得ている必要があります。

保税地域同士で貨物を移すには「保税運送」が必要

輸出通関が済んだ外国貨物、あるいは輸入通関が終わっていない外国貨物を、ある保税地域から別の保税地域へと運送することを「保税運送」と言い、原則、事前に**外国貨物運送申告書を税関長へ提出して許可を受ける必要があります。**

一般的には、輸出通関を受けた保税地域が船積港から離れた場所にある場合に、その間を輸送する際や、輸入した貨物を関税未納のまま海貨業者が自社の倉庫（保税蔵置場）に運び、そこで和訳したラベルを貼ったり、日本語説明書を封入したりする作業を行う際などに利用されます。

通関業務に関する さまざまな特例措置

業務の実態に合わせ、さまざまな制度が用意されている

　ここまで、通関手続に関する原則的な手順を見てきたのですが、この原則的な方法だと通関手続に時間がかかりすぎるのが欠点です。輸出取引・輸入取引ともに商機を逃してしまうケースがありますし、生鮮食品など足の早い商品では、時間をかけて通関手続を行うことはできません。

　そこで、貿易取引の振興を図り、同時に貿易取引の実態に合わせる形で、通関手続にはさまざまな特例措置が認められています。

　主な特例措置には、次のようなものがあります。

- 通関業務における基本的な特例（携帯品や郵便貨物）（→次項参照）
- コンテナの関税免除とコンテナ扱い（→303ページ参照）
- 特定輸出申告制度（AEO制度→306ページ参照）
- 特例輸入申告制度（AEO制度→308ページ参照）
- 他所蔵置（→既述・298ページ参照）
- 到着即時輸入許可制度（→314ページ参照）
- BP承認制度（→315ページ参照）
- 関税等の納期延長制度（→317ページ参照）
- ATAカルネ（→318ページ参照）　など

　主なものを、詳しく解説していきましょう。

5 通関業務における基本的な特例

輸出通関および輸入通関に関しては、以下のような基本的な特例がいくつか存在します。まずは、これらを押さえておきましょう。

郵便路線の通関申告の免除

国際郵便路線を利用して見本（サンプル）等の小規模な貨物輸出入を行う場合、輸出許可や輸入許可を求める申告は必要ありません。

輸入に際しての納税申告も免除されますが、これは免税ということではなく、税関における課税額決定のあと納税額が通知されます。

携帯品の口頭輸入申告の許可

旅行者や航空機・船舶乗組員の携帯品については、一般に入国審査のあとに口頭で輸入申告を行うことで済ませられます。

少額貨物の輸入申告書の作成免除

輸入貨物の課税価格が1品目20万円以下の場合、いちいち輸入申告書を作成せず、仕入書（Invoice）や航空運送状（Air Waybill）によって輸入申告をすることが認められています。ただし、輸入貿易管理令によって経済産業大臣の輸入承認が必要な場合や、関税の減免を受ける場合にはこの限りではありませんから注意してください。

6 コンテナの関税免除とコンテナ扱い

コンテナ自体の関税は特別に免除される

　貿易取引に用いられるコンテナ容器も、厳密には輸出品・輸入品と言えます。これらのコンテナは、CCC条約（正式名称：コンテナに関する通関条約、通称：コンテナ条約）やTIR条約、およびそれに対応する国内法（コンテナ特例法）によって、関税を免除したまま輸入したり、簡易な手続きで通関したりすることが可能になっています。

　これにより、実務においては、コンテナ自体にかかる関税について輸出者・輸入者が意識する必要はほとんどなくなっています。

　ちなみに、コンテナをこれらの免税・簡易手続の対象とするには、「積卸しコンテナ一覧表」を税関長に提出する必要があり、これは船会社や海貨業者等によって行われます。

コンテナ輸送時に便利な「コンテナ扱い」

　コンテナ輸送で輸出をする場合、事前に**コンテナ扱い申出書**を提出して税関長の承認を得ると、コンテナに商品を封入した状態のまま輸出申告をすることが可能となります。これを、「**コンテナ扱い**」と言います。

　保税地域外にある自社の倉庫・工場などで商品をコンテナに積み込むのですが、その際に公認の検数検定機関の係官などに立ち会っ

てもらい、保税地域であるCYやCFSに搬入したのちにシール（封印）をすることが条件です。

この税関長の承認は、一定の条件を満たすと最長1年間にわたって包括的に承認を受けられます。現在の海上輸送はコンテナ船が主流ですから、コンテナ扱いの包括承認を受けておくと、通関業務の効率が大きく向上します。

図表84 ◆ コンテナ扱いの申し出

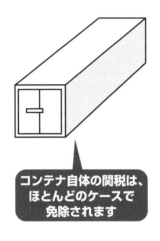

コンテナ自体の関税は、ほとんどのケースで免除されます

●コンテナ扱いの申請が承認される条件

① 保税地域外の自社倉庫・工場などでコンテナにバンニングする際、公認の検数検定機関に立ち合ってもらうこと
② 保税地域に搬入したあとに封印（シール）すること

承認されると、コンテナに商品を封入したまま輸出申告を行えるようになります

（最長は1年間の包括承認）

さまざまな例外・特例を認める「AEO制度」

税関での手続きを簡素化する

AEO（Authorized Economic Operator）制度とは、日本の国際競争力を強化するために、貨物の安全管理と法令遵守の体制を整備した事業者に対して、税関での手続きを簡素化したり、緩和策を提供したりする制度です。

この制度は、世界税関機構（WCO）において制度の導入・構築の指針が定められているもので、日本のAEO制度もその指針に沿って設置されています。

AEO制度は、日本においてはまず、2006年3月に輸出者を対象として導入され、その後、2007年に輸入者および倉庫業者、そして2008年には通関業者・運送業者、さらに2009年には製造業者に対してもその制度の範囲を広げています。現在では、このAEO制度の利便性を向上する方向で、制度改善が随時行われています。ここでは、そのうちの主なものを紹介しましょう。

認定通関業者

貨物の安全管理と法令遵守の体制が整備された通関業者は、申請によって税関長の認定を受けると、「認定通関業者」になれます。

この認定通関業者は、輸入者の委託を受けた輸入貨物について、貨物の引き取り許可後に納税申告を行うことが認められています。

また、輸出者の委託を受けて、保税地域以外の場所（輸出者所有の工場や倉庫等）にある貨物について、その場に保管したまま輸出許可を受けることが認められています。

特定保税運送制度等

① 特定保税運送制度

認定通関業者や国際運送貨物取扱業者であって、あらかじめ税関長の承認を受けた者（特定保税運送者）による一定条件下の外国貨物の運送については、個々の保税運送承認は不要であり、特定委託輸出申告に関する貨物は、輸出者の委託を受けて、保税地域以外の場所から、直接に積込港などまで保税運送できる、とする制度です。

② 特定保税承認制度

保税蔵置場などでの特定保税承認者は、税関長への届出のみで、新たに保税蔵置場を設置できます。

③ 認定製造者制度

税関長の認定を受けた製造者（＝認定製造者）が製造した貨物については、保税地域に当該貨物を搬入することなく、輸出の許可を受けられる、という制度です。

ただし、認定製造者は、その製造者以外の輸出者によって輸出通関を行う仕組みになっています。

特定輸出申告者

輸出を行おうとする企業にとっては、輸出通関のたびに貨物を保税地域に搬入しなければならないのは、大変不便です。

そこで、これまで長期間法律を順守して通関手続を行ってきたなど、信頼性の高い企業に限り、**保税地域外の自社工場・倉庫**などで、輸出申告および税関の検査、さらには輸出許可の取得までを行えるようにする**特定輸出申告制度**が設定されています。

あらかじめ税関長に承認を受けた**特定輸出申告者**が利用できる制度で、輸出までの費用や時間を縮減できるので、非常に有利になります。

図表85 ◆ 特定輸出申告制度

① 輸出申告（保税地域等へ貨物搬入）
② 税関検査・審査
③ 輸出許可
④ 貨物搬出・貨物引渡・船会社による船荷証券（B/L）発行および売主へのB/Lの引き渡し

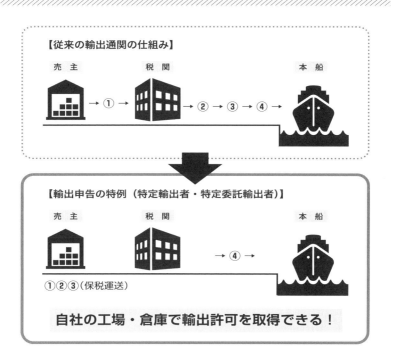

輸出許可を受けたあとに、船積みのため港まで運送する際も、保税運送の承認を受ける必要がありません。

なお、認定通関業者に委託した**特定委託輸出者**もこの制度を利用できます。ただし、特定委託輸出者は、特例申告の許可後に、当該貨物を特定保税運送者に委託して、開港等まで輸送してもらわなければなりません。

特例輸入申告者

輸入に関しても、輸出の場合と同じような**特例輸入申告制度**が用意されています（「簡易申告制度」とも言います）。

輸入の場合には、輸入者は輸入申告と納税申告を同時に行う必要があるのですが、このうち**納税申告について後日での申告を認める**ことで、**通関審査にかかる時間を短縮し、より迅速な貨物の引き取りを可能にする**制度です。

より具体的には、貨物の輸入に関する輸入申告、つまり、貨物引取申告と納税手続（特例申告）を分離して、2段階で申告および審査を行えるようにしています。

なお、電子情報処理システム（NACCS）を使用すると、保税地域等への貨物の搬入なしに、輸入申告することも可能です。

仕入書（Invoice）や原産地証明書、運賃明細書などの納税申告の証明書類についても、一定期間（輸入許可日の翌日から5年間）保存しておき、税関からの要請があったときにだけ提出すればよくなります。

引き取りの際にも**呈示は不要**ですから、輸入者としては急いでこれらの書類を準備する必要がなくなります（書類が不要というわけではありません）。

さらに、本船が入港する前に輸入申告を行うことも認められますから、輸入通関にかかる時間が大きく短縮されます。
　この制度を利用できるのは、輸出の場合と同じく、コンプライアンスが高いとしてあらかじめ税関長の承認を受けた特例輸入申告者、および認定通関業者に委託した特例委託輸入者のみです。

図表86 ◆ 特定輸入申告制度

① 貨物搬入・買主の船会社へのB/L提示と輸入貨物の受け渡し
② 輸入（納税）申告（税関検査等）および関税等納付
〔ⅰ 税関長の輸入許可判断の書類（インボイス等）、ⅱ 関税の便益適用書（原産地証明書等）〕
③ 輸入許可

【従来の輸入通関の仕組み】

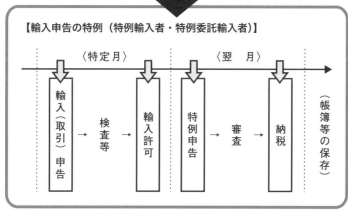

【輸入申告の特例（特例輸入者・特例委託輸入者）】
〈特定月〉　〈翌　月〉
輸入（取引）申告 → 検査等 → 輸入許可　特例申告 → 審査 → 納税　（帳簿等の保存）

なお、輸入申告の際に省略された納税申告は、その後、輸入許可の発行日が属する月の翌月末日までに、輸入地の所轄税関長に対して行い、一定期日内に納税します。

図表87 ◆ AEO制度における特定輸出申告制度と特例輸入申告制度

	特定輸出申告制度	特例輸入申告制度 （簡易申告制度）
制度を利用できる者	①法令遵守（コンプライアンス）の観点から審査を受け、税関長の承認を受けた「特定輸出申告者」 ②認定通関業者に輸出通関を委託した「特定委託輸入者」	①法令遵守（コンプライアンス）の観点から審査を受け、税関長の承認を受けた「特例輸入申告者」 ②認定通関業者に輸入通関を委託した「特例委託輸入者」
メリット	①保税地域に商品を搬入することなく、保税地域外の輸出者の工場・倉庫などで輸出申告を行える ②申告後、輸出者の工場・倉庫などでそのまま輸出許可を受けることができる ③輸出許可を先に受けることが可能になるので、搬出の際に保税運送の許可を取る必要がない（特定輸出者のみ） **輸出申告の迅速化**	①輸入通関手続の輸入申告と納税申告のうち、納税申告を後日行うことができる（原則は同時） ②納税申告時に、証明書類を提出しなくてもよい（税関が求めたときには提出できるよう、書類の保存義務はある） ③本船が入港する前に輸入申告を行うことができる **輸入申告の迅速化**
特定委託者・特例委託者の場合	輸出許可は自社の工場・倉庫などで行えるが、特定保税運送者に委託して開港等まで輸送してもらう必要あり	特例委託者の場合も、特例輸入者と同じメリットを享受できる

【注意】
特定輸出者も特定委託輸出者も両方とも、輸出者の工場倉庫で輸出申告、および輸出許可取得ができます。

8 法改正で変わる通関業務や通関業者等

輸出入申告官署の自由化

　輸出入申告は、貨物が置かれている場所を管轄する税関官署（蔵置官署）で実施するのが原則です。しかし、最近の制度改正で、AEO事業者（特定輸出者、特例輸入者、認定通関業者に輸出入通関手続を委任する特定委託輸出者や特例委託輸入者など）による輸出入申告の場合は、もちろん蔵置官署での申告ができるだけでなく、非蔵置官署（貨物の置かれていない場所を管轄する税関官署）においても申告できるようになりました。また、申告官署の自由化にともない、通関業者の通関業営業区域制限も廃止されています。

輸出入申告官署の自由化にともなう他の改正

　最近の法改正によって、税関長は、申告にかかわる貨物が他の税関長の管轄区域内にある場合で、検査を行う必要があると認めるときには、当該の他の税関長に対して、貨物検査を行う権限を委任できるようにもなりました。つまり、税関における**審査と検査（審検）を分離する**新たな体制になったのです（ただし、輸出貿易管理令下の武器等輸出関連物資の輸出や、日米防衛相互援助協定下の輸入物資については、本特例申告は認められません）。

　したがって、輸入の修正申告や更正請求についての申告先・請求先は、輸入（納税）申告等を行った税関長に行うこととなります。

図表 88 ◆ AEO 事業者による輸出入申告

〈AEO 事業者による輸出入申告〉

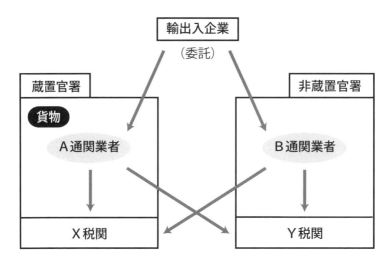

〈一般の輸出入申告〉

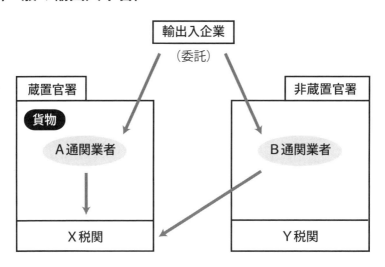

また、関税等の減免・戻し等を受けるための情報提出先も、輸出入申告をする税関長または輸出入を許可した税関長になります。

その他、通関業制度の主要な改正

① 営業区域制限の廃止

従来は、通関業者の営業区域について原則として制限していましたが、新たに営業区域外の税関官署への輸出入申告が可能となるため、営業区域制限が廃止されました。

② 通関業の許可権者の変更

従来は、通関業者の営業所を管轄する税関長が通関業の許可権者でした。

しかし、上記の①の変更にともなって、通関業の許可権者は財務大臣となりました。

③ 営業所新設ルールの変更

AEO通関業者（認定通関業者）は、営業所の新設については、許可を必要とせず、単に届出制となりました。

④ 通関業務料金規定の廃止

従来は、財務大臣において、通関業者の通関業務料金の額を定めていました（原則として輸出申告1回について、最高額は5,900円、輸入申告1回についても、最高額は11,800円でした）。

しかし、その制度が廃止されたので、通関業者の通関業務料金は自由化されました。この料金自由化にともない、通関業者は通関業務の掲示内容を自由に決定することになり、その業務ごとに料金を明確に掲示する義務が課せられます。

9 すぐに貨物を引き取れる「到着即時輸入許可制度」

NACCSによる予備申告が必要

　生鮮食料品など、輸入許可申請や納税申請に時間をかけることができない貨物の場合、NACCSをとおして予備申告を行うことで、到着後、保税地域への搬入を行わずにすぐに貨物を引き取ることができる**到着時輸入許可制度**という仕組みもあります。

　この制度では、船積通知、あるいは航空機での発送の通知を受けた段階で、本制度を利用することを明らかにしてNACCSで予備申告を行い、税関が特に審査が不要と認定した場合に限り、貨物の到着を確認し次第、保税地域への搬入を条件とせずに輸入申告を行うことが認められます。

　この申告に対して、税関は直ちに輸入許可を出すため、**実務的には、到着後ほとんど通関の時間をかけずに荷物を引き取ることができる**ようになるのです。

10 輸入許可前に貨物を引き取れる「BP承認制度」

生鮮品や季節商品などに利用できる

　輸入貨物については、原則として税関の輸入許可を受けなければ輸入者は貨物を引き取ることができません。しかし、これまでに輸入されたことがないような商品で、適用される課税標準等を決めるのに時間がかかったり、取引先への納期が切迫していたりするような場合には、税関長の承認を得たうえで、輸入許可を受ける前に貨物を引き取ることが可能です。

　これを、「輸入許可前引取承認」、あるいは Before Permit を略して「BP承認」と言います。

　輸入許可前引取承認を受けられるのは、申告納税方式をとる貨物だけです（特例申告の貨物は承認されません）。また、承認申請の段階で、関税額に相当する担保を差し入れることを要求されます。

　しかし、早期に貨物を引き取れるようになりますから、利用する価値が大きな制度と言えるでしょう。

　輸入許可前引取が承認されるケースは、以下のようなものです。

- 貴重品や危険物、生物などの貨物
- 生鮮食料品など、変質・損傷の恐れがあり、特に引き取りを急ぐ必要があるもの
- 原産地証明書の提出が遅れるとき（ただし「原産地証明書の提出猶予」の承認を受けた場合のみ）

- 陸揚げ後に数量を確定させる契約（揚地ファイナル）などによる貨物で、輸入申告時に貨物の数量が確定していないとき
- 新規輸入品で課税標準の決定や免税審査に時間がかかるとき
- 展示会等へ出品するもので時間的制約があるとき　など

ちなみに、引き取ったあとで不明だった数量が判明したり、遅れていた書類が到着したりした場合には、遅滞なく税関にこれらを届け出なければなりません。

そして、引き取り後に関税額等が確定すると、後日、税関からその内容が通知されてきますので、それを納付すると正式に輸入許可が出されます。

支払期日を延ばせる「関税等の納期延長制度」

関税相当額の担保の差し入れが条件

　輸入通関にあたっては、原則、関税等を納付しなければ、税関からの輸入許可を受けることができず、貨物の引き取りをすることができません。

　しかし、資金繰りなどの面から、輸入者としてはこうした支払いの納期を延長したいことがよくあります。

　この場合、**関税の納期延長制度**を利用することで、最長3ヵ月まで納期を延長してもらうことが可能です。ただし、関税額等に相当する担保を提供することが条件です。

　個別の輸入申告ごとに納期の延長を申請する**個別延長方式**と、1ヵ月ごとに複数の輸入申告をまとめて納期延長申請する**包括延長方式**があり、そのときどきの必要に応じて選択できます。

　また、前述した特例輸入申告者（→308ページ参照）に認定されている場合にも、担保の差し入れを条件に、関税等の納期を最長2ヵ月まで延長できます。

12 ATAカルネ（通関手帳）による一時的な免税輸入

一時的な輸入に利用される

たとえば、海外で行われる国際見本市などに商品を展示し、その国で販売せずに日本へと商品を戻したい場合、その商品をいったん輸出して、展示したあと再度日本へ輸入しなければなりません。あるいは、外国で仕事をするため修理や製造に必要な道具類を別途送っておき、仕事が済んだら日本に送り返すような場合もあるでしょう。

このようなケースでは、日本から輸出するときの輸出通関、外国での輸入の際の輸入通関、外国から再輸出するときの輸出通関、日本へ再輸入するときの輸入通関と、なんと4回にもわたって通関手続をしなければならず、非常に手間がかかります。また、本来なら一時輸入では関税の支払いは不要なのですが、場合によっては関税等を二重で徴収される恐れさえあるでしょう。もし複数の国にわたって移動するのであれば、国の数だけこうした通関手続の手間も増えます。

こうした一時輸入および一時輸出における通関業務の煩わしさを解消してくれるのがATAカルネ（日本語では「通関手帳」）です。

これは、ATA条約（物品の一時輸入のための通関手帳に関する条約）に加入している国同士で物品の一時輸入を行う際に、1年以内に再輸出することを条件にATAカルネの発行を認め、該当物品の免税輸入を認める制度です。

通関の際に、事前取得しておいたATAカルネを呈示することで、簡単な手続きで免税輸入を行えるようになるため、状況によっては非常に便利に利用できるはずです。

輸入税の支払保証機能がある

ATAカルネの申請にあたっては、担保の差し入れ、あるいはそれに相当する担保措置料の支払いが必要になります。

これは、ATAカルネが、輸入国における輸入税の支払保証書の役割も果たしているからです。

ATAカルネで免税輸入した物品は、あくまでカルネの発給日から再輸出されたのち、日本へ再輸入される日までの1年間という期間を前提にして関税等が免除されます。そのため、もしその物品を再輸出せずに現地で販売等した場合には、通常の輸入物品と同じように輸入税の支払義務が発生します。

しかしこの場合、現地の税関等は輸入者ではなく、ATAカルネの発行団体に輸入税を支払うよう要求することになっています。そうした場合に備えて、発給時に担保差し入れ等が求められるのです。

なお、輸入税の支払いを求められた発行団体は、担保をその支払いにあて、担保が足りなければ輸出者に請求を行います。逆に、当初のとおりに再輸出を行い、不要となったATAカルネを返還すると、発行団体は担保の返却を行ってくれます。

日本では、**一般社団法人日本商事仲裁協会（JCAA）**が、ATAカルネの発行団体となっています。

ちなみに、自動車による国際旅行を円滑にする目的で利用される**自動車通関手帳（自動車カルネ）**や、ATA条約に非加盟の台湾との間で利用される**SCCカルネ**なども、ATAカルネと同様の働きをしてくれます。

13 輸出入を規制されている貨物もある

関税法が最大の規制法

税関では、輸出入される貨物が、国内法や国際条約、国際的な取り決めなどに違反していないかを調べられます。

輸出入が規制されている貨物は多岐にわたり、関連する法律もさまざまですが、特に注意すべき内容として**関税法で輸入を規制されている貨物**があります（→下図表89参照）。

図表89 ◆ 関税法で輸入を規制している物品

番号	関税法で「輸入」をしてはならない貨物
①	麻薬および向精神薬、大麻、アヘンおよびケシがら、覚醒剤（覚醒剤原材料を含む危険ドラッグ）並びにアヘン吸煙具
②	指定薬物（医療等の用途に供するために輸入するものを除く）
③	拳銃、小銃、機関銃および砲、銃砲弾並びに拳銃部品
④	爆発物
⑤	火薬類
⑥	化学兵器の製造の用に供される恐れが高い毒性物質およびその原材料
⑦	生物テロに使用される恐れのある病原体等
⑧	貨幣、紙幣、銀行券または有価証券の偽造品、変造品および模造品並びに不正に作られたクレジット・カード等および偽造クレジット・カード等の原版
⑨	公安または風俗を害すべき書籍、図画、彫刻物その他の物品
⑩	児童ポルノ
⑪	特許権、実用新案権、意匠権、商標権、著作権、著作隣接権、回路配置利用権または育成者権を侵害する物品
⑫	周知表示の混同を惹起する物品、著名表示冒用品、形態模倣品

関税法では、一義的には「輸入をしてはならない貨物」という表現で左ページ・図表89の内容を列挙しています。
　また、①〜⑦までの貨物は、政府の許可を受けた場合には輸入が認められていますが、⑧〜⑫は絶対的に輸入が禁止されている貨物です。

外為法による規制も重要

　関税法による規制に加えて、**外国為替及び外国貿易法**、略して**外為法**によって定められた、**輸出貿易管理令・輸入貿易管理令**による規制も、輸出入通関の際に重点的にチェックされる項目です。

● 輸出の場合

　輸出貿易管理令では、大量破壊兵器や通常兵器に流用可能な物資など、国際的な平和や安全を脅かす貨物の輸出に対して、経済産業大臣の許可を要求しています。
　具体的には、**輸出貿易管理令別表1に記載されている貨物が対象**となり、武器・大量破壊兵器・通常兵器関連汎用品などを規制対象とする**リスト規制**と、大量破壊兵器等への転用の恐れがある物品を一定のグループA以外の国々へ輸出する際に関係する**キャッチオール規制**の2つがあります（→次ページ・図表90参照）。
　リスト規制の対象とされている貨物の輸出は厳しく制限されており、特定の企業以外は許可の取得はほぼ不可能なので、**実態は禁止**に近いものになっています。
　これに対して、キャッチオール規制の対象貨物は広範囲にわたっており、その規制は比較的緩やかです。仕向地が、輸出貿易管理令の別表3で定めるグループAの場合は許可を得る必要はありませんし、グループB〜D向け輸出の場合でも、貨物輸出者や技術提

図表90 ◆ 輸出貿易管理令の規制内容

分類		対象貨物の概要	規制対象地域
輸出許可品目（別表1）	リスト規制	●武器およびその部分品（武器輸出3原則等） ●大量破壊兵器関連資機材 　（原子力関係、化学兵器関係、生物兵器関係、ミサイル関係） ●通常兵器関連汎用品 　（先端材料、材料加工、エレクトロニクス、コンピュータ、通信関連、センサー・レーザー等、航法関連、海洋関係、推進装置、その他、機微品目）	全地域
	キャッチオール規制	●鉱物性生産品 ●化学工業の生産品 ●プラスチックおよびゴム並びにこれらの製品 ●紡織用繊維およびその製品の一部 ●石、プラスター、セメント、石綿、雲母、その他これらに類する材料の製品、陶磁製品並びにガラスおよびその製品 ●天然または養殖の真珠、貴石、半貴石、貴金属および貴金属を張った金属並びにこれらの製品、身辺用模造細貨類並びに貨幣 ●卑金属およびその製品 ●機械類および電気機器並びにこれらの部分品並びに録音機、音声再生機並びにテレビジョンの映像および音声の記録用または再生用の機器並びにこれらの部分品および付属品 ●車両、航空機、船舶および輸送機器関連品 ●光学機器、写真用機器、映画用機器、測定機器、検査機器、精密機器、医療用機器、時計および楽器並びにこれらの部分品および付属品 ●武器および銃砲弾並びにこれらの部分品および付属品 ●玩具、遊戯用具および運動用具並びにこれらの部分品および付属品	グループA以外の全地域 ※1
輸出承認品目（別表2）		●ダイヤモンド原石 ●血液製剤等 ●核燃料物質および核原料物質（使用済み核燃料を含む）、放射性廃棄物等、放射性同位元素などの核関連物質 ●麻薬、向精神薬およびその原材料となる化学物質 ●船舶（漁船） ●ウナギの稚魚 ●フロン等のモントリオール議定書関係物質 ●有害化学物質（ロッテルダム条約、農薬取締法、毒物及び劇物取締法、労働安全衛生法、医薬品医療機器等法、化審法で定めるもの） ●ワシントン条約の対象動植物およびその派生物、かすみ網、種の保存法対象貨物など ●偽造、変造または模造の通貨、郵便切手および収入印紙 ●風俗を害する恐れのある書籍・図画・彫刻物その他の貨物、反乱を主張し先導する内容を有する書籍、図画、その他の貨物など ●国宝、重要文化財、重要美術品など ●仕向国での特許権、実用新案権、意匠権、商標権もしくは著作権を侵害する貨物、原産地を誤認させる貨物、知的財産権等を侵害すると認定された貨物	全地域
		●冷凍のアサリ・ハマグリ・ベイガイ	米 国
		●特定有害廃棄物等、廃掃法で定める廃棄物	全地域 ※2

※1：グループAとは、輸出貿易管理令別表第3に記載されている国々のこと。主な先進国が記載されている。
※2：南緯60度以北の公海を除く。

供者が以下の2点について社内審査を行い、懸念等の恐れが認められない場合には許可を得る必要はありません。

① その貨物や技術の「需要者」や「用途」から見て、核兵器などの開発等に用いられる懸念があるかどうか

② ①の確認に加え、仕向地が輸出貿易令別表3の2で定める国連武器禁輸国・地域の場合は、その貨物や技術の「用途」から見て、通常兵器の開発等に用いられる懸念があるかどうか

また、国内需要の確保や国際協定等の順守の観点から、経済産業大臣の「許可」ではなく「承認」を要求される貨物もあり、こちらは別表2に記載された貨物になります（このほか、第2条1項3号で皮革製品の委託加工貿易に関しても事前の承認を求めています）。

なお、承認を要する貨物のうち北朝鮮向けの貨物については、現状、原則承認されません（本書執筆時点）。

これらの輸出規制の関係を図に表すと、以下のようになります。

図表91 ◆ 外為法による輸出規制の概略

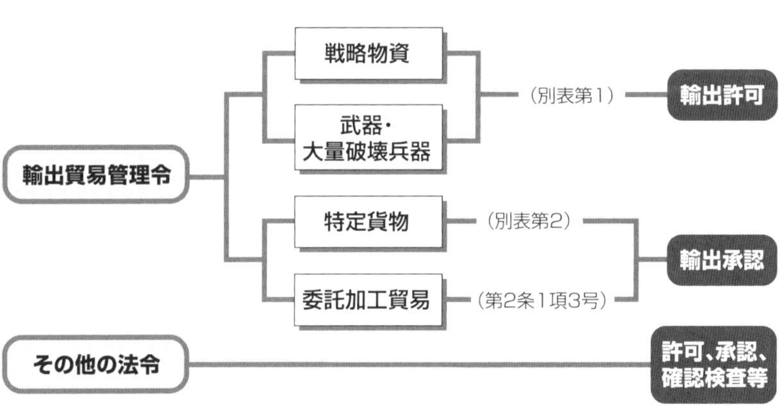

輸出貿易管理令	戦略物資	（別表第1）	輸出許可
	武器・大量破壊兵器		
	特定貨物	（別表第2）	輸出承認
	委託加工貿易	（第2条1項3号）	
その他の法令			許可、承認、確認検査等

● 輸入の場合

輸出と同じく、輸入にも外為法による規制があります。

輸入貿易管理令では、経済産業省が公表している**輸入公表**によって、規制対象となる貨物を①事前に輸入割当の申請・許可が必要な**輸入割当品目**、②事前に経済産業大臣の承認が必要な**輸入承認品目**、③所轄大臣の確認等が必要な**事前確認及び通関時確認品目**の3つに分類しています。

図表92 ◆ 外為法による輸入規制

輸入割当品目	● 水産品などの非自由化品目 ・ニシン、タラなどの近海魚、帆立貝、食用の海藻、およびこれらの冷凍品や卵などの水産品（随時、所轄官庁から割当量が公表されます） ● モントリオール議定書附属書に定める規制物質 ・フロンなど
輸入承認品目	● 特定の原産地または船積地域からの特定貨物 ・クジラなどの海生哺乳動物およびその調製品、特定原産国のクロマグロなど ● ワシントン条約附属書第Ⅰ・Ⅱ表に掲載される動植物（一部第Ⅲ表も含む） ● モントリオール議定書附属書に定めるD物質および製品 ● 化学兵器の禁止及び特定物質の規制等に関する法律に定める第一種指定物質 ● 輸入公表で定める全地域を原産地または船積地域とする特定貨物 ・大麻草、大麻樹脂、コカ葉、生アヘン、ケシがらなどの麻薬関連 ・ウラン鉱、トリウム鉱、天然ウランおよびその化合物などの原子力関連物質 ・原子炉およびその関連機器、放射線測定器などの原子力関連機器 ・化学兵器禁止法、化審法、労働安全衛生法などで規制される化学物質 ・火薬・爆薬類 ・軍艦、軍用航空機、その他の武器 ・バーゼル法、廃掃法などにより規制される特定廃棄物　など
所轄大臣の事前確認品目および通関時確認	● 治験用微生物性ワクチン（所轄大臣：厚生労働大臣または農林水産大臣） ● 治験目的のヒト用免疫血清（所轄大臣：厚生労働大臣） ● ウラン触媒、外国文化財、被占領地域流出文化財 （所轄大臣：文部科学大臣） ● 試験研究用の化学物質、マグロ、メロ、クジラとその調整品など （所轄大臣：経済産業大臣） ● その他、輸入公表で指定する特定原産国・地域の物品 （所轄大臣：経済産業大臣など）

具体的には左ページの図表92のとおりですが、大まかに言うと、近海で採捕する魚介類の一部と、国際条約等で規制されている貨物が該当します。

また、北朝鮮からの貨物については、現状、原則輸入を禁止されています（本書執筆時点）。

他法令による規制も税関でチェックされる

税関では、上記の関税法や外為法による禁止貨物以外にも、さまざまな国際的な取り決めやそれに対応する国内法、あるいは国内法で独自に輸出入を規制している貨物に対して、正式に許可を得て輸出入を行おうとしているのかをチェックします。

これらの他法令に関しては、原則、輸出入の当事者が該当官庁に必要な申請等を行い、許可や承認を受けたうえで、通関手続の際に税関にその旨を証明する必要があります。

ただし場合によっては、通関業者に手続きの代行・代理を依頼できるものもあります。

次ページ・図表93に輸入時に税関でチェックされる関税法・外為法以外の法令を、328ページ・図表94に輸出時に税関でチェックされる関税法・外為法以外の法令をまとめましたので、ぜひ参考にしてください。これらの法令のリストは、税関のホームページで最新のものを確認することもできます。

なお、本書で紹介している関税法、外為法、その他の法令の規制内容については、あくまで本書執筆時点のものになります。

これらの内容は法改正等で変更が加えられることがありますから、実際の輸出入にあたっては、所轄官庁のホームページ等を確認したり、通関業者等の専門家に確認したりして、常に最新の情報を入手することを忘れないでください。

図表93 ◆ 関税法・外為法以外の法令による輸入規制

法令名	主な品目	主管省庁
鳥獣の保護及び管理並びに狩猟の適正化に関する法律	●鳥、獣およびそれらの加工品 ●鳥類の卵等	環境省 自然環境局 野生生物課
銃砲刀剣類所持等取締法	●拳銃、小銃、機関銃、猟銃、空気銃 ●刃渡り15センチメートル以上の刀、槍および薙刀 ●刃渡り5.5センチメートル以上の剣、匕首並びに飛び出しナイフ等	警察庁 生活安全局 生活環境課
印紙等模造取締法	●印紙に紛らわしい外観を有するもの	国税庁 課税部 課税総括課 消費税室
毒物及び劇物取締法	●毒物、劇物	厚生労働省 医薬品局 審査管理課
麻薬及び向精神薬取締法	●麻薬、向精神薬およびそれらの原料等	厚生労働省 医薬食品局 監視指導・麻薬対策課
大麻取締法	●大麻、大麻草製品	
あへん法	●アヘン、ケシがら	
覚せい剤取締法	●覚醒剤、覚醒剤原料	
医薬品、医療機器等の品質、有効性及び安全性の確保等に関する法律	●医薬品、医薬部外品、化粧品、医療機器 ●指定薬物	厚生労働省 医薬食品局 監視指導・麻薬対策課
	●動物用医薬品、同医薬部外品、同医療機器	農林水産省 消費・安全局 畜水産安全管理課
水産資源保護法	●コイ、金魚、その他のフナ属魚類 ●ハクレン、コクレン、ソウギョ、アオウオ、サケ科の発眼卵および稚魚 ●クルマエビ属の稚エビ	農林水産省 消費・安全局 畜水産安全管理課 水産安全室
肥料取締法	●肥料	農林水産省 生産局生産資材課
農薬取締法	●農薬	農林水産省 消費・安全局 農産安全管理課
砂糖及びでん粉の価格調整に関する法律	●砂糖 ●でん粉	農林水産省 消費・安全局 農産安全管理課

法律	対象	所管
加工原料乳生産者補給金等暫定措置法	●バター、脱脂粉乳、練乳等	農林水産省 生産局畜産部 牛乳乳製品課
主要食糧の需給及び価格の安定に関する法律	●米穀等(米、米粉、餅、米飯等) ●麦等(大麦、小麦、メリスンまたはライ麦を加工、調製したもの)	農林水産省 総合食料局食料部 食料貿易課
火薬類取締法	●火薬、爆薬、火工品(導火線など)	経済産業省 原子力安全・保安院 保安課
高圧ガス保安法	●高圧ガス	
化学物質の審査及び製造等の規制に関する法律	●化学物質	経済産業省 製造産業局 化学物質管理課
石油の備蓄の確保等に関する法律	●原油、揮発油、灯油および軽油類	資源エネルギー庁 石油精製備蓄課
郵便切手類模造等取締法	●郵便切手類に紛らわしい外観を有するもの	総務省情報流通行政局郵政行政部郵便課
アルコール事業法	●アルコール分90度以上のアルコール	経済産業省 製造産業局 アルコール課
食品衛生法	●すべての飲食物、添加物、食器、容器包装、おもちゃ等	厚生労働省医薬食品局食品安全部企画情報課検疫所業務管理室
狂犬病予防法	●犬、猫、アライグマ、キツネ、スカンク	農林水産省 消費・安全局 動物衛生課
家畜伝染病予防法	●偶蹄類の動物、馬、鶏、アヒルなどの家禽、ウサギ、ミツバチおよびこれらの動物の肉、ソーセージ、ハム等 ●稲わらの一部	
植物防疫法	●植物(顕花植物、シダ類またはセンタイ類に属する植物〈その部分、種子、果実およびむしろ、こも、その他これに準じる加工品を含む〉) ●有害植物、有害動物(昆虫・ダニ等)	農林水産省 消費・安全局 植物防疫課
感染症の予防及び感染症の患者に対する医療に関する法律	●サル、プレーリードッグ等	厚生労働省健康局結核感染症課／農林水産省消費・安全局動物衛生課
特定外来生物による生態系等に係る被害の防止に関する法律	●ブラックバス、カミツキガメ等	環境省 自然環境局 野生生物課

第6章 「通関」の実務と「関税」の知識

図表94 ◆ 関税法・外為法以外の法令による輸出規制

法令名	主な品目	主管省庁
文化財保護法	●重要文化財、重要美術品 ●天然記念物 ●重要有形民俗文化財	文化庁 文化財部 伝統文化課
鳥獣の保護及び管理並びに狩猟の適正化に関する法律	●鳥、獣およびそれらの加工品 ●鳥類の卵等	環境省 自然環境局 野生生物課
麻薬及び向精神薬取締法	●麻薬、向精神薬およびそれらの原料等	厚生労働省 医薬食品局 監視指導・麻薬対策課
大麻取締法	●大麻、大麻草製品	
あへん法	●アヘン、ケシがら	
覚せい剤取締法	●覚醒剤、覚醒剤原料	
狂犬病予防法	●犬、猫、アライグマ、キツネ、スカンク	農林水産省 消費・安全局 動物衛生課
家畜伝染病予防法	●偶蹄類の動物、馬、鶏、アヒルなどの家禽、ウサギ、ミツバチおよびこれらの動物の肉、ソーセージ、ハム等 ●稲わらの一部	
植物防疫法	●植物（顕花植物、シダ類またはセンタイ類に属する植物〈その部分、種子、果実およびむしろ、こも、その他これに準じる加工品を含む〉） ●有害植物 ●有害動物（昆虫・ダニ等）	農林水産省 消費・安全局 植物防疫課
道路運送車両法	●中古自動車	国土交通省 自動車交通局 技術安全部 自動車情報課

「不服申立制度」についても知っておく

最大3回は不服を申し立てられる

　関税法等による税関長の行政処分（税関職員の処分も、原則として税関長の処分とみなします）に不服がある者は、処分を知った日の翌日から3ヵ月以内に税関長に対して再調査の請求をするか、または財務大臣に対して直接、審査請求ができます。

　税関長に対する再調査請求が行われた場合は、その後、税関長の決定がなされ、その決定についても不服がある者は、決定を知った日の翌日から1ヵ月以内に、財務大臣に対して審査請求できます。

　なお、財務大臣に対する審査請求においては、原則としてすべての事案について、「関税等不服審査会」という組織が諮問・答申を行うことになります。

図表95 ◆ 不服申立の流れ

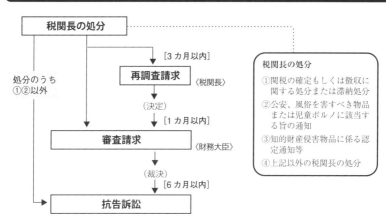

15 迅速な処理を可能にする「NACCS」とは

いまでは通関業務のほとんどはNACCSをとおして行う

　すでに何度も登場しているNACCS（輸出入・港湾関連情報処理システム：Nippon Automated Cargo and Port Consolidated System）とは、輸出入貨物の通関関連手続や船舶・航空機の出入港関連手続をオンラインで処理するシステムのことです。

　当初は独立行政法人通関情報センターとして税関手続をオンラインで事務処理していましたが、その後、法改正されて、現在では「輸出入・港湾関連情報センター株式会社」が、港湾・空港における貨物の流通情報や通関・行政手続情報を適切に処理するこのNACCSを運営しています。

　2017年10月1日からは、通関関連や貿易企業の貿易書類の原則電子化、および税関・行政・通関業者・貿易業者間の電子通信システムをすべてオンラインでつなぐ「通関手続にかかわる電子手続の原則化」に移行しましたが、このシステムもNACCSです。

　具体的には、輸出申告、輸入申告、予備申告、関税の修正申告、税関による輸出入許可の発行、入港届けなどをオンラインで行えるようになっています。

16 忘れられがちだが重要な「検疫」の手続き

家畜や農産品の伝染病予防を目的として行われる

　検疫とは、湾港や空港において、海外から持ち込まれた、または海外へと持ち出す動物・植物・食品等について、病原体や有害物質に汚染されていないかどうかを国としてチェックするシステムのことです。日本では、食品の検疫は厚生労働省が行い、動植物の検疫は農林水産省が担当しています。

● 動物検疫

　動物検疫の対象となるのは、特に畜産物を輸入するときです。畜産物は、生鮮品であっても、加工品であっても、動物検疫を受ける義務があります。

　具体的には、輸出検疫の際に輸出国側の政府機関が発行した検査証明書を添付して、「**輸入検査申請書**」を動物検疫所に提出し、書類審査と現物検査を受けたのちに、合格すれば**輸入検疫合格証明書**を交付されます。このとき、伝染病予防の消毒などの処置を受けることもあります。その後、食品衛生法に基づく検査も受けると、動物検疫は終了です。

　これらの検疫手続は、通関手続と併せて通関業者・海貨業者に代行や代理を依頼することも可能です。

　なお、検疫で不合格になると、焼却や積み戻しなどを行わなければならなくなります。

また、輸出の場合も、輸入者側で日本の政府機関の検査証明書を必要とするときには動物検疫が必要です。このような場合は、輸出検査を受けて**動物検査合格証明書**を入手し、輸入者に送付して対応します（なお水産動物、たとえば魚等についても、当然、水産動物の検疫制度があります）。

● 植物検疫

　植物検疫の対象となるのは、農産物を輸入するときです。生鮮品であっても加工品であっても、広範囲な物品が検疫義務の対象になっています。

　手続方法は、輸出検査の際に輸出国側の政府機関が発行した検査証明書を添付して「植物、輸入禁止品等輸入検査申請書」を植物検疫所に提出し、輸入検査を受けます。

　輸入検査では、輸出国の植物検査証明書の有無、輸入禁止品でないかどうか、病害虫の付着がないかどうかを、実際に目視するなどしてチェックされます。

　輸入検査の結果、合格となれば、**植物検疫合格証明書**を受け取って輸入できます。もし不合格となると、消毒か廃棄または積み戻しが命じられます。ただし、消毒を命じられた場合には、消毒を実施すれば輸入可能となります。

　動物検疫と同じく、輸入者側で日本の政府機関の検査証明書を必要とするときには、輸出前の植物検疫が必要です。このような場合は、輸出検査を受けて**植物検査合格証明書**を入手し、輸入者に送付して対応します。

　通関業者等に、手続きの代行や代理を依頼できる点も同様です。

17 「関税」と「消費税」等で構成される「輸入時の税目」

貨物を輸入する際に課せられる税目

　海外から商品を輸入する際、税関に対して輸入申告を行います。このとき、輸入する商品には**輸入に関する税目**が課せられますから、納税申告を行ったうえで実際に納税を行います。

　輸入者が支払うことになる税目は、主に輸入商品にかかる**関税**、および**消費税等**（消費税［国税］＋地方消費税）です。ちなみに、輸入ワインなどの酒類に別途課せられる**酒税**なども、輸入に関する税目に含まれます。

　これら輸入時に課せられる税目のうち、もっとも重要なのは関税ですが、関税以外にも課税される税目があることに注意しておきましょう。

関税は国内産業を保護する税目

　関税の主目的は、外国から輸入される商品の競争力を削ぎ、国内の産業を保護することです。そのため、日本の各種産業がまだ発展途上だった時代には、多くの輸入商品に高い関税をかけていました。

　しかし現在、世界の主要国は関税をできるだけなくして、国際的な自由貿易を促進する方向に動いています。日本も、すでに先進国として競争力ある国内産業を育成し終わっていますから、現在は関税が無税とされる商品が多くなっています。実際、関税定率法の税

率数で見ると、約35％の品目が無税とされています。さらに実務では、後述する特恵税率やEPA税率の適用により、低税率または無税となる物品の割合はさらに大きくなります（なお、関税が無税であっても、原則として消費税は課税されます）。

しかし、これによって関税を理解しなくてもよい、ということにはなりません。輸入取引を実際に行うにあたっては、関税関連の知識は輸入申告を行う際に知っておかなければならない不可欠の知識であり続けていますから、ここでしっかりと理解しておきましょう。

3つの課税基準

関税の額を計算する方法には、主に次の3つがあります。

① **従価税**
　貨物の価額に対して課税します
② **従量税**
　貨物の数量に対して課税します
③ **従価従量税**
　上記①と②を組み合わせて課税します。「混合税」とも言います

①は輸入貨物の価格、②は輸入貨物の数量によって、関税を計算するための基準値「**課税標準**」を決定します。③の従価従量税は、価格と数量のどちらともを課税標準にする方法です。

①の従価税の場合、課税標準となる価格を**課税価格**と言います。この課税価格には、実際に輸入者が輸出者に支払った金額が用いられます。そのため、通常はCIF価格が用いられますが、著作権使用料や仲介料、容器費などを輸入者が支払っている場合には、それ

らも加算して計算します。

　また、課税価格が外貨建ての場合には、日本円との換算レートには輸入申告時の外国為替相場が用いられます。利用される外国為替相場は、税関のホームページに基準となる外国為替相場が常に公表されており、これに基づいて日本円への換算を行います。

　ちなみに、この外国為替相場は輸入申告日の属する週の前々週の実勢相場の週間平均値を示したものであり、一般の銀行で外貨両替などをする際の外国為替相場とは異なりますから、注意が必要です。

　また、たとえ輸入申告後に為替相場が大きく変動した場合でも、あくまで輸入申告時の為替相場が日本円への換算に用いられ、それをもとに関税額が計算されます。

　なお、上記①〜③のどの方法で関税が課税されるかは、輸入貨物の品目などによって決定されます。

2つの納付方式

　関税の納付方法には、**申告課税方式**と**賦課課税方式**の2つがあります。

　申告課税方式は、輸入者自身が納税申告を行って、支払う関税額を確定させる、あるいは関税額が無税であることを確定させる方法です。ほとんどの輸入取引では、こちらの申告課税方式が用いられます。

　輸入者は、申告した額の関税（および消費税など）を、原則、貨物の輸入許可を取得するために支払わなければなりません。

　この方法は、輸入者が正しい関税額を申告することを前提にしています。いわば性善説に立つことによって、より迅速な通関を可能にしている方法です。

もちろん、チェック機能もあり、税関が事後調査を行うことがあります。この調査で、関税額を過少に申告していたり、ルールと異なる計算をしていたり、あるいは申告を怠っていたりすることが判明すると、**過少申告加算税**や**無申告加算税**、**重加算税**などのペナルティ（「関税の付帯税」と呼ぶ）を課せられることになります。

　もう１つの賦課課税方式は、**もっぱら税関長の判断によって関税額が決定される方法**です。
　納税告知書により税額や納期限、納付場所などが通知されますので、輸入者はそれに従って納税を行います。
　前述した過少申告加算税・無申告加算税・重加算税などのペナルティとしての関税、入国者の携帯品や別送品に対する関税、郵便物に対する関税、相殺関税・不当廉売関税など、特殊なケースにのみ適用される納付方法です。

図表96 ◆ 関税額の確定方式

関税額の確定方式		
申告納税方式	原則：	納付すべき税額、または、納付すべき税額がないことが、納税義務者の申告により確定する
	例外： ① （輸入のときまでに）申告がない場合 ② 税額の計算が、関税に関する法律の規定に従っていなかった場合 ③ 申告された税額が、関税庁が調査したところと異なる場合	税関長の処分により確定する （①は決定、②・③は更正）
賦課課税方式	納付すべき税額が、もっぱら税関長の処分により確定する	

関税の体系を理解する

大きく「一般税率」と「簡易税率」に分けられる

関税の税率は、一般税率と簡易税率の2つに大別できます。

図表97 ◆ 関税の種類

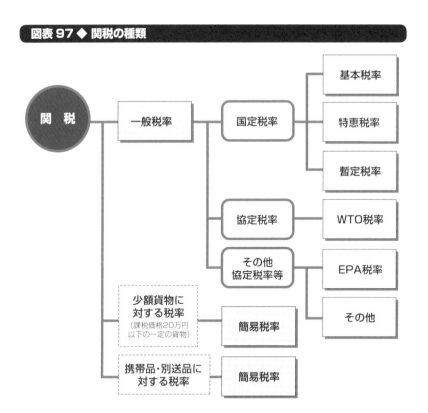

一般税率は、文字どおり一般の輸入貨物に対して適用される税率です。

　これに対して簡易税率には、入国者の携帯品や別送品に適用されるもの（関税と消費税等が合算されて適用される簡易税率）のほか、輸入貨物の課税価格が20万円以下の場合などに限って課すことができるとされている簡易な税率があります。

　一般税率は、さらに**国定税率、協定税率、その他**に大別され、その国定税率はさらに**基本税率、暫定税率、特恵税率**などに細分化されます。

　また、この関税体系に属さない報復関税などの**特殊関税**も存在します。

　図にすると前ページの図表97のようになりますから、次節から順に見ていきましょう。

19 基本となる「一般税率」の求め方

　企業が輸入取引を行う際には、基本的には一般税率が適用されます。輸入通関における納税申告では、税額計算は通関業者が行ってくれることが一般的ですが、自社でも基本的な内容くらいは理解できるようにしておきましょう。

「国定税率」は国内法で定められる

　前述したように、一般税率はさらに**国定税率**と**協定税率**に大別されます。このうち国定税率は、国が国内法で定めた税率です。
　国定税率は、さらに次の3つの税率に大別されます。

● 基本税率

　輸入貨物のすべてを一定の方法で分類し、それぞれの貨物の税率を定めているのが**基本税率**です。
　日本においては、関税定率法の別表である、いわゆる「実行関税率表」（正式名称は「輸出入統計品目表」だが「実行関税率表」と呼ぶのが一般的）によって定められています。
　この実行関税率表は、世界のほとんどの国が加盟しているHS条約の付属書である「HS品目表」の規定に従って作成されており、世界共通である6桁のHSコード（部、類、項、号）のあとに、日本独自の3桁のサブコードを追加した構造になっています。
　6桁のHSコードはほぼ全世界共通なので、商品名に使用されて

いる外国語の単語の意味がわからなくても、HSコードさえわかればその品目の概略は理解でき、関税率も判断できるようになっています。輸入通関の際の実務でも、輸入しようとする貨物のHSコードを確定する必要があります。

この基本税率は、HS条約の規定によって、ほぼ5年ごとに定期的な見直しが行われるほか、細かい修正が毎年加えられます。

最新の実行関税率表は、税関のホームページで簡単に確認できますから、何らかの商品を輸入しようと考えたときには真っ先に確認しておきましょう。

● 暫定税率

急激な経済情勢の変化へ対応したり、政治的な配慮を行ったりする目的で政策的に設定され、**時限的に基本税率に優先して適用される**税率です。

関税暫定措置法に基づく税率であり、この法の別表である「暫定関税率表」によって、対象物品およびその税率が定められています。

これも、財務省関税局等のホームページで簡単に確認できます。

● 特恵税率

特恵税率とは、関税暫定措置法第8条の2に規定されている税率で、**国際連合貿易開発会議（UNCTAD）での決定に基づいて、先進諸国が開発途上国から輸入される物品に対して一方的に課す低率の税率**のことです。

要するに、開発途上国に関税の面で国際的な支援を行うことで、開発途上国からの輸入貿易を促進し、途上国の経済成長や工業化を促そうという趣旨の制度です。

途上国が経済発展すれば、それは先進国の企業にとっても新たな市場が生まれることを意味し、大局的に見れば結局は自国の利益に

図表98 ◆ 特恵関税措置の内容

項　目	農水産品	鉱工業産品
対象品目	特定の品目を選定し、その品目に対して特恵関税を供与する。約400品目がリストアップされている	石油、毛皮などの一部の例外品目を除き、原則としてすべての品目に特恵関税を供与。
特恵税率	個々の品目ごとに、一般の関税率より引き下げる	① 原則として無税 ② ただし、シーリング対象品目は無税または一般税率の20％、40％、60％、80％
特恵停止方法	エスケープ・クローズ方式：国内産業に損害を与える等の場合に、政令で特恵適用を停止	① エスケープ・クローズ方式：左に同じ ② シーリング方式：年度当初に、一定の品目ごとに特恵適用限度額または限度数量を設定。それを超えた場合には、自動的に特恵適用を停止

なることを意図して設定されていると言えます。

この特恵税率を適用される国のことを**特恵受益国**と言いますが、そのなかでも**後発の開発途上国**（Least Developed Countries：LDC）は**特別特恵受益国**とされ、さらに優遇された税率（原則無税）が適用されます。

対象品目は農水産品と鉱工業産品の2つのジャンルに分けられ、農水産品に関しては現在約400品目、鉱工業産品に関しては一部の例外（毛皮、石油など）を除きほぼすべての品目が対象になります（→上図表98参照）。なお、特別特恵受益国に対しては、さらに対象品目が多数追加されます。

税率は、農水産物は一般税率から5～100％引き下げた税率が品目ごとに設定され、鉱工業産品については原則無税です。

ただし、国内産業に打撃を与えないように、急激に輸入が増加した場合に特恵適用を中止できる**エスケープ・クローズ方式**や、品目ごとに一定の限度額や限度数量を定め、それを超えた場合に特恵適用を中止する**シーリング方式**などの安全弁も設けられています。

特恵税率の対象となる国は、本書執筆現在、128ヵ国5地域です（うち46ヵ国は特別特恵受益国）。詳細は財務省関税局等のホームページで確認してください。

　なお、下図表99に示した中国やブラジルなどについては、直近3年間は世界銀行統計の基準で「高中所得国」として連続して扱われており、かつ、世界の総輸出額に占める当該国の輸出額の割合が1％以上となっていることから、2019年度（平成31年度）には特恵関税制度の適用が外れました。

図表99 ◆ 平成31年度に特恵受益国を卒業した国

国名	1人あたりの国民総所得	輸出額のシェア
ブラジル	11,760$	1.2%
マレーシア	10,660$	1.2%
メキシコ	9,980$	2.1%
中国	7,380$	12.3%
タイ	5,410$	1.2%

※ 3年連続して、世銀統計の「高中所得国(国民1人あたりの所得が4,125$〜12,736$の国)」以上に該当し、かつ、世界の総輸出額に占める当該国の輸出額の割合が1％以上である国（下記、2016年公表の世銀統計における区分）。
　1人あたり国民総所得と輸出額シェアの数字は、それぞれ以下の統計による（データの対象年は、いずれも2014年）。
・1人あたり国民総所得：世界銀行"Gross national income per capita 2014 (Atlas method)"（2016年公表）
・輸出額のシェア：WTO"International Trade Statistics 2015 (Table I.7)"（2015年公表）

協定税率／WTO税率とは

　国定税率が日本の国内法で定められた税率であるのに対し、**協定税率**は日本が国連機関や外国政府と条約を締結することによって定められた税率です。その代表格が **WTO税率** です。日本とWTO（世界貿易機関）加盟国との間の条約協定によって定められた税率です。

その他協定税率／EPA税率とは

日本との経済連携条約協定（Economic Partnership Agreement：EPA）に基づく、物品やサービスに関する自由貿易協定（Free Trade Agreement：FTA）を結んでいる国（シンガポール、メキシコ、マレーシアなど）からの輸入貨物に適用する EPA 税率です。対象品目や税率などは、日本と２国間等で条約締結した品目や税率が適用されます。

一般税率の適用順位を知る

自社が輸入しようとする貨物にかかる税率を確定するには、これらの関税の適用順位を把握する必要があります。

一般的な手順としては、まず最初に、特恵税率やEPA税率の適用を考えます。

輸出元となる外国が特恵受益国や特別特恵受益国で、輸入貨物がその国で生産され、かつ一定の基準を満たす物品の場合は、特恵税率が適用されます。また、EPA税率も、優先的に適用される可能性があるのでこれもチェックします。

もし、特恵税率やEPA税率の適用がなければ、次のステップに進みます。

次のステップでは、国の政策として暫定税率を設定していることがありますから、その有無をチェックし、設定されている場合には暫定税率を選択して、最後のステップに進みます。

一方、暫定税率が設定されていない場合には、基本税率を選択して、最後のステップに進みます。

最後のステップとして、協定税率／WTO税率が適用できる国からの輸入である場合は、国定税率である基本税率または暫定税率どちらか一方と、協定税率／WTO税率の2つの税率を比較します。WTOの加盟国は現在160ヵ国以上ありますから、多くの場合にこの協定税率があてはまるはずです。

　国定税率と協定税率の税率を比べて、低いほうの税率が実際の関税率として適用されます。

図表100 ◆ 税率の適用順位

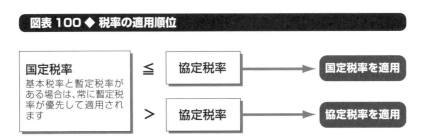

※協定税率は、WTO加盟国からの輸入の場合に適用されることがあります。
※一般特恵関税は、特恵受益国に対してのみ適用されます。

20 小規模輸入などでは「簡易税率」を用いることもある

　企業対企業の取引では、主に前述の一般税率が適用されることになりますが、サンプルだけを事前に輸入する場合や、小規模な取引を行う際には、簡易税率が適用されることもあります。

簡易税率の主な適用対象は2つ

　簡易税率の適用対象となるのは、主に次の2つの貨物です。

① 日本への入国者が携帯する貨物、あるいは別送品
② 課税価格の合計が20万円以下の少額輸入貨物

　①については、関税定率表別表の付表第1である「入国者の携帯品・別送品に対する簡易税率表」によって、関税と消費税とを合わせた税額・税率が定められます（→次ページ・図表101参照）。
　酒類とタバコに対して特定の税額が決められているほか、関税が無税とされている物品以外に一律の関税がかけられます。
　ただし、犯罪に関わる貨物や、商業用とみなされるほどの大量あるいは高価な貨物、国内産業への影響を考慮して除外されている品目の貨物には、簡易税率の適用はされません。
　また、輸入者自身が簡易税率の適用を希望しない場合には、一般税率が適用されます。
　「携帯品」だけでなく「別送品」も含まれていますから、渡航先の

図表 101 ◆ 入国者の携帯品・別送品に対する簡易税率表

品目（具体的な品目例）		関税率
1	酒類 ① ウィスキー、ブランデー	800円／リットル
	② ラム、ジン、ウォッカ	500円／リットル
	③ リキュール	400円／リットル
	④ 焼酎	300円／リットル
	⑤ その他のもの（ワイン、ビールなど）	200円／リットル
2	その他の物品（関税が無税のものを除く）	15%
3	紙巻たばこ	1本につき13円

※腕時計、ゴルフクラブ等関税がかからない品物でも、消費税はかかります。
※1個または1組の課税価格が10万円を超えるもの、米、食用海苔、パイナップル製品、コンニャク芋、紙巻たばこ以外のたばこ、猟銃には一般税率が適用されます。
※簡易税率の適用を希望しないときは、一般税率が適用されます。

図表 102 ◆ 少額輸入貨物に対する簡易税率表

品目（具体的な品目例）		関税率
1	酒類 ① ワイン	70円／リットル
	② 焼酎等の蒸留酒	20円／リットル
	③ 清酒、りんご酒等	30円／リットル
2	トマトソース、氷菓、なめした毛皮（ドロップスキン）、毛皮製品等	20%
3	コーヒー、茶（紅茶を除く）、なめした毛皮（ドロップスキンを除く）等	15%
4	衣類および衣類附属品（メリヤス編みまたはクロセ編みのものを除く）等	10%
5	プラスチック製品、ガラス製品、卑金属（銅、アルミニウム等）製品、家具、玩具等	3%
6	ゴム、紙、陶磁製品、鉄鋼製品、すず製品	無税
7	その他のもの	5%

※課税価格が1万円以下の貨物の場合、原則、関税および消費税は免除されます。ただし、酒税・たばこ税・タバコ特別消費税はかかります。また、革製バッグ、パンスト、タイツ、手袋、履物、スキー靴、ニット製衣類などは、個人的なギフトとして日本国居住者に送られたものである場合以外、課税価格が1万円以下であっても関税等が免除されません。
※個人が個人的使用の目的で輸入する貨物は、海外小売価格×0.6の式で課税価格を算出します。その他の貨物は、商品価格＋運賃＋保険料で課税価格を算出します（CIF価格）。
※簡易税率の適用を希望しないときは、一般税率が適用されます。
※関税とは別に、消費税が課税されます。関税が無税の場合も消費税は課税されます。
※重量制限等のため郵便物を2個以上に分けている場合は、その合計が課税価格となります。
※米などの穀物とその調製品、ミルク・クリームなどとその調製品、ハムや牛肉缶詰などの食肉調製品、たばこ、精製塩、旅行用具、ハンドバッグなどの皮製品、ニット製衣類、履物、身辺用模造細貨類（卑金属製のものを除く）については、簡易税率ではなく一般税率を適用します。

海外から郵便で送った荷物についても、この簡易税率が適用できる点にも注意しましょう。

②の少額輸入貨物についても、希望しない場合には一般税率が適用される点は同じです。犯罪に関わる貨物や、国内産業への影響を考慮して除外されている品目の貨物（たばこ、精製塩、ニット製衣類、履物など）には適用されない点も同一です。

こちらは関税定率表の付表第2である「**少額輸入貨物に対する簡易税率表**」によって、関税の税額・税率が定められますが、消費税等は別途必要になります。ただし、課税価格が1万円以下の場合は、原則、関税・消費税どちらも免除されます（→左ページ・図表102参照）。

②は、消費税等（消費税［国税］＋地方消費税）の支払いが発生することも忘れないでください。関税が無税であっても、特別に免除されていない限りは消費税の支払いは必要です。

また、簡易税率表は税関のホームページでも確認できます。

21 政策的に発動される「特殊関税」は特別扱い

　関税には、前述した一般税率と簡易税率のほかに、政治・経済的に特別な状況になったときに時限的に適用される**特殊関税**がいくつかあります。これらの特殊関税は、通常、一般税率に追加する形で適用されます（便益関税のみは逆に引き下げられます）。

友好的なWTO非加盟国に適用される「便益関税」

　日本との間に関税に関する条約は締結していないけれども、相手国が日本の産品に対して関税の差別待遇をしていない場合に、その国および貨物を政令で指定して、既存の条約により他国に与えている限度において便益を与えるというのが**便益関税**です。
　この関税が主に適用されるのはWTO非加盟国からの貨物であり、日本に対して差別的な関税の扱いをしていない場合に限り、その国の産品に関してもWTO税率の適用を行うという形で運用されています（具体的には、バハマ、バチカン、ナウル等）。

WTOの取り決めに基づく「報復関税」

　世界貿易機関（WTO）を設立する「**マラケシュ協定**」では、この協定の実効性を阻害する場合や、特定の加盟国から別の加盟国が利益の侵害を受けた場合に、報復的な関税を適用することが認められています。**報復関税**は、この取り決めに基づいて政策的に発動さ

れる関税です。

発動条件は、相手国もWTOに加盟しており、①マラケシュ条約等のWTO規約に違反して日本の利益を侵害しているか、②日本の船舶・航空機、あるいは日本からの輸出貨物や通過貨物に対して、他の国のそれよりも不利な取り扱いをしている場合、の2パターンが存在します。

発動にあたっては、国および貨物を指定したうえで、通常の関税に追加する形で、協定の承認の範囲内（貨物の課税価格と同額まで）で特別関税を課します。

なお、こうした貿易紛争の際には、WTOの紛争解決パネルで当事者間の交渉が行われます。

外国政府の補助金の効果を相殺する「相殺関税」

外国において、生産や輸出について直接・間接に外国政府の補助金を受けた貨物がわが国に輸入されると、その補助金の分は輸入商品の競争力が嵩上げされていますから、日本国内の同種の産業に大きな損害を与えることがあります。

そこで、実際にそのような損害が発生した、あるいはそのような損害が発生する恐れがある場合に、日本の国内産業保護のために必要であると認められれば、貨物、供給者、供給国および期間（5年以内）を指定したうえで、外国政府の補助金の効果を相殺するための特別関税を、通常の関税に追加する形で課すことがあります。これが、**相殺関税**です。

なお、追加して特別に課す関税の額は、外国政府が交付している補助金の額が限度となります。

外国のダンピングに対抗する「不当廉売(れんばい)関税」

　市場でのシェアを確保したり、競争相手にダメージを与えたりすることを目的として、商品の値段を非合理的なまでに下げることを**不当値引**、あるいは**不当廉売**とか**ダンピング**と言います。こうした行為は公正な商取引を歪めるため、各国で規制されています。

　不当値引は国際貿易でも行われることがあり、場合によっては相手国の政府が補助金や為替相場の操作などによって、直接・間接に関わっているケースもあります。

　こうしたケースでは、不当に値引きされた安い貨物が一気に国内に流入し、国内の同種の産業に大きな損害を与える恐れがあります。

　そこで、実際に相手国の不当値引によって大きな損害が発生した、あるいは損害が発生する恐れがある場合に、国内産業保護のために必要であると認められれば、貨物、供給者、供給国および期間（5年以内）を指定したうえで、通常の関税に追加する形で特別な関税を課すことがあります。これが、**不当廉売関税**です。

　特別に課す関税の額は、正常価格と不当廉売価格との差額が限度となります。前述の相殺関税と、非常によく似た特殊関税です。

急激な輸入の増大に対応する「緊急関税」

　相殺関税が必要になる外国政府の補助金や、不当廉売関税で対応すべき外国企業等の不当値引がなくても、国際的な商品相場の急落やその他予想されなかった事情の変化によって、特定の貨物の輸入が急激に増加することがあります。

　このように、特定貨物の安価での急激な輸入増加があると、日本国内における同種の産業に大きな損害を与えかねません。

　そこで、実際にそのような大きな損害が発生した場合、あるいは

損害が発生する恐れのある場合に、国民経済上緊急に必要があると認められれば、貨物および期間（通算して4年以内）を指定して、通常の関税に追加する形で特別の関税を課すことが認められています。これが**緊急関税**です。

追加する税額については、当該貨物の課税価格と、同種または類似の貨物の本邦における適正卸売価格との差額から、その貨物の通常の関税の額を差し引いた額が限度となります。

なお、急激に輸入が増えた貨物が特恵関税の対象品目であっても、国内産業に損害を与える危険がある場合は、緊急関税の対象になります。

日本からの輸出品への差別的な扱いには「対抗関税」

WTOに加盟している国が、日本からの輸出品に対して、WTOの各協定で約束した譲許税率（上限税率）を修正・撤回したり、わが国に対してWTOの義務を全部または一部停止するような緊急措置をとった場合に、わが国も対抗して、その国および貨物を指定して、通常の関税に追加する形で特別の関税を課すことがあります。これを、**対抗関税**と呼びます。

具体的には、貨物の課税価格と同額を限度とする追加の特別関税を課すか、日本側の**譲許**（WTOの規約による上限税率の適用）を停止して、国定税率による関税を課すかの2つの方法で行われます。

いろいろな特殊関税があり混乱してしまうかもしれませんが、相殺関税、不当廉売関税、緊急関税の3つの特殊関税が、日本への輸入の急増に対処するために発動されるのに対し、対抗関税は日本からの輸出品に発動される、外国政府の緊急措置に対抗して発動されるという点に留意すると、見分けやすいと思います。

22 「関税割当制度」が適用される貨物に注意

特定の農水産物などが対象となる

国内における国産商品の市場シェアを確保し、同時に、低価格で必要なだけの物資を入手したい消費者の利益にも配慮するために、特定の輸入貨物においては関税割当制度（Tariff Quota：TQ）が設定されています。

関税割当制度の仕組みは、一定の数量までは低税率あるいは無税の一次税率（枠内税率）を適用し、それを超える数量に対しては高税率な二次税率（枠外税率）を課すという二重税制です。

図表 103 ◆ 関税割当制度の仕組み

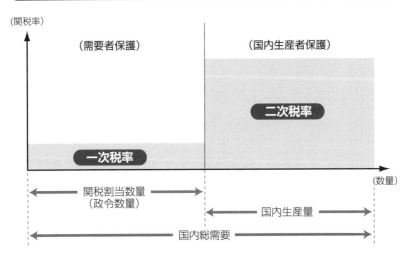

低税率（あるいは無税）の一次税率が適用される「**関税割当数量**」は、原則として、国内需要から国内生産量を差し引いた数量です。
　こうした仕組みを作ることによって、国内産業の保護と、消費者利益の両立を図っているのです。
　関税割当制度の対象となる物品は、ミルク、クリーム、乾燥した豆、飼料用とうもろこし、落花生、こんにゃくいも、牛革、やぎ革、革製履物などで、農林水産省あるいは経済産業省が所管しています。
　なお、一次税率の割り当て適用を受けるには、まず、それぞれの物品の所轄官庁の大臣にその旨を申請し、**関税割当証明書**の発行を受けなければなりません。そして、輸入申告の際に、それを税関長に提出します。

輸入割当制度と違い、二次税率の輸入制限はない

　関税割当制度に似た制度に、外為法の輸入割当制度（Import Quota：IQ）があります（→ 324 ページ参照）。
　輸入割当制度では、特定の貨物について輸入できる数量を割り当て、それ以上の数量は輸入自体を規制する方法をとっています。
　これに対して関税割当制度では、低税率（あるいは無税）の一次税率を適用できる輸入数量は規制していますが、それ以上の数量となっても、高税率となる二次税率を適用すれば輸入自体は自由に行えます。
　それぞれの制度で国内産業を保護する働きが違っていますから、混同しないように注意しましょう。

23 関税の「減免税」や「戻し税」の制度を理解しておこう

法的な理由があれば納税義務を免除される

無税ではない品目の輸入貨物が、一定の条件を満たした場合、関税の一部または全部が免除されることがあります。一部を免除するのが**減税**で、すべてを免除するのが**免税**です。

ちなみに、関税を減免税された場合には、消費税についても減免されることもあります。

また、すでに関税や消費税を支払った輸入貨物についても、一定の条件を満たした場合に、納付した関税・消費税の一部または全部を納付者に払い戻すことがあります。

これを**戻し税**と呼び、もし納付者以外に払い戻す場合には、**還付**と呼び方が変わります。

減免税・戻し税制度の対象となるのは、次のようなケースです。

加工貿易は「減税」の対象となることが多い

● 輸入貨物が変質や損傷していた場合の減税（関税定率法第10条）

外国から輸入した貨物が、運送途中のトラブル等で変質したり、損傷していたりした場合、その変質・損傷によって減ってしまった価値の分、関税額が減税されます。

● 加工、修繕のために輸出した貨物を再輸入する場合の減税（関税定率法第11条）

　日本から海外へ、加工や修繕のために貨物を輸出し、その貨物を輸出許可の日から原則1年以内に日本に再輸入した場合、再輸入にした貨物全体ではなく、外国で行われた加工・修繕によって加えられた付加価値にのみ課税するという減税制度があります。

　なお、加工の場合は、日本国内で同様の加工を行えない等の厳しい条件があるので注意してください。

● 加工・組み立てのために輸出した貨物を再輸入する場合の減税（関税暫定措置法第8条）

　関税暫定措置法によって指定された一定の原材料を海外に輸出し、海外で加工・組み立てした貨物を輸出許可の日から原則1年以内に日本に再輸入した場合、一定の減税措置が受けられるという制度です。

　繊維製品や皮製品の加工貿易などが主な対象となります。

「免税」は対象品目が限定されている

● 再輸出免税（関税定率法第17条）

　関税定率法で定める一定の貨物に限り、輸入許可の日から1年以内に再輸出することを条件に関税を免除するものです。

　対象には、一定の加工材料や国際運送に用いられる一定の容器、営業活動のための見本、学術研究用品、修繕される貨物などが含まれます。

● 無条件免税（関税定率法第14条）

　課税済み貨物への二重課税を避けたり、福祉・厚生等の用に供し

たり、あるいはごく小規模な輸入への課税を避けたりなど、さまざまな理由により、原則的に無税とする物品が関税定率法によって多数定められています。

対象となる物品で、一般の企業同士の貿易取引に登場する可能性があるのは、以下のような物品です。

- 課税価格の合計額が1万円以下の貨物
- 入国者の携帯品、別送品、職業用品（自動車、船舶、航空機は除く）
- 営業活動（注文取り集め）のための見本（例外あり）
- 日本から輸出した貨物をそのままの状態で再輸入したもの
- 身体障害者用の器具等　など

一般人からすると、海外渡航からの帰国の際など、まったく意識しないままこの免税制度を適用されていることが、実はかなりあることがわかります。

● 特定用途免税（関税定率法第15条）

これも関税定率法で定める免税制度で、国内で製作することが難しい学術研究用品や、宗教・教育法人に寄贈される物品、博覧会等の参加者が輸入するカタログやポスターなどが対象となります。

条件は、輸入許可から2年間は規定の用途以外に使用しないことです。

再輸出の場合、「戻し税」の対象となる可能性が高い

● 輸入貨物を再輸出する場合の戻し税（関税定率法第19条の3）

関税を支払って外国から輸入した貨物を、そのままの状態で再輸

出する場合、支払った関税を払い戻す制度があります。

たとえば、輸入した商品の何割かが捌き切れず、売れ残った際に、売れ残り分を再輸出すればその分の関税は払い戻される、ということです。

条件は、輸入許可時の確認と許可の日から原則1年以内に再輸出を行うこと。また、輸入貨物に加工や組み立て、修繕を加えるなどして状態を変更した場合、あるいは、時間の経過により貨物の状態が変化した場合などには、この制度は適用できなくなります。

● 違約品等を再輸出する場合の戻し税(関税定率法第20条)

輸出者から送られてきた貨物が、売買契約で指定した貨物と異なっていた場合、これを**違約品**として輸出者に返送することがあります。こうしたケースでは、一定の要件のもとで、その違約品の輸入通関の際に支払った関税の払い戻しを受けられます。

なお、輸入後の国内法令の改正等により、販売できなくなった貨物を返送する場合などもこのケースに含まれます。

また、再輸出には費用がかかりますから、税関長の承認を受けたうえで、再輸出せずに廃棄した場合も払い戻しの対象になります。

● 保税地域内での損害による戻し税(関税定率法第10条)

輸入税を支払い、貨物が保税地域内で引き取りを待っている間に、火災・地震などで貨物が損害を受けた場合は、戻し税の対象となります。

24 適用税率がわからない場合は、「事前教示制度」を利用する

税関に聞けば、関税額を教えてもらえる

輸入関係者が、あらかじめ輸入を予定している貨物の関税率表上の所属区分および関税率等について税関に照会を行い、その回答を受けられる制度が**事前教示制度**です。

これまで市場になかった新規性の高い商品などでは、事前に関税の税率等を予想することが難しい場合がありますが、この制度を利用すれば事前に税率がわかることから、日本国内での販売計画等を立てやすくなります。

輸入申告に際しても、輸入貨物の税番や関税率等が判明しているので、輸入者がより早期に貨物を引き取ることが可能になるでしょう。

なお、この事前教示の照会は、口頭で行うことも可能です。ただ、正確を期すために、できるだけ書面で行うことをお勧めします。

25 輸入時に「原産地証明書」が必要になるケースは？

優遇された関税率を適用する際には原則必要

　輸入取引で特恵税率やEPA税率、あるいはWTO税率や便益関税など、さまざまな優遇された関税率の適用を受けたい場合には、原則、海外の輸出者に原産地証明書（Certificate of Origin）を用意してもらう必要があります。

　適用を受けようとする関税の種類によって、例外的に不要とされる状況や必要な原産地証明書の種類が異なりますので、それぞれ簡単に説明しておきましょう。

　ちなみに、原産地証明書を準備できないときには、基本税率などの国定税率が適用されます。

① WTO税率、および便益税率の場合

　WTO加盟国からの輸入に適用されるWTO税率や、特殊関税の1つである便益関税の適用を受けようとする場合で、その貨物の種類や商標、あるいはインボイスなどの書類によって貨物の原産地が確認できないときには、相手側に原産地証明書を準備してもらう必要があります。

　ただし、原則として課税価格の総額が20万円以下の貨物にこれらの優遇された関税率を適用しようとする場合には、相手方作成の原産地証明書は必要ありません。

② 特恵税率の場合

　特恵関税の適用を受けたい場合にも、基本的には相手方が取得した原産地証明書が必要になります。

　貨物の種類や形状によって原産地が明確に判定できると税関長が認めた場合や、課税価格が20万円以下の貨物でインボイス等の書類で原産地が確認できる場合などは、例外的に不要となります。

③ EPA税率の場合

　日本とEPA条約を結んだ国からの輸入で、EPA税率の適用を受けようとする場合には、それぞれの国で発行される**特定原産地証明書**が必要です。

　これは、一般の原産地証明書とは書類の種類が異なりますから、輸出者に間違えないように注意してもらう必要があります。

　なお、このケースでも、税関長が物品の種類または形状によりその原産地が明らかであると認めた場合や、課税価格が20万円以下の貨物でインボイス等の書類で原産地が確認できる場合は、例外的に原産地証明書が不要となります。

④ ワシントン条約附属書Ⅲに掲げる物品の場合

　ワシントン条約では、絶滅の危機がある動植物の貿易取引を規制していますが、これらを完全に禁止しているわけではありません。

　附属書Ⅱに記載されている物品は当該国の輸出許可証等があれば、附属書Ⅲに記載されている物品は当該国の輸出許可証または原産地証明書があれば、商業取引が可能です（ちなみに、附属書Ⅰに記載されている物品は原則、商業取引禁止です）。

原産地証明書を準備してもらう際の注意点

　海外の輸出者に用意してもらった原産地証明書は、原則として輸入申告を行う際に提出します。

　海外の輸出者にとって、原産地証明書の取得はそれほど簡単なものでも、短時間でできるものでもありません。現地の商業会議所等に企業登録し、原産品であることの判定を依頼したうえで、必要な各種申請書類を準備して発行してもらいます。

　特に輸出側の企業が慣れていないときには、十分な時間の余裕を持って準備してもらうよう注意してください。前述したように、EPA税率を適用する場合には、発行してもらう原産地証明書の種類も異なります。

　ちなみに、発行された原産地証明書の有効期限は、①、②および③の場合は発行日から1年以内です。

26 日本での原産地証明書の取得方法

十分な時間的余裕を持って手続きすること

輸出者として信用状取引を行う際、信用状で原産地証明書が要求されていれば、輸出者は日本で原産地証明書を取得しなければなりません。

日本では、原産地証明書は商工会議所等で発行されたものを利用するケースが一般的です（一方、米国やカナダ等では、輸出業者が自ら原産地証明書を作成・発行する自己発行方式が中心です）。

商工会議所備え付けの所定の申込書に必要事項を記入し、同時に輸出者のインボイスなどを提出することで発行を受けられます。

注意しなければならないのは、商工会議所側の審査などに多少時間がかかる場合があるため、十分な時間的余裕を持って手続きしなければならないことです。特に、初めて原産地証明書を取得しようとするときには気を付けてください。

一般原産地証明の基準は輸入時の法令を準用している

日本では、一般原産地証明書が証明する「原産地」の定義を、法律などで明確に規定しているわけではありません。

そのため、日本各地の商工会議所では「輸入時に適用される原産地基準の法令準用」によって、一般原産地証明書発行に準用しています。

一般原産地証明書は、外国の輸入者から日本の輸出者に対して、

「輸入国の税関から日本原産品であることを証明せよ」とか、輸入国での転売の際、転売先から「日本原産であることを示してほしい」といった要求のある場合に、日本の輸出者が日本国内の商工会議所や商工会等で発行してもらうことになります。

EPAの特恵税率適用のためなら「特定原産地証明書」

　上述のように、原産地証明書の発行要件について、日本では法律によって明確に規定しているわけではありません。しかし、日本と輸出先国との間でEPA（経済連携協定）条約が締結されており、輸入地の輸入通関時にそのEPA特恵税率の適用、つまり低関税率や無関税率を受けるために原産地証明書の発行を依頼された場合には、条約の規則で具体的な原産地証明書の書式が決められていますから、その書式に合わせた原産地証明書を作成しなければなりません。

　この場合に発行してもらう原産地証明書を、特に**特定原産地証明書**と言います。

　この特定原産地証明書は、「関税番号の変更」や「域内原産割合」などを満たすことが発行条件となっているため、証明書の発給申請前に産品が条件に合うかどうかを各地方の商工会議所に事前に問い合わせ、確認をとっておく必要があります。

　次ページ・図表104に一般原産地証明書のサンプルを、366ページ・図表105に特定原産地証明書のサンプルを掲載しておきますから、参考にしてください。

図表104 ◆ 一般原産地証明書サンプル

1.Exporter(Name,address,country) Sakae Electronics Kogyo Co., Ltd. 1-6-12,Sakaemachi,Minami-ku, Nagoya,Aichi,JAPAN	CERTIFICATE OF ORIGIN issued by The Nagoya Chamber of Commerce & Industry Japan
2.Consignee(Name,address,country) Wuxi Ling Electronics Co., Ltd. 90 Huigian Road, Wuxi Jiangsu Province, China	*Print ORIGINAL or COPY ORIGINAL
	3.No. and date of Invoice SE 101/72 August 20,20XX
	4.Country of Origin Japan
5.Transport details From Nagoya,Japan To Shanghai,China By Sea	6.Remarks

7.Marks,numbers and kind of packages;description of goods	8.Quantity
[SE] SHANGHAI C/No. 1/50 Made in Japan 　　　　Electronics Parts 　　　　SAKAE BRAND	2,000 pcs

9.Declaration by the Exporter The undersigned,as an authorized signatory,hereby declares that the above-mentioned goods were produced or manufactured in the country shown in box 4. **Place and Date:** <u>Nagoya on August 20,20xx</u> (Signature) (Name)	10.Certification The undersigned hereby certifies, on the basis of relative invoice and other supporting documents, that the above-mentioned goods originate in the country shown in box4 to the best of its knowledge and belief. **THE NAGOYA CHAMBER OF COMMERCE & INDUSTRY** (No.,Date,Signature and Stamp of Certifying Authority)
	Certificate No.

● **一般原産地証明書サンプル（左記）の日本語訳**

1. 輸出者 (氏名、住所、国) サカエ電子工業株式会社 日本、愛知県名古屋市栄町南区 1-6-12	原産地証明書 発行者 名古屋商工会議所
2. 荷受人 (氏名、住所、国) Wuxi Ling Electronics　株式会社 中国江蘇省無錫市会見通り 90	*原本または写し　　原本
	3. インボイス番号および日付 SE 101/72 20XX 年 8 月 20 日
	4. 原産地 日本
5. 輸送詳細 積港　　日本、名古屋 仕向港　中国、上海 船便	6. 備考 **申請したとおりの内容で作成されます**
7. 荷印、番号及び梱包の種類、商品明細 　　SE 　SHANGHAI 　C/No. 1/50 　Made in Japan　　電子部品　　　　2,000 個 　　　　　　　　　サカエ製	8. 数量 **日本では商工会議所が原産地証明書を発行してくれます**
9. 荷送人の宣言 下記署名者は、権限のある署名者として、上記の商品が4. の欄に記載された国で生産または製造されたことをここに宣誓する。 場所および日付：　20XX 年 8 月 20 日　名古屋 (署名) (氏名)	10. 証明 下記署名者は、己の知り、信ずる限り、関連するインボイスおよびその他の関係書類に基づき、上記の商品が4. の欄に記載された国を原産とすることをここに証明する 　　　　　　　　　　　　　　　名古屋商工会議所 (日付、署名および証明機関の印) 証明書番号

第6章　「通関」の実務と「関税」の知識

図表 105 ◆ 特定原産地証明書サンプル

1. Exporter's or Producer's Name, Address(repuired), and Other Contact Details(optional):	Certification No.	Page number /
2. Importer's Name or Consignee's Name(if applicable), Address:	AGREEMENT BETWEEN JAPAN AND AUSTRALIA FOR AN ECONOMIC PARTNERSHIP CERTIFICATE OF ORIGIN	
3. Transport details (means and route)(if known):		Issued in Japan

4. Description of good(s) including HS tariff classification number(6 digits): Number and kind of packages: Marks and numbers on packages:	5. Preference criteria and others (ACU or DMI)	6. Weight(gross or net), quantity (quantity unit) or other measurements (litres, m³, etc):	7. Invoice number(s) and date(s), or sufficient details to identify the consignment:

8. Others:

9. Declaration by the exporter or producer or their authorized representative:	10. Certification:
I, the undersigned, declare that the good(s) is(are) (an) originating good(s) for the purposes of the Agreement between Japan and Australia for an Economic Partnership. Place and Date: Signature of authorised signatory: Name(printed) : Company :	It is hereby certified, on the basis of the evidence provided, that the good(s) specified in this Certificate meet(s) all the relevant requirements of Chapter 3 of the Agreement. Authorised body or certification body: Stamp or official seal: Place and Date: Name(printed) and Signature:

● 特定原産地証明書サンプル（左記）の日本語訳

1. (日本から)原産品を輸出する輸出者または生産者 (英文名称、住所、国名、連絡先)	証明書番号	ページ番号 /
2. (オーストラリアの)輸入者または荷受人	日本・オーストラリア 経済連携協定 原産地証明書 日本発行	
3. 輸送手段(知りうる限りで)		

4. 品名、HS番号(6桁)、包装の個数および種類、記号、番号 ケースマーク：荷印、荷物番号 荷姿	5. 特恵基準 (僅少/累積)	6. 重量、数量または他の単位	7. インボイス番号と日付、または貨物を確認するための他の十分に詳細な情報

> 完全原産品ならWO、原産品のみで生産される産品はPE、非原産材料を使用して生産される産品はPSRなどと記載されます

8. その他

> 再発給などの場合はその旨がここに記載されます

9. 宣誓	10. 認証　※商工会議所使用欄
下記署名者は、上記の商品が日豪EPA協定の解釈上の原産品であることをここに宣誓する。	提供された証拠に基づき、本明細書記載の商品が協定第3条の求める関連条件をすべて満たしていることをここに証明する。
場所および日付	認証機関
発給申請者のサイン：	公印
発給申請者名：	場所と日付
会社名　　：	名前とサイン

出所：いずれも、日本商工会議所ウェブサイト「特定原産地証明書発給申請マニュアル」を参考に作成

第6章　「通関」の実務と「関税」の知識

27 自己申告制度による「原産品申告書」とは

日豪EPAでは自己申告方式で原産品申告書を提示する

　前述したように、従来、日本は外国等との間に結んだ経済連携協定（EPA）において、条約締結国からの輸入品に通常よりも低い関税率（EPA税率）を適用するには、当該国の「原産品」であることを証明するため、原則として、外国の税関当局や商業会議所等の第三者が発行する（特定）原産地証明書の提出を輸入申告の際に求めてきました（例外的に、日本‐スイス協定、日本‐ペルー協定、および日本‐メキシコ協定では、経済産業大臣の認定を受けた認定輸出者が、自ら原産地の証明書を作成できる認定輸出者自己証明制度があります）。

　しかし、平成27年に新たにEPA条約が発効した日本とオーストラリアとのEPA（日豪EPA）では、日本で初めて、**自己申告制度による「原産品申告書」の提示**という方式で、EPA税率の適用を認めることになりました（ただし、従来の第三者機関発行の［特定］原産地証明書も利用できます）。

　この自己申告制度では、貨物の輸入者はもちろんのこと、輸出者や生産者も、日豪EPA税率の適用を受けられる原産品であることを明示する書面「**原産品申告書（豪側での名称はOrigin Certification Document）**」を作成できます。

　そのうえで、輸入者がその原産品申告書を税関に提出して、原産

品であることを申告します（なお、日本側の税関実務では、日豪EPA税率の適用に関して、原産品申告書に加えて**原産品申告明細書**やその他の立証書類も必要となりますから、この点には注意してください）。

また、日本の税関においては、上述の原産品申告書や明細書の様式を「税関様式」として指定していますが、任意の様式の使用も可能とされており、かつ言語も日本語または英語で作成できます。

さらに、従来のEPA税率適用申請の場面では、原則として日本の輸入者に、輸入申告時に原産地証明書の原本提出をすることが要求されてきましたが、日豪EPAでは新たに、NACCSを利用する場合には原産品申告書や明細書等の原本提出が不要となり、電子的提出のみでよいともされています。

加えて、物品の課税価格の総額が20万円以下の場合には、原産品申告書等の提出も省略できます。

さらに、日本の輸入者として税関長の承認を得た特例輸入者や、認定通関業者を業務委託先として起用する特例委託輸入者が特例輸入申告を選択する場合にも、輸入通関時の原産品申告書等の提出は不要となります。

ただし、法律上これらの立証書類の保存義務はありますから、その点には注意してください。

日豪EPA条約を利用し、オーストラリアから日本に向けてオーストラリア産品であるクリスマス用品を輸入する際、日本の輸入者が作成した**原産品申告書**と**原産品申告明細書**の記載例を次ページの図表106と371ページの図表107に示します。参考にしてください。

図表106 ◆ 原産品申告書サンプル

税関様式 C 第 5292 号

原産品申告書

(経済上の連携に関する日本国とオーストラリアとの間の協定)

1. 輸出者又は生産者の氏名又は名称及び住所
オーストラリアトイマーケット㈱ オーストラリア国クインズランド州ブリスベン市スミス通り２２番

2. 産品の概要

No.	(1)品名	(2)包装の個数及び種類、包装の記号及び番号、重量及び数量	(3)仕入書の番号及び日付 積送される貨物を確認するための情報(判明している場合)	(4)関税分類番号 (6桁、HS2012)	(5)適用する原産性の基準(WO、PE、PSR)適用するその他の原産性の基準(DMI、ACU)※
[1]	クリスマス用品	100 カートン 100 個 50KG ATM No.1-100	仕入書番号・日付 No. ATM0001 2015. OCT. 01 (B/L No.66601)	第 9505.10 号	PSR
[2]					
[3]					
[4]					

3. その他の特記事項

□ 第三国インボイス

4. 以上のとおり、2. に記載する産品は、経済上の連携に関する日本国とオーストラリアの間の協定に基づくオーストラリアの原産品であることを申告します。

作成年月日　2015 年 11 月 5 日
氏名又は名称　大阪商事㈱　　　　　　　　　　印又は署名 (大阪商事印)
住所又は居所　大阪市北区東天満２－９－４
代理人の氏名又は名称　　　　　　　　　　　　印又は署名
代理人の住所又は居所

本原産品申告書の作成者 (☑輸入者、□輸出者、□生産者)

※WO:完全生産品、PE：原産材料のみから生産される産品、PSR:実質的変更基準を満たす産品、DMI:僅少の非原産材料、ACU:累積

図表107 ◆ 原産品申告明細書サンプル

税関様式 C 第 5293 号

原 産 品 申 告 明 細 書
(☑オーストラリア協定、□TPP協定、□EU協定)

1. 仕入書の番号及び日付	
NO. ATM 0001, 2015. OCT. 01	

2. 原産品申告書における産品の番号	3. 産品の関税分類番号
[1]	第 9505.10 号

4. 適用する原産性の基準
　　□WO　□PE　☑PSR　（□CTC・☑VA・□SP・□DMI・□ACU）

5. 上記 4.で適用した原産性の基準性の基準を満たすことの説明

本品は、タイ製のプラスチック原料をオーストラリアで製造加工したものであり、付加された価値（8,000 オーストラリアドル）が産品の FOB 価額全体額（10,000 オーストラリアドル）に対して 40％以上であることから、実質的変更基準を満たすこととなるので、オーストラリアの原産品と認められる。
この事実は、別添の生産証明書によって確認することができる。

6. 上記 5. の説明に係る証拠書類の保有者
　　□生産者、□輸出者、☑輸入者

7. その他の特記事項

8. 作成者　氏名又は名称及び住所又は居所
　　大阪商事㈱　大阪市北区東天満２－９－４
　　（代理人の氏名又は名称及び住所又は居所）

印又は署名

印又は署名

作成　2015 年 11 月 5 日

TPP-CPや日EU・EPA、日米貿易協定ではさらに新しい制度に

　そして、2018年12月に発効したTPP-CP（環太平洋パートナーシップ協定）や、2019年2月に発効した日EU・EPA（日本EU経済連携協定）は、さらに一歩進んで、**輸出者・生産者または輸入者による自己申告方式での原産品証明のみが認められています**。

　つまり、この2つの条約では、日本商工会議所が発行する第三者証明方式の原産地証明書は使用が認められていません。これらの条約による優遇税率適用を望む輸出者・生産者・輸入者は、原産品申告を自ら行う必要があるのです。

　具体的な申告の手順や書式については、日本の税関のウェブサイト「原産地規則ポータル（https://www.customs.go.jp/roo/）」に、「自己申告方式での原産地証明書」等のひな型が解説とともに掲載されているので、それらを参照して実施することになります。

日米貿易協定の輸入者による特恵待遇要求（自己申告）のポイント

　このうち、今後特にニーズが大きくなるであろう日米貿易協定について、さらに詳しく解説しておきましょう。

①日米貿易協定の特徴

　a.　日本からの輸出（米国での輸入）と、日本への輸入（米国での輸出）では、それぞれの輸入国における特恵税率の適用対象物品と、関税での手続きが少々異なります。

　b.　日米貿易協定を利用した特恵待遇要求は、輸入国税関に対する輸入者の自己申告のみが採用されています。また、輸出者・生産者の作成する原産地証明書（原産品申告）の制度は、この条約では日

米両国ともに、何も規定されていません（条約上には原産地証明書の規定それ自体が存在しません）。

　c．原産地規則においては、他のEPAと同様に、

　　　ⓐ 完全生産品
　　　ⓑ 原産材料のみから生産される産品
　　　ⓒ 非原産材料を使用した物品の場合は、品目別の実質的変更基準を満たす産品（PSR）

の3種類を原産品として認定しています。ただし、日米貿易協定ではⓒのPSRに「関税分類変更基準（CTC）」が採用されており、他のEPAでは使用できる「付加価値基準（VA）」は採用できないので、この点には注意が必要です。

　d．米国では、関税番号として前述したHS（上6桁）コード（→339ページ参照）ではなく、HTS（上8桁）コードというコードが使用されるのが一般的ですが、日米貿易協定の特恵待遇の適用については、原則として世界共通のHSコードを利用することになっています。

　e．TPP-CPや日EU・EPAとは異なり、日米貿易協定では、輸入国の税関による輸出者・生産者に対する事後の検認・検証の制度が規定されていません。
　輸入国税関に対して、輸入者が自己申告によって行った特恵待遇要求（輸入申告時）については、以下②で解説する「輸入国税関による原産性確認制度」が規定されているだけです。

②日本からの輸出時の米国側輸入者の輸入時特恵待遇要求とその確認手続き

　a. 米国の輸入者は、輸入申告時に米国税関に対し、輸入申告情報の一部に「輸入産品は条約協定のルールにより日本原産品である」旨を記載して、特恵待遇要求を行います。

　このときに根拠となるのは、輸入者の知識、またはその物品が日本原産品であることを示す輸入者の持つ情報です。

　なお、輸出者や生産者が、原産地証明書（または原産地申告文など）を米国税関に提示するよう求める制度は条約に存在しません。つまり、原則として輸出者や生産者は、原産地証明書等を米国税関に出す必要がありません。

　b. ただし、米国税関は、米国の輸入者に対して（製造情報を含む）「原産品理由記載申告」の提出を求めることが可能です。この情報には定型フォームはなく、可能な場合には電子データで提出してもかまいません。

図表108 ◆ 日本からの輸出時：原産性を示す情報の流れ

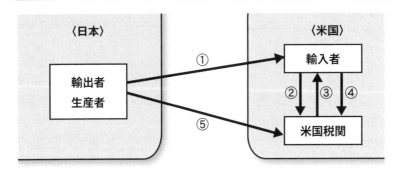

① 米国側の輸入申告に必要な情報の提供
② 米国の輸入者が、米国税関に対して輸入申告時に併せて条約による特恵待遇を自己申告にて要求する
③ 米国税関が、追加の情報提供を求める場合がある
④ 米国の輸入者が、追加の情報を提供
⑤ 上記の①②④について、米国税関として原産性確認等の情報が不十分と判断されると、米国の輸入者の指示・依頼により、日本の輸出者・生産者が直接、米国税関に情報提供をする

c. また米国税関は、その原産品が特恵待遇を与えられるべきものであると証明するのに必要な各種情報を米国の輸入者に対して求められますが、このとき米国の輸入者は、日本の輸出者・生産者に対して、直接に米国税関に対してそれらの情報を送付するよう手配できるともされています。

つまり、日本の輸出者・生産者は、米国の輸入者からの指示や依頼があった場合には、米国税関に対して直接、これらの情報の提供を行わなければなりません（実務的には、日本の輸出者や生産者が、米国の輸入者に輸出費に関する生産工程やノウハウ等の重要な秘密情報をすべて開示することは考えにくいため、日本の輸出者や生産者は、米国税関に対してのみ、それらの情報開示を行って原産性を立証することになるでしょう）。（→左図表108参照）。

d. 米国は、次のいずれかの場合、（関税上の）特恵待遇要求を拒否できます。

㋐ その産品に特恵待遇を受ける資格がない、と判断した場合
㋑ ②-b.や②-c.の手段による情報提供の依頼をし、輸入者等から情報の提供を受けても、その産品が特恵待遇を受ける資格があるかどうかについて十分な情報を得られなかった場合
㋒ 輸入者による原産性確認の手続きに不備がある場合や、要件を満たさない場合

③日本への輸入時の日本側輸入者の輸入時特恵待遇要求とその確認手続き

a. 日本に輸入する取引で日米貿易協定の特恵待遇要求を行う場合には、②-a.で上述した米国税関の対応と異なり、日本税関は日本の輸入者に対し、「原産品申告書」や「原産品申告明細書」の提出を求めます（もちろん、通常の輸入申告に求められる各種書類や

情報も必要です)。「原産品申告書」や「原産品申告明細書」の提出を行うのは日本の輸入者であり、米国の輸出者や生産者ではない点に注意してください。

　b.　条約の規定では、上述した②-b.や②-c.と同様に、日本税関が日本の輸入者に対し、特恵待遇の適用判断のための情報を要請することができるとされていますし、(日本の輸入者から依頼された)米国の輸出者・生産者が、直接、日本税関に対して情報を提供することも想定されています。

　c.　日本側が特恵待遇を拒否する際の要件は、上述した②-dの㋐㋑㋒と同様の内容です。

④日本からの輸出についての注意点

　a.　米国には、日本からの輸出前に、米国税関(米国税関国境保護局：CBP)に対して直接に事前教示を求められる制度があり、商品のHTSコードの品目分類や協定に基づく原産品判定、協定適用の可否などについて事前の確認ができます。米国税関は原則として30日以内(本部への確認の場合は90日以内)に回答することになっていますので、必要に応じて利用するといいでしょう。

　照会方法は、CBPのウェブサイト内にあるElectronic Ruling (eRuling) Template (https://erulings.cbp.gov/s/)というページを参照してください。

　b.　米国税関は、米国への輸入申告電子申請システム(ACE)において、日本の原産品については対象輸入品目のHTSコードの前に、「JP」という表示(日米貿易協定の特別プログラム表示)を付記すべきだとしています。このほか、米国側の手続きについては、米国税関のEメールアドレス(fta@cbp.dhs.gov)にも問い合わせ可能です。

第7章

「外国為替」の知識と為替変動への対応策

外国企業との取引では、代金決済を外国為替によって行うことが一般的です。外国為替に関する基本的な知識を身に付け、さらに為替変動への対応策も理解していきましょう。

1 そもそも「為替」とは何か？

　日本企業と外国企業の間の国際取引では、代金の支払いや受け取りを、現金の授受ではなく「為替(かわせ)」により行うことが一般的です。まず、この「為替」についてきちんと理解しておきましょう。

為替には国内為替と外国為替がある

　為替には、大きく分けて国内為替と外国為替の2つがあります。

● 国内為替

　国内での資金の支払いや受け取りに、現金を直接送付あるいは受領することなく、金融機関などを通じて"指図で資金移動させる"方法を国内為替と言います（「内国為替」と言うこともあります）。

　具体的には、銀行振込や口座振替、小切手、約束手形などの決済手段がこれにあたります。

● 外国為替

　外国為替も国内為替と基本的には同じで、日本と外国との間の資金の送付・受領を、現金ではなく指図によって行う方法です。

　為替手形や送金小切手、口座振替等の決済手段が利用されるのは同じですが、外国為替の場合は通常、両国で利用している通貨が異なるため、この異なる2つの通貨の交換率、つまり外国為替相場についても注意して取引を進めなければなりません。

2 「外国為替相場」の仕組みを理解する

外国為替相場には3つのレートがある

前述したように、外国為替相場とは、異なる通貨の交換率のことです。たとえば、1米国ドルを100日本円に交換できるときには、この「1米国ドル＝100日本円」という交換率が外国為替相場となります。

この外国為替相場は、国際基軸通貨である米国ドルとの関係によって、次の3つの種類に分けられます。

① 基準相場

一般的に、米国ドル以外の通貨は、国際基軸通貨である米国ドルに対してその交換率を定めます。

わが国日本の外国為替市場でも、まず米国ドルに対して日本円の相場が定まります。

たとえば、あるときの相場が「1米国ドル＝100日本円」であれば、日本の企業にとってはこれが**基準相場**となります。

② クロス・レート

他国の通貨も日本円と同様に、基本的には国際基軸通貨である米国ドルに対して相場が定まります。

たとえば、「1ユーロ＝1.5米国ドル」として相場が成立したとしたら、この相場を日本円から見て**クロス・レート**と呼びます。

③ 裁定相場

上述のとおり、米国ドルを除くほとんどすべての外国通貨は、国際基軸通貨である米国ドルを基準として相場を決定します。

そのため、米国ドル以外の外国通貨と日本円との交換率を決めるときには、米国ドル相場を経由して間接的に算出することになり、これを裁定相場と呼んでいます。

米国ドルと無関係に、日本円とその他の外国通貨の交換率を定めるわけではない点に注意しましょう。

米国ドルは国際基軸通貨として特別な立場にあり、これが覇権国・米国の経済の強さを支える一因になっているのです。

図表109 ◆ 外国為替の3つのレート

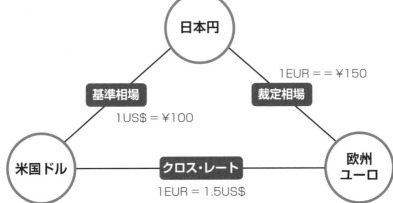

3 「対顧客相場」は毎朝、銀行店頭で公表される

一般企業が利用するのは「対顧客相場」

　実際の外国為替相場は365日24時間、主に銀行間取引市場で売買取引が行われ、一定することなく常に変動しています。この市場で形成される相場のことを**銀行間相場**（Inter-Bank Rate）と呼び、その他の為替取引の基準となります。

　一方、一般顧客となる非金融企業や個人は、銀行などの金融機関との間で為替取引を行うことによって、初めて外国為替を利用できます。このとき、金融機関と一般顧客との間で利用される交換率を**対顧客相場**（Customer's Rate）と言います。

　一般の企業や個人は銀行間取引には参加できませんから、この対顧客相場が、一般企業が利用できる外国為替相場となります。

　なお、銀行が顧客に対して外貨を売る相場を"Selling（売り）"と呼び、銀行が顧客から外貨を買う相場を"Buying（買い）"と呼びます。

仲値を中心に、売買の際の交換率が決められる

　対顧客相場は、原則として午前10時頃の銀行間相場を参考とし、毎朝、各銀行店頭で公表され、終日そのレートが適用されます。

　外国為替での対顧客相場は、銀行間相場である**仲値**（Telegraphic Transfer Middle Rate：TTM）を中心に、従来は銀行が外貨を買

う場合の**電信買相場**（Telegraphic Transfer Buying Rate：TTB）が仲値－1円、銀行が外貨を売る場合の**電信売相場**（Telegraphic Transfer Selling Rate：TTS）が仲値＋1円として、それぞれ1円分の銀行手数料を加算されたうえで値付けされていました。

しかし最近では、銀行手数料の自由化の影響によって、インターネットを通じての取引や、取引額の多い重要顧客向けの取引で、1円の銀行手数料を値引きして取引することも多く見られます。

なお、この売相場・買相場という言葉は、銀行側から見た外国通貨の売買を指していますから、顧客となる企業や個人側から見ると、売買という言葉が逆の表現になっている点にも注意しましょう。

一般的には、電信買相場（TTB）が（外貨を売って日本円にしたい）輸出者向け、電信売相場（TTS）が（日本円で外貨を買いたい）輸入者向けです。

また、対顧客相場は、その日の交換率の公表後に銀行間相場が急激に変動し、午前10時頃の公表値から大きく乖離した場合には、取引額の抑制や停止（Suspend）をする場合があることも覚えておきましょう。

「外国為替表」でさまざまな対顧客相場を理解する

決済手段や受け渡しの時期によって相場が異なる

対顧客相場には、電信買・電信売のほかにも、外国通貨の現物を売買する際の相場や、一覧払い為替手形の際の相場、期限付き払い

図表110◆外国為替表

（銀行の手数料を1円とし、郵送期間の立替金利を15銭と仮定した場合等の例）

- 103.00 ──①現金売相場 (Cash Selling Rate)
- 101.15 ──②信用状付きの一覧払い輸入手形決済・売相場
  （アクセプタンス・レート：Acceptance Rate）
- 101.00 ──③電信売相場 (TTS)
- 100.00 ──④対顧客仲値 (TTM)
- 99.00 ──⑤電信買相場 (TTB)
- 98.85 ──⑥信用状付きの一覧払い輸出手形決済・買相場
  (A/S Rate / At Sight Rate)
- 98.55 ──⑦信用状なしの一覧払い輸出手形決済・買相場
  (Without L/C A/S Rate)
- 98.45 ──⑧期限付き払いの輸出手形決済・買相場
  (Usance Buying Rate、たとえば L/C at 30 days after sight など)
- 97.00 ──⑨現金買相場 (Cash Buying Rate)

為替手形の際の相場など、いくつかの異なる交換率があります。これらの複数の相場について、ひと目でわかるように関係を整理した図としてよく利用されるのが前ページの「**外国為替表（Exchange Quotation）**」です（→図表110）。

それぞれの相場について、簡単に説明しておきます。

① **現金売相場（Cash Selling Rate）**

銀行が一般の顧客に対して、現物の外国通貨の紙幣をその場で売却する場合に適用されるのが**現金売相場**です。

一般的に、紙幣の輸入やその保管等のコストとして、3円を仲値（TTM）にプラスしたレートが利用されます。

② **信用状付きの一覧払い輸入手形決済・売相場（Acceptance Rate）**

このレートは、信用状付きの一覧払い荷為替手形決済（L/C at sight）の売相場に適用されます。

信用状取引で日本企業が輸入者となる場合、輸出国の企業は船積みを実施したあと、輸出国側の銀行で荷為替手形の買取を行います。

その後、輸出国側の銀行から輸入国側の銀行に手形を送付・呈示するまでに郵送等で一定の時間が必要なため、銀行は通常、この期間を一律に12日間の手形取立期間として計算します。

手形取立期間には当然ながら金利が発生するため、その12日分の金利は銀行がいったん立て替えます。この手形の郵送期間の立替金利を**郵便期間立替金利（Mail Days Interest）**と言い、信用状付きの一覧払い荷為替手形による決済条件の売相場では、電信売相場（TTS）にこの立替期間金利を加算してレートが計算されます。

計算式は以下のようになります。

● Acceptance Rate ＝ TTS ＋ 郵送期間立替金利

なお、実際に郵送にかかった期間が仮に12日に満たない場合でも、12日分の金利はかかることとして計算されますが、逆に12日を超えると、その超えた日数分の金利は上乗せして加算されます。

なお、郵送期間立替金利は、以下の計算式で算出されます。

- 郵送期間立替金利＝電信売相場（TTS）×
 （米国プライムレート＋1％〔銀行の手数料〕）×12日÷365日

※米国プライムレートとは、米国の市中貸出金利のうち、一流企業向け優遇貸出金利のことです。

図表111 ◆ アクセプタンス・レートの仕組み

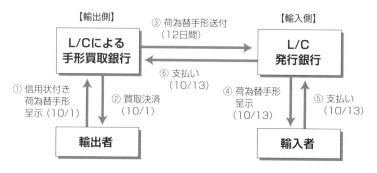

※この図表では、輸出者が買取銀行から、10/1に入金される際の買取決済レートとして適用されています。

③ 電信売相場（TTS）

銀行で外貨の売り渡しが円貨の受領と同時になされ、かつ、資金立替が発生しない、つまり金利の発生しない場合の売為替取引の相場です。支払時期に関わらず、決済方法が電信送金（T/T）の場合にはこのレートが適用されます。

また、信用状なしの一覧払い手形（D/P手形）や期限付き払い手形（D/A手形）についても、輸入側の銀行は輸入者が支払った代金を輸出側の銀行に送金するだけですから、輸入側の銀行では立替金利が発生しません。そのため、TTS相場が適用されます。

④ 仲値（TTM）

前述のとおり、仲値は対顧客相場の基準となるレートであり、通常はその日の午前10時頃の銀行間相場が利用されます。

⑤ 電信買相場（TTB）

銀行による外貨の買取が円貨の支払いと同時になされ、かつ、資金立替、つまり金利の発生しない場合の買為替取引の相場です。

日本の輸入者が、海外から送金された外貨を円貨に転換して、輸出者の輸出代金として支払う場合にはこの相場が使われます。

また、信用状なしの場合で、D/P手形・D/A手形について輸出取立金を支払う場合にも利用されます。

なお、海外から外貨が送金されることを「被仕向送金」と言います（日本から海外へ送金する場合は「仕向送金」）。

⑥ 信用状付きの一覧払い輸出手形決済・買相場
（At Sight Rate / At Sight Buying Rate）

信用状取引では、輸出地の買取銀行は信用状という輸入者側銀行の支払確約証を入手できるので、輸出者の作成した（＝振り出した）荷為替手形を買い取り、輸出者に輸出代金の支払いを行います。

このとき買取銀行は、支払銀行から手形代金を回収するまでに要する郵送期間の金利立替分を折り込んで輸出者に支払うこととなっており、電信買相場（TTB）から郵便期間立替金利を減算して、適用する相場を算出します。

これを、A/S Rate あるいは At Sight Rate と呼び、計算式は以下のとおりで、郵便期間立替金利については②で解説したのと同じ計算式を利用します。

- A/S Rate（At Sight Rate）= TTB − 郵送期間立替金利

⑦ 信用状なしの一覧払い輸出手形決済・買相場
（Without L/C at sight Buying Rate）
上記⑥に対して、信用状がないために銀行で一定のリスク負担料を差し引かれるレートです。

⑧ 期限付き払い輸出手形決済・買相場（Usance Buying Rate）
輸出地の買取銀行が、輸出者から信用状付きの期限付き払い輸出手形（ただし、ユーザンス金利は輸出者負担条件）を買い取った場合の相場で、ユーザンス期間（＝支払猶予期間）に応じて相場が異なります。計算式は、以下のとおりです。

- Usance Buying Rate ＝ 電信買相場（TTB）−郵送期間立替金利
  −ユーザンス金利

⑨ 現金買相場（Cash Buying Rate）
銀行が顧客から外国通貨を直接引き取り、その場で日本円を支払う場合に適用されるレートです。
従来は、銀行の手数料として3円を仲値（TTM）からマイナスして相場が決定されました。しかし、最近では顧客サービスとして優遇レートでの取引も増えています。

5 「先物相場」についての知識も必要になる

受け渡しの時期で「直物相場」と「先物相場」に分かれる

　外国為替取引では、為替の売買契約成立から2営業日目以内に受け渡しが実行される相場を「直物相場（Spot Rate）」と呼びます。

　通常、テレビや新聞などで外国為替相場として表示されるのはこの相場です。

　一方で、2営業日よりあとの特定日や特定期間内に（つまり、直物相場ではない期間に）、通貨の受け渡しをすることを約束する際の相場のことを「先物相場（Forward Rate）」と呼びます。なお、市場で取引対象にされる通貨の「先物（Future）」と区別するため、「先渡し相場」と言うこともあります。

　貿易取引では、為替変動リスクに対するヘッジ手段（＝リスクを回避するための手段）として、この先物相場を使うことがよくあります（具体的な方法は後述します）。

予約の実行時期は自由に選べる

　先物相場は、1ヵ月物、3ヵ月物、6ヵ月物などと、月単位の参考価格で表示されることが多いのですが、実際には利用者のニーズに応じて、通貨の受け渡しまでの期間は自由に設定できます。

　受渡期間の設定には、次のような典型的な条件がいくつかありますから、覚えておくと役に立ちます。

- ●順月特定日渡：契約成立から２営業日目よりあとの特定日に受け渡しを行う条件
- ●歴　月　渡：為替の受け渡しをする月を特定するもので、実際に受け渡しを行うのはその１ヵ月間の間ならどの日でも有効となる条件
- ●順　月　渡：暦月渡に似ているが、たとえば「１月５日〜２月４日」のように月をまたいで１ヵ月間の期間を指定し、その１ヵ月の間ならどの日でも受け渡しが有効になる条件
- ●特定期間渡：「１月15日〜30日」のように、特定の期間を指定する条件

先物相場に適用される為替レート（＝交換率）は、こうした受け渡しまでの期間によって変わり、契約成立時点の先物レートが適用されます。ただし、実際の資金の移動があるのは、あくまで約束した将来の受渡日です。

ちなみに、金融機関が休みになる休日や土曜・日曜には受け渡しは行えません。

先物相場の算出方法

直物相場と先物相場の差を**スプレッド（Spread）**あるいは**スワップ・レート（Swap Rate）**と呼びます。このスプレッド（＝スワップ・レート）は、異なる通貨間の金利差から算出されます。

先物相場は、直物相場にこのスプレッドを加減算して決定されます（厳密には、手数料等も加算されます）。

日本円と比較して、外国通貨の先物高を「**プレミアム（Premium）**」と言い、先物安を「**ディスカウント（Discount）**」と言いますが、

プレミアムのときには直物相場にスプレッドを加算し、逆にディスカウントのときには直物相場からスプレッドを減算して先物相場を決定します。

このような先物相場の決定方法を、**金利裁定取引方式**と言います。

● **具体例の検証**

実際に、直物相場と日米間の金利情報からスプレッドを算出し、先物相場を計算してみましょう。所定の条件は以下のとおりです（ここでは手数料は考慮しません）。

> ① 日本円の市場金利············1％（年率）
> ② 米国ドルの市場金利·········3％（年率）
> ③ 日米間の金利差··············2％〔3％－1％〕
> ④ 予約実行日までの期間········6ヵ月
> ⑤ 直物相場······················1米国ドル＝100日本円

まずは、③の日米間の金利差を直物相場に乗算し、受け渡しまでの期間を考慮してスプレッドを算出します。

> 計算式：⑤×③×6÷12＝100円×0.02×6÷12＝1円

そして、この場合は日本円の市場金利が米国ドルの市場金利よりも低く、日本円の相場は米国ドルを基準にして「ディスカウント」の状態にありますから、直物相場からスプレッドを減算すれば、先物相場が算出できます。

> 計算式：100円－1円
>   → 先物相場（6ヵ月もの）：1米国ドル＝99日本円

6 決済通貨を日本円にして為替変動リスクを切り離す

ここまでの解説で、外国為替に関する最低限の知識は理解できたと思います。ここからは、具体的に貿易取引でどのようにすれば、為替変動のリスクをヘッジできるのかを中心に見ていきます。

日本円は国際決済も可能な通貨

日本円は、貿易決済にも有効な国際通貨です。基軸通貨である米国ドルには及びませんが、ユーロや英国ポンドなどと並ぶ国際決済通貨としての地位を有しています。

そのため、貿易取引において外国為替相場の変動リスクをとりたくない場合に、日本企業であれば決済通貨として日本円を使うことが第1の選択として考えられます。

特にこちら側が国際取引に慣れていない場合には、外貨での価格設定や決済とするのではなく、まず日本円の使用を考えましょう。日本円を取引の決済通貨とすることに相手方を同意させられれば、日本側としては為替相場の変動リスクから完全に切り離されることになります。

特にアジア諸国との取引では、日本円建てとすることが可能なケースが少なくないはずです。

7 契約条件を上手に設定することでリスクを限定する

　売買契約の際に、為替変動リスクを限定する契約条件を含めることで、為替変動への耐性が高い取引とすることもできます。

円約款でリスクを限定する

　円約款とは、当初の売買契約では外貨建てで価格条件を設定するけれども、契約締結後に一定率を超える大幅な円高や円安が発生した場合には、価格を円建てに変更する契約条項のことです。

　たとえば、日本からの輸出について、外国バイヤーとの間で当初は商品代金を US＄10,000.- として契約をしたとします。このとき、外国為替相場は「1米国ドル＝100日本円」でした。

　この条件で、もし契約締結後に東京外国為替市場の相場が急変動し、たとえば「1米国ドル＝80日本円」の円高となったら、輸出側で当初、日本円換算で100万円を見込んでいた売上金額が80万円しか入らなくなってしまいます。

　それでは困るので、たとえば決済実行までに10％以上の為替変動があった場合には、商品代金を JPY900,000.- として固定することを条件とする旨の円約款を設定したうえで契約を結ぶのです。

　この円約款があれば、たとえ「1米国ドル＝100日本円」から「1米国ドル＝80日本円」に為替相場が急変動したとしても、輸出者側は90万円の売上を確保できるわけです。

日本側メーカーと商社との取り決めでリスク分散する

　日本の製造業者が輸出取引で商社を利用する場合には、商社との間であらかじめ為替変動リスクに関する取り決めを結んでおくことで、ある程度リスクの分散をすることもあります。

　これは、日本の商社が外国の顧客バイヤーとの間で外貨建てで売買契約せざるを得ない場合に、日本のメーカーと商社との間で、外国為替相場の変動による損失をメーカー側が負担したり、商社とメーカーの両者で折半したりすることをあらかじめ決めておく、という方法です。

　日本国内のメーカーと商社との間の話し合いで為替変動リスクの分担割合を決めることができるので、状況が許せば利用してもよいでしょう。

8 「リーズ・アンド・ラグズ」による相場変動対策

為替変動のトレンドを予測して決済時期をずらす

　リーズ・アンド・ラグズ（Leads & Lags）とは、外国為替相場のトレンド（＝傾向）を予測して、国際取引の決済時期を意図的に早めたり、逆に遅くしたりすることです。

　Leadsは「支払いや取引自体を早めること」、Lagsは「支払いや取引自体を引き延ばすこと」を意味します。

　外国為替相場には、短期的・中長期的に一定の円高トレンドや円安トレンドが発生することがあり、そのトレンドを担当者が判断して決済時期をずらすことで、為替差損を避けたり、逆に為替差益を得たりすることを狙うのです。

　つまり、円高傾向なら海外への外貨送金（＝輸入代金の決済）は先に延ばす一方で、輸出代金の決済は可能な限り早く外国通貨を日本円に転換します。そのほうが、為替変動リスクが自社に有利に働くからです。

　そして逆に、円安傾向ならその逆の行動をとります。海外への外貨送金（＝輸入代金の決済）はすぐにでも行い、反対に輸出代金の決済はできるだけ先に延ばすのです。

リーズ・アンド・ラグズにはさまざまな方法がある

　なお、リーズ・アンド・ラグズを実施する方法は、直接的な決済

時期の調整だけに限りません。以下の①の方法をとることが一般的ですが、②や③の方法をとることもあります。

① 代金の支払いや受け取りを、予定日より早めたり遅くしたりする
② 輸出・輸入の契約締結時期を早めたり遅くしたりする
③ シッパーズ・ユーザンス（輸入者が輸出者の了解を得て、代金支払いの時期について猶予されるシステム）の期間を長くしたり短くしたりする　など

こうしたリーズ・アンド・ラグズによる為替変動リスクへの対応は、特に日本企業が海外に子会社や支店を持っている場合には、日本から外貨送金を行う際に日常的に行われています。この場合、トレンドの判断をするのはその会社の財務部門や外為部門の担当者になります。

また、リーズ・アンド・ラグズはあくまでも予測に基づく為替変動リスクへの対応策であるため、担当者が外国為替相場のトレンドを読み間違えると、この方法だけでは逆に大きな為替差損を受けかねない点にも留意しておきましょう。

9 「金融取引」による運用益でリスク・ヘッジを行う

成約から代金回収・支払いまでの時間を利用する方法

　貿易取引では、契約の成約からその実行（＝船積みの実施）を経て、代金の受け払いが終了するまでの間にかなりの時間がかかります。特に信用状取引の場合には、このプロセスに数ヵ月かかることも珍しくありません。

　この期間をうまく利用し、金融取引によって運用益を上げることで、為替差損が出た場合に運用益と相殺してリスク・ヘッジする方法があります。

　この手法では、為替差損が出なければ収益として運用益を得ることも可能です。

● 輸出者のケース

　輸出者であれば、契約に基づく信用状を受領した段階で、銀行から輸出代金相当額の円資金を借り入れたり、外貨を借り入れたりして、比較的安全な投資商品で運用し、銀行での手形買取や取立をして輸出代金を回収したら、その代金をもともとの借入金の返済原資として利用する、などの方法をとります。

　借入から返済までに時間的なズレがありますから、その間の運用益を、万一の為替差損との相殺にあてるというわけです。

　もちろん、為替差損が発生しなければ、運用益はそのまま輸出者の収益となります。

なお、このようなケースでの邦銀による外貨の貸付を「**インパクト・ローン**」と言い、銀行が日本企業等に対して、使途制限のない資金を外貨で貸し付けるものです。

● 輸入者のケース

　輸入者であれば、契約成立の段階で銀行から円資金を借り入れ、いったん外貨に交換したうえで、輸入代金決済日までの間、比較的安全な投資商品で運用するなどします。この場合、決済日にはこの外貨を使って輸入代金を支払います。

　そして、輸入者が輸入貨物を売却して円資金を回収したあと、銀行に当初借りていた円資金を返済します。

　ここでも、借入から返済までの期間を利用して運用益を上げ、それを為替差損との相殺にあてるか、収益として計上するわけです。

10 「(先物)為替予約」によるリスク・ヘッジ

予約時点で代金を確定できる

　(先物)為替予約とは、将来時点での円貨と外貨の交換率を、貿易業者が現時点で金融機関と取り決めておく契約です。貿易取引では、為替相場の変動リスクに対処するため、貿易代金の一定額を為替予約しておくことがよく行われます。

　外貨の種類や金額、受渡時期、交換率などを決めていったん為替予約すると、貿易業者にとっては、予約した期日に実際に両替を実施することが義務となります（金融機関にとってもそれに応じることが義務となります）。

　たとえば、輸入者が3ヵ月先のドル買いを「1ドル＝100円」で為替予約したら、その後、為替が自社に有利に変動して、実際に3ヵ月経った時点での為替レートが「1ドル＝80円」であったとしても、「1ドル＝100円」でドル買いを実施しなくてはなりません。

　逆に、実際に3ヵ月経った時点での為替レートが「1ドル＝120円」で自社に不利に変動していたとしても、「1ドル＝100円」で有利にドル買いを実施できます。

　相場の変動によって、結果的に有利になることも不利になることもあるのですが、予約した段階で自国通貨（この場合は円貨）での代金を確定できるという大きなメリットがあるわけです。適用されるレートは前述の先物相場で、先物相場の算出方法や予約の実行時期についても、すでに前述したとおりです（→ 388ページ参照）。

11 「マリー」による為替リスク対策とは何か？

外貨債権と外貨債務が、為替変動による損益を相殺する

　マリーとは「外貨預金の利用」を意味する言葉で、外貨の債権と債務を同時に発生させることで、為替の変動リスクを回避する方法です。

　たとえば、輸出も輸入も手がける企業において、輸出代金をある時点で外貨で回収できることがわかったら（＝債権の発生）、それを円貨に両替せずに外貨預金のままにしておき、債権発生よりあとの期日の輸入代金支払い等、同程度の金額の外貨での支払い（＝債務）をその外貨預金から行うようにするのです。

図表112◆ マリーの仕組み

　この方法なら、外貨の債権と債務が同時に存在しているので、為替相場が円高・円安のどちらに変動しても、債権・債務それぞれに関する為替差損と為替差益がお互いを打ち消し合い、少なくとも債権が消滅するまでの期間、有効なリスク・ヘッジ方法となります。

12 「オプション取引」によるリスク・ヘッジ方法を知る

行使価格での「権利」を売買する

　外国為替におけるオプション取引とは、将来の外貨と円貨の交換率に関して、売り手と買い手で「行使価格」を約束し、この価格での両替を実行したり、放棄したりする「権利」を売買する取引のことです。そして、この権利を「オプション」と呼びます。

　対価を支払って権利を確保した買い手は、権利行使期日に行使価格が直物相場より有利なら、オプションを行使します（＝実際に外貨と円貨の交換を行う）。

　しかし逆に、行使価格が直物相場より不利ならば、オプションを放棄できます。つまり、オプション契約を行使することをやめて、その代わりに直物相場の外国為替市場で通貨の売買を実行してしまうのです。

　また、オプション取引は、取引する権利の種類によって、以下の2つの取引に大別できます。

① コール・オプション取引

　買い手が「買い付ける権利」を取得し、その対価（「プレミアム」と言います）を売り手に支払います。

　売り手は、プレミアムを受け取る代わりに、契約行使期日に買い手の請求があれば、通貨商品を権利行使価格で売り渡さなくてはなりません。

② プット・オプション取引

買い手が「売り付ける権利」を取得し、そのプレミアムを売り手に支払います。

売り手は、プレミアムを受け取る代わりに、契約行使期日に買い手の請求があれば、通貨商品を権利行使価格で引き取らなければなりません。

通貨オプションの具体例の検証

オプション取引は、輸出の場合でも輸入の場合でも、うまく利用すれば為替変動のリスクを上手にヘッジできます。

● 輸出の場合

たとえば、直物相場が「1ドル=100円」のとき、行使価格を100円とし、1ヵ月後にドルを売って円を買う権利(=ドルのプット・オプション)を、オプション料2円を支払って輸出者が購入したと仮定します。

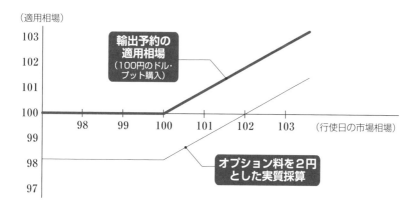

図表113◆ 通貨オプションの例（輸出の場合）

その後、行使日の直物相場が、100円よりも円高が進んで90円になった場合、何もリスク・ヘッジをしていなければ輸出者は円高によって大きな為替差損を被ります。
　しかし、事前に上記のオプション取引をしていれば、輸出者はプット・オプション（＝売る権利）を行使して100円でドルを売り、100円から2円のオプション料を差し引いて1ドルあたり実質98円で輸出代金（輸出採算）を確保できます。
　つまり、本来なら被っていたであろう為替変動による損害額を、オプション料の2円分だけに抑えたわけです。
　また、行使日の直物相場が行使価格100円と同じ場合には、オプション（権利）を行使しても放棄しても同じで、100円から2円のオプション料を差し引いて1ドルあたり実質98円となり、この場合もマイナスはオプション料を支払った分の2円だけになります。
　一方、100円よりも円安が進み、たとえば110円となれば、輸出者はオプションを放棄して直物相場110円でドルを売り、110円から2円のオプション料を差し引いた1ドルあたり実質108円でドルを売ることになるので、円安のメリットを享受できます。
　オプション取引で事前に為替変動へのリスク・ヘッジを行うことで、本来、輸出者にとって不利になる円高のケースでマイナスの上限をオプション料の2円に抑えると同時に、輸出者にとって有利になる円安の際には、為替差益の恩恵を得られるという高度な対応ができるのです（変わらずの際はマイナスになりますが、それも2円が上限）。
　上記の例では、実質採算で100円を確保するには、1ヵ月後の期日（オプションの行使日）の直物相場が102円まで円安にならなければなりませんが、為替差損を事前に一定の範囲内（この例ではオプション料の2円）に確定させることができ、同時に為替差益は狙うことができるため、輸出者にとって大きなメリットのある方法になっています。

● 輸入の場合

　同じく、たとえば、直物相場が「1ドル＝100円」のときに、行使価格を100円とし1ヵ月後にドルを買って円を売る権利（＝ドルのコール・オプション）を、オプション料2円を支払って輸入者が購入したと仮定します。このとき、実質採算で100円を確保するには、行使日の直物相場が98円まで円高にならなければなりません。

　その後、行使日の直物相場が100円よりも進み、110円の円安になった場合、何もリスク・ヘッジをしていなければ輸入者は円安によって大きな為替差損を被りますが、事前に上記のオプション取引をしていれば、コール・オプション（＝買う権利）を行使して100円でドルを買い、100円＋2円（オプション料）＝102円で輸入決済できます。

　また、行使日の直物相場が行使価格（予約レート）100円と同じ場合には、行使しても放棄しても同様の100円＋2円＝102円となります。

　一方、100円よりも円高が進み、たとえば90円となれば、オプショ

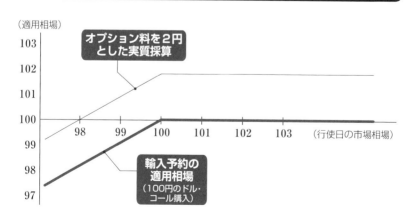

図表114◆通貨オプションの例（輸入の場合）

ンを放棄して直物相場 90 円でドルを買い、90 円 + 2 円 = 92 円で輸入決済ができ、円高のメリットを享受できるわけです。

　輸出者の場合と同じく、オプション取引で事前に為替変動へのリスク・ヘッジを行うことで、本来、輸入者にとって不利になる円安のケースでマイナスの上限をオプション料の 2 円に抑えると同時に、輸入者にとって有利になる円高の際には、為替差益の恩恵を得られるという高度な対応ができるのです（変わらずの際はマイナスになりますが、それも 2 円が上限）。

13 「スワップ取引」による リスク・ヘッジ方法を知る

外貨の売りと買いを同時に行って採算を確定する

　為替取引する通貨について、直物と先物を同時に反対取引することを**スワップ取引**と言い、大手商社などはこの方法で為替変動リスクに対処しているケースが一般的です。

　具体的には、たとえば10万米国ドルの直物を買った場合に同時に同額の先物を売る、あるいは、10万米国ドルの直物を売った場合に同時に同額の先物を買うことで、決済期日までの外国為替相場の変動リスクをカバーするとともに、早い段階で採算を確定してしまいます。

　ほかのリスク・ヘッジ方法にも言えることですが、多少の手数料等がかかっても、早い段階で取引の採算を確定してしまうことが貿易取引では非常に重要です。

　為替の変動によって、決済が終わるまでは最終的な取引の採算がわからないというのでは、社内的な予算を立てたり取引結果を評価したりするのに問題が出ますし、全社的な売上高や入金額の確定もできないからです。

14 「通貨バスケット方式」で為替変動リスクに対応する

複数の通貨に分散することでリスクを分散する

このほか、為替変動リスクをヘッジする方法に通貨バスケット方式があります。

通貨バスケット方式とは、国際取引を外貨で決済する際に、多数の外貨を使うことで為替リスクを回避する方法です。

たとえば、日本円は米国ドルに対しては円高であっても、ユーロやスイス・フランに対して円安であれば、持高（ポジション高）によってはうまくバランスする場合があります。

この方式を採用する場合は、外貨をできるだけ多数保有することで、全体のバランスがとれてリスク対策となります。しかも、できれば為替レートの変動傾向が異なる複数の外国通貨を組み合わせることが望ましいでしょう。

この方法では、これら多数の外貨を保有しておくコストや手間がかかりますから、採用にあたっては事前に自社のニーズに合致するか、よく検討することが必要です。

第8章

「クレーム」の種類と処理方法を知る

貿易業務の量が増えてくると、自ずからさまざまな「クレーム」も増えてきます。クレームの種類とそれぞれのケースでの処理方法を知り、自社の信用維持に努めましょう。

1 貿易取引での「クレーム」は4種類ある

国内取引での「クレーム」とは意味が違う

貿易取引の過程で起こるさまざまなトラブルに関して、金銭をともなう損害賠償請求などをすること、あるいはされることを、貿易実務では「クレーム（Claim）」と呼びます。

通常の国内取引では、「クレーム」という単語は主に「（消費者や取引相手からの）苦情の申立て」の意味で使われていますが、貿易取引の場合は意味が異なる点に注意してください。

クレームの種類とそれぞれの対処法を理解することが大切

貿易取引でのクレームは、問題が起こった原因に応じて、主に以下の4種類に分類できます。

① **運送クレーム**

荷物の破損・個数不足・不着など、明らかに船会社等に責任がある場合のクレーム

② **保険クレーム**

航海中の共同海損（→263ページ参照）や原因不明の貨物喪失など、船会社等に責任を求めることができない場合のクレーム。または、運送クレームのケースで、船会社等にクレームしたものの免責主張された場合

③ 貿易クレーム
　商品違いや契約品質の未達、梱包不良など、貿易取引の相手方の責任に起因する場合

④ 法務クレーム
　輸出国や輸入国の法律・規則等を原因とするクレーム

　国内での商取引と同じく、こうしたクレームは貿易取引の業務量が増えれば、不可避的に発生してきます。

　しかし、避けることができないクレームに対して、その種類に応じた的確で迅速な対応をとれば、クレームはむしろ、取引相手先からの自社への信頼を築くための一助ともなります。その意識を忘れず、4種類のクレームへの理解を深め、ケースごとの対処方法をマスターしておくことが大切です。

　また同時に、それぞれの種類のクレームが起きないように、事前に自社で対応できる部分は可能な限り対応し、クレームが発生する確率を最低限に抑えられるよう、努力することも重要です。

2 「運送クレーム」はほとんどの場合、直接責任を問えない

運送契約締結の段階で、運送会社の免責を認めている

　梱包の不備など荷送人の責任ではない場合の、船積みや荷卸し等の過程での貨物の損害、あるいは運送途中や保管期間中の貨物の滅失、不着などは、一般的には運送を請け負った船会社や航空会社に責任があると考えられます。
　こうした責任に関して、損害賠償等を運送会社に求めるのが運送クレームです。
　しかし、船会社や航空会社に貨物の運送を依頼する際、貿易当事者は船会社や航空会社と何らかの運送契約を結ぶのですが、この契約の条項には必ず、これらの運送クレームに関して"運送会社の免責"を認める条項が入っています。
　この免責条項を認めない限り、運送会社は運送を引き受けませんから、実務では運送トラブルの責任を直接船会社や航空会社に求めることは多くありません。
　もし実際に船会社等にクレームしたとしても、運送会社側は契約条項に基づいて免責を主張するでしょう。
　そこで、こうした種類の損害に対しては、実際には貨物海上保険などの損害保険で対応することになります。つまり、次節で説明する「保険クレーム」として扱うことが一般的です。

「保険クレーム」を実施する方法を知る

　前述のとおり、船会社の免責等によって運送クレームの多くは保険クレームとして処理されます。また、保険クレームには、運送会社の責任ではない運送中の事故、つまり共同海損や原因不明の貨物の損害・滅失などの場合の損害賠償請求等も含まれます。

　これらの問題が発生した場合に、荷主はどのように行動したらいいか。また、問題の発生に備えてどのような準備をしておくべきか、詳しく見ていきましょう。

荷卸し段階での検品が必須

　まず、荷主が必ず行うべきこととして、輸入港での商品荷卸しの際、荷主の代理人に必ず「検品」させることが挙げられます。

　この検品の際、商品に破損など異状が発見された場合は、船会社や航空会社に対して、以下の書類にリマーク（Remark：問題発生の表記）を記入するよう要求します。

- コンテナ船・LCL の場合：デバンニング・レポート
　　　　　　　　　　　　　（Devanning Report）
- コンテナ船・FCL の場合や在来船の場合：
　　　　　　　　　　　ボート・ノート（Boat Note）
　　　　　　　　　　（「貨物受渡書」とも言います）
- 航空輸送の場合：デバンニング・レポートや入庫報告書

そして、荷主は速やかに保険会社やその代理店に損害発生の通知を行い、保険クレームを申し立てる意志を伝えます。

また、船会社や航空会社に対しては、損害内容を通知する「**事故通知（Claim Note）**」を提出します。

この事故通知の提出が遅れると、保険による補償を受けられないことがありますので、定められた期間までに速やかに提出してください（船会社に対する運送クレームの場合は通常3日以内、航空会社の場合は通常7日あるいは14日以内）。

第3者鑑定機関による鑑定を行うことが一般的

その後、荷主と保険会社（あるいはその代理店）との間で話し合いが行われ、**第3者鑑定機関（Surveyor）**による鑑定を行うかどうかが決められます（第3者鑑定機関は、単に「**サーベイヤー**」と呼ぶことも少なくありません）。

ただし、サーベイヤーの起用には費用がかかりますから、常に利用されるわけではありません。原因や損害内容が明白である、あるいは損害額が少額の場合などには、起用されないこともあります。

サーベイヤーとしては、英国の**ロイズ（Lloyd's）**がもっとも有名で、世界的な信用力があります。日本では、**日本海事検定協会**や**新日本検定協会**などがあります。

もし、サーベイヤーを起用した場合には、サーベイヤーは正式な報告書である**サーベイ・レポート（Survey Report）**を作成します。

サーベイ・レポートでは、貨物やその引渡しの明細、損害の原因と程度、処理方法と付帯費用の明細などが詳細に述べられます。

そして、第3者鑑定機関からサーベイ・レポートが提出されたら、必要な船積書類を揃えて「本クレーム」を行います。これも、保険会社やその代理店経由で行います。

「貿易クレーム」の要因と要因ごとの対処方法

貿易クレームの種類を把握する

「貿易クレーム」とは、取引相手先の責任で発生した損害に対し、賠償等を求めること、あるいは求められることですが、その原因は大きく次の3種類に分類できます。

① 商品の品質・数量等の違い

　色・柄・寸法などが契約した内容と異なる場合、あるいは商品そのものが約束した商品と異なる場合（発送商品の間違い）、また、品質不良や数量不足など、商品の状態に関わる問題が起きたときには、貿易クレームとなります。

② 商品の受け渡しに関する問題

　船積みや納品の遅延など、運送会社ではなく発送者の責任によって商品の受け渡しが遅延した場合には、納期の遅れにつながり貿易クレームとなります。

③ 代金回収や注文内容変更に関する問題

　買主からの商品代金の不払いや、正式注文後の突然の注文キャンセルなども、当然ながら貿易クレームとなります。

　ひとくちに貿易クレームと言っても、その原因は上記のようにさ

まざまであり、それぞれの原因に応じた予防・対処策が求められます。

商品の品質・数量に関するクレームにどう対応するか

● 品質不良のケース

特に輸入の場合は、クレームの多くは外国企業の製造した商品の品質不良に関するものです。こうしたクレームを回避するためには、事前に次のような予防策をとることが何より重要です。

a. クレーム発生時の対処方法に関する事前合意

相手方と契約をする際に、あらかじめ品質不良商品の発生があった場合の不良品即時交換や修理代金弁償などの具体的対処方法を双方で合意しておき、そうした内容を契約文書に条項として含ませて契約を締結することです。

品質に関する判断基準として、見本品(サンプル)や図面などの客観的な証拠を手許に保管しておくことも大切です。

b. 品質についての認識をしっかり一致させる

商品品質については、商慣習の違いから外国企業との間で認識の不一致が発生することがあります。

あらかじめ相手方との間で、どの程度から品質不良とするのか、数値ベースで認識を一致させるようしっかりと話し合うことが必要です。

なお、当初から**品質規格基準書**を含む契約書を締結すると、比較的安全だと言えます。

c. 生産途中の品質をチェックする

　時間や費用に関して許容できるようであれば、相手方への発注後、相手方の工場等に直接出張し、生産中の商品の品質レベルを事前にチェックする方法がもっとも確実です。

　品質に関する問題発生を絶対に許容できない個別生産の高額商品などでは、こうした方法を検討することも必要でしょう。

d. 荷卸しした商品の迅速な検品

　商品が輸入港に到着し、荷卸しされたら、できるだけ早急に検品を行うようにしておき、問題があってもなくても、速やかにその結果を相手に通知する体制を整備しておくことも大切です。

　こうした事前の対応をしておけば、万一、品質に関するクレームが発生したときにも、その内容を相手方に伝えるとともに、契約書に従って対処を進めるだけで、問題を解決できるはずです。

● 数量不足のケース

　輸出・輸入した商品の数量が、契約した数量に不足していると貿易クレームが発生します。

　この数量不足のケースでは、コンテナの封印（シール）に異常があるかどうかによって対応が変わります。

　コンテナの封印に異常がある場合、数量不足の原因として盗難が強く示唆されます。そこでこの場合には、保険クレームとして保険会社へ保険金の求償をして解決します。

　これに対して、コンテナの封印に問題がない場合には、商品をバンニングした段階ですでに数量が不足していた可能性が高くなります。そこでこの場合には、数量不足を輸出者の責任として、貿易クレームによって処理します。

具体的には、不足分の商品を事後に相手方に発送したり、代金減額をしたりして対処することが一般的です。

なお、貨物の盗難を防ぐ予防策として、包装・荷印の記載を、内容物がすぐにわかる商品名ではなく、記号や暗号で行うこともあります。

商品の受け渡しに関するクレームにどう対応するか

● 輸出の場合

輸出の場合、相手方からの急な仕様変更依頼等により商品の生産に遅延が発生したり、相手方の信用状開設や支払いが遅延したことにより船積みが遅延したりする場合があります。

この場合は、相手方に責任のある船積みの遅延＝納期の遅延ですから、**納期が遅れる旨を相手方に事前に通知してから、輸出者側での船積みを実行することが大切です**。

また、船や航空機の輸送スペースの確保に関しても常に情報収集しておき、輸出者側の責任で船積みが遅れないように注意することも必要です。

好景気の際には、船・航空機の輸送スペースは不足しやすくなるので、十分な時間的余裕を見てブッキングを進めることが必要となります。逆に不景気の際には、それまでは就航していた定期船が減便されたりすることもありますから、事前に船会社やフォワーダーと情報交換しておくことが大切です。

そして輸出者は、相手国側の祝祭日・記念日・国政選挙の日程などのカレンダーのほか、文化・慣習・政治・経済等に常に敏感になり、相手国での湾港施設や行政機関の非営業日、また、万一のストライキや内乱などの危険性についても、常に情報収集するように心がけてください。

● 輸入の場合

　輸入の場合、納期の遅延について、原因が明らかに相手方の外国企業にあるケースでは、相手方に対する損害賠償を請求することになります。

　契約を締結する段階で、納期の遅延に備えたペナルティ（罰金）をあらかじめ設定しておくと、こうしたクレームの処理もスムーズに進みます。また、次回の契約の際に、前回の契約での遅延に対するペナルティを課す場合もあります。

　貨物海上保険等の損害保険には、通常は免責条項が定められているので注意が必要です。実務に関係する損害保険の主な免責対象は、次のようなものです。

a. 貨物固有の欠陥や性質による損害。たとえば、食品の劣化や腐敗、木製品の反りや曲がり等
b. 輸出梱包の不完全や積み付けの不良
c. 不可抗力（たとえば台風や地震等）による運送自体の遅延
d. 貿易当事者（輸出者・輸入者）の故意や過失による損害。たとえば、輸入者の商品取扱に不備がある等
e. 保険の種類としてカバーできない原因。たとえば、戦争や内乱を原因とした貨物損害については、別途特約を追加して担保する必要があります

　外国の輸出者側に責任のない遅延の原因が、損害保険のこれらの免責対象に含まれる場合には、保険クレームでも損害を補塡することができません。保険クレームの免責対象を事前に知ったうえで、取引を行うようにしましょう。

代金回収や注文内容変更に関するクレームにどう対応するか

● 代金回収トラブルのケース

　輸出の際、相手方からの代金の支払いが、契約したとおりの方法や期日で行われない場合があります。輸出者としては、もっとも避けたいトラブルです。

　このような場合には、相手方に対して書面（→右図表115および420ページ・図表116参照）やEメール等によって支払遅延を通知するとともに、場合によっては国際電話や出張訪問を行って、直接支払いを催促します。

　なお、相手方に通知・催促する際に大事なことは、支払期限とその金額を明確にすることです。

　このようなトラブルを未然に防ぐためには、契約の前段階で、相手先の信用調査をしっかりと行っておくことが非常に重要なことは、言うまでもありません。

● 注文変更に関するトラブルのケース

　相手方からの注文を受領し、すでに商品の生産を済ませたあとで、相手側の一方的な都合（たとえば、輸入地での市況の変化や輸入者の財務状況の変化など）によって、直前になって注文のキャンセルが行われることがあります。こうした状況は、輸出者にとっては対応に大変苦慮するものです。

　まず、相手方の一方的な注文キャンセルについては、契約不履行責任を厳しく追及することが基本です。

　上記の代金回収トラブルのケースと同じように、書面やEメール等で契約履行を強く催促するとともに、場合によっては国際電話や出張訪問をして、直接相手方のところへ交渉に出向きましょう。

　ただし、注文内容変更や注文キャンセルの理由が、相手方の財務

図表115 ◆ 未入金通知書（英文）サンプル

.... , 20XX

Mr. / Ms. ....
[Company name]
[Address]

Subject	:	Late Account
Invoice Number	:	....
Invoice Amount	:	....
Due Date	:	....

Dear Mr. / Ms. ....

We wish to advise you that we have not received your payment about the above account. Would you please check the details against your records about this? Attached is the copy of the invoice.

Kindly reply it by fax or e-mail within ten (10) business days from today. Please advise us the date of your remittance even if you have already paid.

Our fax number: 81-6-1234-5678
Our e-mail address: NihonPlastic@gold.com.jp

Sincerely yours,

Hiroshi Sato
Director
Nihon Plastic Co., Ltd.

Attach.

図表116 ◆ 督促状（英文）サンプル

..................., 20XX

Mr. / Ms. ....
[Company name]
[Address]

Subject	:	Overdue Account Notice
Invoice Number	:	....
Invoice Amount	:	....
Due Date	:	....

Dear Mr. / Ms. ....

You were recently advised that the above account has not been paid. We ask that you remit the full amount via telegraphic transfer to our bank account within ten (10) business days.

Our Bank Information is as follows:

Bank Name (Branch)	:	....
Account Name	:	....
Account No.	:	....

If there is a problem or a reason justifying the nonpayment of this account, please explain it on the attached sheet, so that we can find a solution.

Kindly reply it by fax or e-mail within five (5) business days from today. Please advise us the date of your remittance even if you have already paid.

Our fax number: 81-6-1234-5678
Our e-mail address: NihonPlastic@gold.com.jp

Sincerely yours,

Hiroshi Sato
Director
Nihon Plastic Co., Ltd.

Attach.

状況の悪化を原因とする場合などは、時間をかけて契約履行を迫ったり、船積みを強行したりしても、結局は代金回収の問題を引き起こすだけに終わることも少なくありません。

　このような場合は、いつまでもそうした会社に付き合わず、早期にほかのバイヤーを見つけて転売することをめざすほうが得策でしょう。

　商品の性質にもよりますが、自社で在庫を抱え込むより、多少値引きしてでも生産した商品を売り切るほうが望ましいケースが多いはずです。

5 最近は「法務クレーム」が増えている

　最近は輸出入ともに、関税法関連のみならず、知的財産権や製造物責任に関連する法律によるトラブルが多くなっています。こうした各国の法的規制に起因するクレームを、**法務クレーム**と言います。

輸入でのポイントは「輸入許可」がとれるかどうか

　日本の輸入者が外国から商品を輸入するには、税関長から輸入許可を取得しなければなりませんが、関税法関連のみならず、その他の法令により輸入が規制される場合があります（→325 ページも参照）。輸入不許可となる主なケースを理解しておきましょう。

① 輸入禁制品（たとえば向精神薬や銃刀など）
② 他法令（たとえば、医薬品・医療機器等の法規や検疫関連法規に抵触する場合など）に基づく許可・承認等がない場合
③ 偽った原産地表示がされている場合
④ 関税等が納付されない場合　など

② 他法令に基づく許可・承認等がない場合
　上記のうち、②の関税法関連以外の法令の具体例としては、次のようなものがあります。

a. 医薬品医療機器等法等の国内法規

日本国内において、化粧品等の化学製品の販売は、医薬品医療機器等法により国が認めた化学成分のみ販売が認められています。

また、食器や子供用のおもちゃの輸入では、法令により厚生労働省検疫所への**食品等輸入届出書**の提出が求められています。

このように、関税法関連とは別の国内法規による規制は、輸入者側であらかじめ調べたうえで輸入を実行しないと、輸入港における商品の引取段階で、引き取りができないとか、追加の検査費用や時間が必要になるなどのトラブルを生じることがあります。

b. 知的財産権に関する国内法規と税関での対応

また、特許権・実用新案権・商標権・意匠権・著作権等の知的財産権を侵害する貨物の輸入については、税関が効果的に輸入を差し止めるために、権利者等が税関長に、その権利内容や侵害事実の証拠の提出を行う**輸入差止申立て**制度があります。

この場合も、輸入者の側で、事前に輸入する商品が知的財産権を侵害していないか、確認しておく必要があります。

c. 製造物責任（PL）に関する法規

すでに保険の章で前述しましたが（→289ページ参照）、外国商品を輸入販売する際に、その商品の機能について危険を回避する指示や警告の表示をしなければならないこと等を怠り、万が一事故が発生した場合には、日本国内においては輸入者が、その商品の製造物責任を負うことになります。

特に輸入者は、外国企業の作成した外国語の取扱説明書の翻訳にあたって、誤訳や不適切な表現がないように注意して日本語版を作成しなければなりません。誤訳などがあった場合には、外国の商品製造者等に求償できなくなる恐れがあるので要注意です。

③ 偽った原産地表示がされている場合

また、上述③の誤った原産地表示については、偽った原産地表示や誤認を生じさせる表示があると、輸入が許可されないことを関税法が明確に規定しています。

原産地表示は、**不当景品類及び不当表示防止法**や、**農林物資の規格化等に関する法律（通称：JAS法）**で詳細を規定されていますので、これらの法律に則った表示が求められます。

輸出では、相手国側の法令を調査しておくこと

輸出の際の法務クレームは、輸入国の法令についての調査が不足していたことによって引き起こされるのが一般的です。また、自社商品の知的財産権については、国際市場で販売する前に、輸出先国での特許申請等も必要になります。

● 知的財産権と模倣品対策

日本企業が知的生産物を海外市場で販売する際には、当然ながら特許権・商標権等の知的財産権を対象国で事前に申請し、権利取得しておくことが重要です。

特に、アジア諸国では模倣品がすぐに出現しますから、法的に万全な体制を輸出者側で整えておかなければなりません。

● 海外製造物責任訴訟（PL訴訟）

米国においては、1965年の「不法行為法リステートメント第402条A」（判例法）によって、**製造物責任法（通称：PL法）**が成立し、現在では全米50州すべてで法律として確立しています。

米国のPL法の特徴は、被害者の救済に重点を置いているため、訴追者は以下の3点のみを立証できれば、製造業者等の不法行為責

任としての故意過失の立証が不要となっていることです。

① 損害事実
② 商品欠陥や表示上の欠陥等の存在
③ 損害と欠陥の因果関係

これは、被害者が訴えを起こしやすいことを示しており、逆に企業側にとっては、過失や故意がなくても損害賠償責任を負う可能性がある厳しい法体系です。

また、米国で提訴されると、日本の民事訴訟のシステムにはない**ディスカバリ制度**（本案前の証拠開示義務制度）によって、裁判所や原告に対する証拠開示が必要となることがありますが、商品製造のノウハウや図面等の開示が要求されることもあり、これも輸出企業にとっては難しい問題をはらんでいます（企業機密の流出）。

そしてさらに、米国の民事訴訟では、日本では認められない「**懲罰的賠償金（Punitive Damages）**」も存在しています。

これらの状況を鑑みるに、特に米国で日本商品を販売する際には、海外PL保険の付保はもちろん、専門家のアドバイスによる英文の取扱説明書の作成など、格別な配慮が必要であると言わざるを得ません。

● その他の外国法規

このほかにも、輸出先国によって、輸入品にはさまざまな法的規制がかけられています。

これらの法規を、すべて輸出者が自力で調べるのは現実的ではありません。海外の対象国における貿易関連法規やその他の法規については、事前にバイヤー等を通じてしっかりと調査しておくほか、専門のコンサルタントなどの利用を考えるといいでしょう。

6 クレーム処理の法的手段には何があるか？

契約段階で事前の取り決めをしておくことが基本

貿易クレームに関しては、基本的には取引に入る前の契約書を締結する段階で、クレームが発生した場合を想定して当事者間で事前の取り決めをしておくべきです。

事前の取り決めがあれば、クレームの際にもその取り決めに従って問題を処理することが可能です。クレームの原因をできるだけ早く分析し、関係者の応援を得て迅速に処理するのです。

なお、通常のクレームの処理では、次の2つが重要であることを覚えておきましょう。

① 相手に対する迅速な通知
② 相手との直接交渉（商品の交換や減額請求など）

法的措置による解決は最終手段

しかし、すべてのクレームを事前に想定することはできませんし、相手側が事前の取り決めどおりに対応してくれないこともあります。このような場合には、最終手段として、問題の解決をするために法的措置をとることがあります。

なお、法的措置（訴訟や仲裁等）に頼ると、時間とコスト、さら

には労力がかかるので、まずは当事者間の話し合いによる解決、つまり**和解**（Compromise）の成立に全力を注ぐことが大切なのは言うまでもありません。

● 仲裁による解決

　国際取引の法的な係争解決手段としては、民間による法的解決方法である**仲裁**（Arbitration）がよく使われます。

　仲裁は、貿易当事者双方が選んだ第3者の仲裁人や仲裁機関に、トラブルの解決策である**仲裁判断**を下してもらう方法です。

　仲裁は、仲裁に関する国際条約「外国仲裁判断の承認及び執行に関する条約」（別名、ニューヨーク条約）に基づいて行われるため、これらの条約締結国間で有効になります。

　また、仲裁の過程は非公開であり、基本的には1回のみの審理で判断が下されます。この仲裁判断には、条約に基づく各国の国内法の規定により、裁判所の確定判決と同一の効力を認めることが一般的なので、一定の条件のもとで強制執行を行うことも可能となります。つまり、**仲裁判断には法的な拘束力がある**ということです。この点が、国際的な紛争解決手段として仲裁がよく利用される要因となっています。

　契約書作成の段階で、紛争解決手段として仲裁を利用することを明記しておけば、いざというときの手続きをスムーズに行うことも可能となるでしょう。具体的には、仲裁地・仲裁機関・仲裁規則・仲裁人の数や方法、そして契約当事者が仲裁判断に従うこと等を、双方合意のうえで契約書にあらかじめ定めておきます。

　なお、仲裁機関としては、日本には**一般社団法人日本商事仲裁協会**があるほか、世界の主要な国々にも仲裁協会あるいは仲裁委員会が存在しています。

● 調停や訴訟による解決

　このほか、国際取引の法的な係争解決手段としては、**調停（Mediation）**や裁判所での**訴訟（Litigation）**などがあります。

　調停は、当事者双方が選んだ第3者の調停人が、双方の意見を聞きながら解決策を呈示してくれるものです。
　ただし、この方法で呈示される解決策には法的な拘束力がないため、その解決策に応じるかどうかは双方の判断に委ねられているところが弱点です。

　また、もっとも強硬な法的手段として、自国あるいは相手国の裁判所で訴訟を起こす方法もあります。
　しかし、この方法はコストや労力が非常にかかる割には、**一方の国の裁判保証が相手国にまでは及ばない**という根本的な問題があり、たとえ勝訴したとしても必ずしも解決には結び付かない場合があるので、注意が必要です。

特別章

すぐに使える
契約書テンプレート ほか

本章では、特別付録として、ダウンロードして
そのまま貿易取引に利用できる
契約書のテンプレートなどを
収録しています。

●特別付録の利用法

 この特別章では、以下の特別付録を収録しています。

◎ 売契約書の定型約款テンプレート（→右図表117）
◎ 買契約書の定型約款テンプレート（→435ページ・図表118）
◎ ひと目でわかる輸出取引フロー・チャート（→439ページ・図表119）
◎ ひと目でわかる輸入取引フロー・チャート（→440ページ・図表120）

 これらはすべて、以下のすばる舎リンケージのウェブサイトからダウンロードできるようにしてあります。ぜひ、活用してください。

◎ すばる舎リンケージ　ホームページ
　http://www.subarusya-linkage.jp/

※「ビジネステンプレート」のバナーボタンをクリックしてください。

 ただし、契約書テンプレートの定型約款については、専門家の助言を受けながら、細部を自社の都合に合わせて修正したうえで利用してください。

図表117 ◆ 売契約書の定型約款テンプレート

GENERAL TERMS AND CONDITIONS (S/CON)

1. SHIPMENT OR DELIVERY

The obligations of Seller to ship or deliver the goods specified on the face of this Contract ("Goods") by the time or within the period specified on the face of this Contract shall be subject to the availability of the vessel or the vessel's space.

If, under the terms of this Contract, Buyer is to secure or arrange for the vessel or vessel's space, Buyer shall secure or arrange for the necessary vessel or vessel's space on berth terms basis and give Seller shipping instructions within a reasonable time prior to shipment, including but not limited to the name and detailed schedule of the vessel. If Buyer fails to give such instructions within a reasonable time prior to shipment, Seller may, at its sole discretion and for Buyer's risk and account, arrange for the vessel or the vessel's space and make shipment of the Goods without prejudice and in addition to any other rights and remedies Seller may have under this Contract or at law or in equity or otherwise.

In case of shipment or delivery in installments, any delay or failure in shipment of one installment shall not be deemed a breach of this Contract giving rise to a right of Buyer to cancel this Contract or refuse to accept performance with respect to other installments.

2. PAYMENT

If payment for the Goods shall be made by a letter of credit, Buyer shall establish in favor of Seller an irrevocable letter of credit through a prime bank of good international repute immediately after the conclusion of this Contract in a form and upon terms satisfactory to Seller.

If Buyer's failure to make payment, to establish a letter of credit or otherwise to perform its obligations hereunder is reasonably anticipated, Seller may demand that Buyer provide, within a reasonable time, adequate assurance satisfactory to Seller of the due performance of this Contract and may withhold shipment or delivery of the undelivered Goods until such assurance is given.

Buyer shall pay the price specified on the face of this Contract without set-off, counterclaim, recoupment or other similar rights which Buyer may have against Seller, which rights shall be exercised in separate proceedings between Buyer and Seller.

Any new, additional or increased freight rates, surcharges (bunker, currency, congestion or other surcharges), taxes, customs duties, export or import surcharges or other governmental charges, or insurance premiums, which may be incurred by Seller with respect to the Goods after the conclusion of this Contract shall be for the account of Buyer and shall be reimbursed to Seller by Buyer on demand.

If Buyer fails to pay for the Goods in accordance with this Contract, Buyer shall pay to Seller as liquidated damages and not as a penalty overdue interest at the rate of the lower of eighteen percent (18%) per annum or the maximum interest rate permitted by the laws of Buyer's country, calculated from the due date for such payment until the actual date of payment calculated on the 360 day a year basis for the actual number of days elapsed.

3. FORCE MAJEURE

If the performance by Seller of its obligations hereunder is directly or indirectly affected or prevented by force majeure, including but not limited to Acts of God, flood, typhoon, earthquake, tidal wave, landslide, fire, plague, epidemic, quarantine restriction, perils of the sea, war declared or not or thereat of the same, civil commotion, blockade, arrest or restraint of government, rulers or people, requisition of vessel or aircraft, strike, lockout, sabotage or other labor dispute, explosion, accident or breakdown in whole or in part of machinery, plant, transportation or loading facility, governmental request, guidance, order or regulation, unavailability of transportation or loading facility, bankruptcy or insolvency of the manufacturer or supplier of the Goods, or any other causes or circumstances whatsoever beyond the reasonable control of Seller or manufacturer or supplier of the Goods, then Seller shall not be liable for loss or damage, or failure of or delay in performing its obligations under this Contract and may, at its option, extend the time of shipment or delivery of Goods or terminate unconditionally and without liability the unfulfilled portion of this Contract to the extent so affected or prevented.

4. DEFAULT

In case of (ⅰ) Buyer's failure to perform any provision of this Contract; (ⅱ) Buyer's inability to pay its debts generally as they become due; (ⅲ) Buyer's bankruptcy or insolvency or (ⅳ) appointment of a trustee, receiver or liquidator of Buyer or of any material part of Buyer's assets or properties ("Events of Default"), Seller may, at its sole discretion, (ⅰ) terminate this Contract or any part thereof; (ⅱ) declare all obligations of Buyer immediately due and payable; (ⅲ) resell the Goods; (ⅳ) hold the Goods for Buyer's account and risk; (ⅴ) postpone the shipment of Goods; or (ⅵ) stop the Goods in transit, and Buyer shall reimburse Seller for all losses or damages arising directly or indirectly from such Events of Default.

The rights and remedies of Seller hereunder are cumulative and in addition to Seller's rights, powers and remedies existing at law or in equity or otherwise.

5. INTELLECTUAL PROPERTY RIGHTS

Nothing herein contained shall be construed as transferring any patent, trademark, utility model, design, copyright, mask work or any other intellectual property rights in the Goods, all such rights being expressly reserved to the true and lawful owners thereof.

Seller shall be neither responsible nor liable for any infringement or unauthorized use with regard to any patent, trademark, utility model, design, copyright, mask work or any other intellectual property rights.

6. WARRANTY, CLAIM

UNLESS EXPRESSLY STIPULATED ON THE FACE OF THIS CONTRACT, SELLER MAKES NO WARRANTY OR CONDITION, EXPRESSLY OR IMPLIEDLY, AS TO THE FITNESS OR SUITABILITY OF THE GOODS FOR ANY PARTICULAR PURPOSE OR USE OR THE MERCHANTABILITY THEREOF.

If any warranty exists, Seller's liability shall be limited to replacement or repair of the defective Goods.

Any claim by Buyer of whatever nature arising under or in relation to this Contract shall be made by registered airmail within thirty (30) days after the arrival of the Goods at the port of destination, or solely with respect to claims alleging the existence of a latent defect in the Goods, within six (6) months after the arrival of the Goods at the port of destination, and any such claim shall contain full particulars with evidence certified by an authorized surveyor.

7. LIMITATION

Seller shall not be responsible, whether in contract or warranty, tort or on any other basis, to Buyer for any special incidental, consequential, indirect or exemplary damages, and in no event shall Seller's total liability on any or all claims from Buyer exceed the price of the Goods.

8. GENERAL

(1) All disputes, controversies or differences arising out of or in relation to this Contact or the breach thereof which cannot be settled by mutual accord without undue delay shall be settled by arbitration in Tokyo, Japan, in accordance with the rules of procedure of the Japan Commercial Arbitration Association. The award of arbitration shall be final and binding upon both parties, and judgment on such award may be entered in any court or tribunal having jurisdiction thereof. This Contract shall be, in all respects, governed by and construed in accordance with the law of Japan, provided that the application of the United Nations Convention on Contracts for the International Sale of Goods shall be excluded. The trade terms herein used, such as FOB, CFR, CIF, FCA, CPT, CIP, DPU, DAP and DDP shall be interpreted in accordance with "INCOTERMS 2020".

(2) The failure of Seller at any time to require full performance by Buyer of the terms hereof shall not affect the right of Seller to enforce the same. The waiver by Seller of any breach of any provision of this Contract shall not be construed as a waiver of any succeeding breach of such provision or waiver of the provision itself.

(3) This Contract constitutes the entire agreement between the parties hereto and supersedes all prior or contemporaneous communications, agreements or undertakings with regard to the subject matter hereof. This Contract may not be modified or terminated except by a written agreement of Seller and Buyer.

(4) Buyer shall not transfer or assign this Contract or any part thereof without Seller's prior written consent.

※契約書テンプレートのダウンロードについては、124、125ページも参照してください。

【和訳】

一般的取引条件 （売契約書）

1．出荷または納入

　本契約書の表面に明記する商品（「本件商品」）を、本契約書の表面に明記するときまでに、または期間内に出荷または納入する売主の義務は、船舶または船舶のスペースが利用できることを条件とする。

　本契約の条件に基づき、買主が船舶または船舶のスペースを確保または手配することになっている場合、買主は、必要な船舶または船舶のスペースを船主負担条件で確保または手配し、出荷前の合理的な期間内に、船舶の名称および詳細な日程などの出荷指示を売主に与える。買主が出荷前の合理的な期間内にかかる指示を与えなかった場合、売主は、その単独の裁量で、かつ買主の危険負担および勘定で、船舶または船舶のスペースを手配し、既得権を損なうことなく、本契約、コモン・ローもしくはエクイティに基づき、またはそのほかに売主が有するその他の権利および救済手段に加えて、本件商品の出荷を行うことができる。

　分割で出荷または納入を行う場合、1回の出荷の遅延または不履行は、本契約を解約するまたはその他の回の出荷に関する履行の受け入れを拒否する買主の権利を生じさせる本契約の違反とは見なされない。

2．支払い

　本件商品についての支払いを信用状で行う場合、買主は、本契約の締結後直ちに、国際的に評判のよい一流銀行を通じて、売主が納得する書式および条件で売主宛の取消不能信用状を開設する。

　買主が支払いを行わないか、信用状を開設しないか、またはその他本契約に基づく義務を履行しないことが合理的に予想される場合、売主は、本契約の適切な履行について売主が納得する十分な保証を合理的な期間内に提供するよう買主に要求し、かかる保証が与えられるまで未納入の本件商品の出荷または納入を差し控えることができる。

　買主は、本契約書の表面に明記する価格を、買主が売主に対して有する相殺、反対請求またはその他同様の権利なく支払う。それらの権利は、買主と売主間の別個の手続きにおいて行使する。

　本契約の締結後に本件商品に関して売主に生ずる新たな、追加の、または増額された運賃、割増金（燃料庫、通貨、混雑もしくはその他の追加料金）、租税、関税、輸出もしくは輸入追徴金もしくは政府のその他の請求金、または保険料は、買主の勘定とし、要求があり次第買主が売主に払い戻す。

　買主が本契約に従って本件商品の代金を支払うことを怠った場合、買主は売主に対し、年率18パーセントまたは買主の国の法によって認められる最高金利のいずれか低いほうの率で、当該支払いの期日から実際に支払いが行われた日までに実際に経過した日数について、1年360日で日割り計算した金額を、遅延罰金としてではなく約定された損害賠償金として支払う。

3．不可抗力
　　売主による本契約に基づく義務の履行が、不可抗力によって直接または間接的に影響を受け、または妨げられた場合、売主は、損失もしくは損害、または本契約に基づく義務の不履行もしくは履行遅延の責任を負わず、売主の随意に、そのように影響を受けたまたは妨げられた範囲について、本件商品の出荷もしくは納入の時期を延期し、または責任を負うことなく無条件に本契約の未履行部分を解除することができる。不可抗力は、天変地異、洪水、台風、地震、津波、地滑り、火災、伝染病、流行病、検疫制限、海難、宣戦布告されたもしくはされていない戦争、もしくは戦争のおそれ、国内動乱、封鎖、政府、統治者もしくは人民の勾引もしくは拘束、船舶もしくは航空機の徴用、ロック・アウト、サボタージュもしくはその他の労働紛争、機械類、工場、輸送もしくは荷積施設の全部もしくは一部の爆発、事故もしくは故障、政府の要請、指示、命令もしくは規制、輸送もしくは荷積施設の利用不能、本件商品の製造者もしくは供給者の破産もしくは支払い不能、または売主もしくは本件商品の製造者もしくは供給者の無理なく制御できる範囲を超えたその他何らかの原因もしくは事情を含むが、これらに限らない。

4．債務不履行
　　(ⅰ)買主が本契約の規定を履行しないか、(ⅱ)買主がその債務全般を期日が到来したときに弁済できないか、(ⅲ)買主が破産もしくは支払い不能となるか、(ⅳ)買主もしくは買主の資産もしくは財産の重要部分の管財人、財産保全管理人もしくは清算人が任命される場合（「債務不履行の事象」）、売主は、その単独の裁量で(ⅰ)本契約もしくはその一部を解除し、(ⅱ)買主の全債務について直ちに期限の利益を喪失させると宣言し、(ⅲ)本件商品を再販売し、(ⅳ)買主の勘定および危険負担で本件商品を保有し、(ⅴ)本件商品の出荷を延期し、または(ⅵ)本件商品の輸送を中止することができ、買主は売主に対し、当該債務不履行の事象から直接または間接的に生じたすべての損失または損害の賠償をする。
　　本契約に基づく売主の権利および救済手段は累積的であり、コモン・ローもしくはエクイティに基づき、またはそのほかに存在する売主の権利、権能および救済手段に追加される。

5．知的所有権
　　本契約に含まれるいかなる規定も、本件商品における特許、商標、実用新案、意匠、著作権、マスク・ワークまたはその他の知的所有権を移転するとは解釈されず、かかる権利はすべて、その真正かつ適法な所有者に明確に留保される。
　　売主は、特許、商標、実用新案、意匠、著作権、マスク・ワークまたはその他の知的所有権に関し、侵害または無断使用の責任を負わない。

6．保証、請求
　　本契約書の表面で明確に定めるほか、売主は、本件商品の特定目的もしく

は用途への適合もしくは適応性、または本件商品の市場性について、明示黙示を問わずいかなる保証も条件も与えない。

保証が存在する場合、売主の責任は、瑕疵ある本件商品の交換または修理に限定される。

本契約に基づきまたは本契約に関連して生ずるあらゆる性質の買主による請求は、本件商品が仕向港に到着したあと30日以内に、または本件商品の隠れた瑕疵の存在を申し立てる請求のみに関しては、本件商品が仕向港に到着したあと6ヶ月以内に、書留航空郵便で行い、かかる請求は、正規検査官によって認証された証拠のある十分な詳細を含むものとする。

7．限度

売主は、特別損害、付随的損害、派生的損害、間接的損害または懲罰的損害賠償については、契約、保証、不法行為、またはその他いかなる根拠によっても買主に対して責任を負わず、いかなる場合も、買主からの一切の請求に基づく売主の責任の総額は、本件商品の価格を超えない。

8．一般規定

(1) 本契約または本契約の違反から生ずる、またはそれらに関連するすべての紛争、論争または意見の相違のうち、不都合な遅延なく双方の合意によって解決できないものは、一般社団法人日本商事仲裁協会の手続規則に従い日本国東京での仲裁によって解決する。仲裁裁定は最終的であって、両当事者に対し拘束力を有し、かかる裁定に基づく判決は、その管轄権を有するいずれの裁判所またはその他の裁定機関でも登録することができる。本契約は、すべての点において日本法に準拠し同法に従って解釈されるものとするが、国際物品売買契約に関する国連条約は除外するものとする。FOB、CFR、CIF、FCA、CPT、CIP、DPU、DAPおよびDDPなど、本契約で用いる貿易条件は、「INCOTERMS 2020（2020年版インコタームズ）」に従って解釈される。

(2) いずれの時点であれ売主が本契約の条件の完全な履行を買主に求めないことは、その条件を強制する売主の権利に影響を与えない。売主が本契約の規定の違反に対する権利を放棄することは、続いて起こる当該規定の違反に対する権利放棄、または当該規定自体の適用除外とは解釈されない。

(3) 本契約は、本契約の当事者間の合意事項の全体を構成し、本契約より前または本契約と同時の本契約の主題に関するやりとり、合意事項または了解事項のすべてにとって代わる。本契約は、売主と買主との書面での合意によらない限り、修正または解除できない。

(4) 買主は、事前に売主から書面で同意を得ない限り本契約またはその一部を移転または譲渡してはならない。

図表 118 ◆ 買契約書の定型約款テンプレート

GENERAL TERMS AND CONDITIONS　　(P/CON)

1. SHIPMENT OR DELIVERY

　The obligations of Seller to ship or deliver the goods specified on the face of this Contract ("Goods") punctually by the time or within the period specified on the face of this Contract is of the essence of this Contract.

2. VESSEL

　If, under the terms of this Contract, Seller is to secure or arrange for the vessel or vessel's space, Seller shall ship the Goods on first class steamer(s) and/or motor vessel (s) owned and/or operated by carrier (s) of good international repute and financial standing and of a type normally used for the transports of goods of the same type as the Goods. The Goods shall be shipped by way of usual shipping routes without any deviation and on vessel (s) adequately seaworthy and suitable for uninterrupted passage to the berth at the port of destination. Immediately after the completion of the loading of the Goods, Seller shall cable or telex to Buyer a notice of shipment or delivery, showing the number of this Contract, the name of the vessel, the port of shipment or delivery, a description of the Goods and packing, the quantity loaded, the invoice amount and other essential particulars.

3. PRICE

　The price specified on the face of this Contract shall be firm and final and shall not be subject to any adjustment for any reason whatsoever.

4. CHARGES

　All cases, export duties, fees, banking charges and other charges attributable to the Goods, containers and/or documents (including but not limited to certificates of origin in the country of shipment or delivery) shall be borne and paid by Seller.

5. FORCE MAJEURE

　If the performance by Buyer of its obligations hereunder is directly or indirectly affected or prevented by force majeure, including but not limited to Acts of God, fire, war declared or not or serious threat of the same, civil commotion, strike or other labor dispute, governmental order or regulation or any other causes beyond the reasonable control of Buyer or Buyer's customer (s), Buyer shall not be liable for loss of damage or failure or delay in performing its obligations hereunder and may, at its sole discretion, terminate this Contract or any portion thereof.

6. DEFAULT

　In case of (i) Seller's failure to perform any provision of this Contract or breach of any express or implied terms, conditions or warranties contained herein, (ii) Seller's inability to pay its debts generally as they become due; (iii) Seller's bankruptcy or insolvency or (iv) appointment of a trustee, receiver or liquidator of Seller or of any material part of Seller's assets or properties ("Events of Default"), Buyer may, at its sole discretion, (i) terminate this Contract or any part thereof; (ii) reject the Goods; (iii) dispose of the Goods for the account of Seller at a time and price which Buyer deems reasonable, and (iv) purchase elsewhere and charge Seller with any resulting loss of damage, and Seller shall reimburse Buyer for all loss or damage arising directly or indirectly from such Event of Default, including but not limited to any costs and expenses such as dead freight, loss of profit obtainable from resale by Buyer of the Goods and damage caused to any customer purchasing the Goods from Buyer.

　The rights and remedies of Buyer hereunder are cumulative and in addition to Buyer's rights, powers and remedies existing at law or in equity or otherwise.

7. WARRANTY

　Seller shall convey to Buyer good and merchantable title to the Goods free of any encumbrance, lien or security interest. Seller warrants that the Goods shall fully conform to any and all specifications, descriptions, drawings, and data or samples or models furnished to or by Buyer, and shall be merchantable, of good material and workmanship free from defects, and shall be fit or suitable for the use (s) or purpose (s) intended by Buyer.

　Buyer shall make all claims, except for latent defects, regarding the Goods against Seller in writing as soon as reasonably practicable after arrival of the Goods at their final destination and unpacking and inspection thereof, whether by Buyer or Buyer's customer (s).

　Seller shall be responsible for latent defects of the Goods at any time after delivery, notwithstanding inspection and acceptance of the Goods whether by Buyer or Buyer's customer (s), provided that a notice of claim shall be made as soon as reasonably practicable after discovery of such defects.

　Buyer reserves the right to reject and refuse acceptance of all or part of any shipment of Goods which are not in accordance with specifications, descriptions, drawings, data, samples or models furnished to or by Buyer or with Seller's express or implied warranties.

8. INDEMNITY

　Seller shall defend, indemnify and hold Buyer, Buyer's customer (s), users of the Goods, and its or their officers and directors harmless from and against any liability, loss, damage, penalty, cost, expense and disbursement (including attorney's fees) or personal injury, death or property damage as a result of any claim or dispute caused by, due to or relating, in any way, to the Goods or any defect or malfunction thereof or any infringement of any patent, trademark, utility model, design, copyright, mask work or any other intellectual property rights in Japan or in any other country, which indemnity shall survive the termination of this Contract.

9. GENERAL

　(1) All disputes, controversies or differences arising out of or in relation to this Contact or the breach thereof which cannot be settled by mutual accord without undue delay shall be settled by arbitration in Tokyo, Japan, in accordance with the rules of procedure of the Japan Commercial Arbitration Association. The award of arbitration shall be final and binding upon both parties, and judgment on such award may be entered in any court or tribunal having jurisdiction thereof. This Contract shall be governed by and construed in accordance with United Nations Convention on Contracts for the International Sale of Goods ("CISG") and to the extent that any questions relating to this Contract are not covered by CISG, by reference to the laws of Japan. The trade terms such as FOB, CFR, CIF, FCA, CPT, CIP, DPU, DAP and DDP shall be interpreted in accordance with "INCOTERMS 2020".

　(2) The failure of Buyer at any time to require full performance by Seller of the terms hereof shall not affect the right of Buyer to enforce the same. The waiver by Buyer of any breach of any provision of this Contract shall not be construed as a waiver of any succeeding breach of such provision or waiver of the provision itself.

　(3) This Contract constitutes the entire agreement between the parties hereto and supersedes all prior or contemporaneous communications or agreements or undertakings with regard to the subject matter hereof. This Contract may not be modified or terminated except by a written agreement of Seller and Buyer.

　(4) Seller shall not transfer or assign this Contract or any part thereof without Buyer's prior written consent.

※契約書テンプレートのダウンロードについては、126、127ページも参照してください。

【和訳】

一般的取引条件 （買契約書）

1．船積みもしくは引き渡し
　売主は、本契約の表面に記載の商品（以下「対象商品」と言う）を、本契約の表面に記載の期日までにまたは期間内に、船積みもしくは引き渡ししなければならないものとし、これを本契約の重要条件とする。

2．船舶
　本契約の条件に従って、売主が船舶もしくは船舶のスペースを確保または手配する場合、売主は、国際的に評判が良く財務上信用のある運送会社が所有および／もしくは運転するもので、対象商品と同類の商品の輸送に通常使用されるタイプの一等汽船および／もしくは船舶に、対象商品を船積みするものとする。対象商品は、通常の船積みのルートを外れることなく、十分に安全航行が可能でかつ荷揚げ港のバースへ支障なく航行するのに適した船舶に、船積みされるものとする。
　売主は、対象商品の荷積みが完了後ただちに、本契約番号、船名、船積みまたは引き渡しの港、対象商品および梱包の商品説明、積荷の数量、インボイスの金額、およびその他の重要事項を記載した、船積みもしくは引き渡しの通知を、買主にｅメールまたはテレファックスで送付するものとする。

3．価格
　本契約の表面に記載の価格は確定かつ最終のものとし、いかなる理由であっても調整しないものとする。

4．手数料
　対象商品、コンテナ、および／もしくは書類（船積みもしくは引き渡しの国における原産地証明書を含むがそれに限らない）に起因する、すべての訴訟、輸出税、手数料、銀行手数料、および／もしくはその他の手数料は、売主が負担し支払うものとする。

5．不可抗力
　買主の本契約に基づく義務の履行が、天災、火事、宣戦布告の有無を問わず戦争もしくは重大な戦争の恐れ、暴動、ストライキもしくはその他の労働紛争、政府の命令もしくは規制、または買主もしくは買主の顧客の合理的な支配を超えるその他の原因を含むがそれに限らない不可抗力により、直接的もしくは間接的に、影響を受け、または妨げられた場合、買主は、被害の損失、または本契約に基づく義務の不履行もしくは遅延に対して、責任を負わないものとし、単独の裁量で本契約もしくは本契約の一部を終了することができる。

6．不履行
　（i）売主に本契約の規定の不履行、または本契約中に明示もしくは黙示されている条件もしくは保証に対する違反があった場合（ii）売主が、通例支払わなければならなくなった債務を支払うことができない場合、（iii）売主が破産または支払不能となった場合、または（iv）売主、または売主の資産もしくは財産の主要部分について、管財人、管理人、または清算人が任命された場合（以下「債務不履行」と言う）、買主は、その単独の裁量で、（i）本契約または本契約の一部を終了し、（ii）対象商品を拒絶し、（iii）買主が合理的とみなす時期および価格で売主に代わって対象商品を処分し、および（iv）他のところで購入して生じた損失を売主に請求することができるものとし、売主は空荷運賃、買主が対象商品を再販することにより得られる利益の損失、および買主から対象商品を購入する顧客に生じる損害などいかなる費用や支出を含むがそれに限らない債務不履行から直接的もしくは間接的に生じるすべての損失（額）または損害（額）を買主に返済するものとする。
　本契約に基づく買主の権利および救済は、法律上もしくは衡平法上、またはその他現存する買主の権利、権力、および救済に付加されて累積するものとする。

7．保証
　売主は、買主に対し負担、先取特権、または担保権のついていない所有権上瑕疵のない対象商品を引き渡すものとする。売主は、対象商品が買主にまたは買主により提供されている仕様書、商品説明書、設計図、および資料またはサンプルもしくはモデルのいずれにも完全に合致し、商品性があり、よい素材および製作技術でできており、瑕疵がなく、買主が意図する使用または目的に適合していることを、保証するものとする。
　買主は、隠れた瑕疵である場合を除き、対象商品についてのクレームはすべて、対象商品の最終仕向け地への到着、梱包の開封、および買主または買主の顧客によるそれらの検査後、合理的に実行可能な限り早く、書面にて通知するものとする。
　売主は、対象商品の隠れた瑕疵については、買主もしくは買主の顧客による対象商品の検査および受領にかかわらず、引き渡し後であっても責任を持つものとする。ただし、クレームの通知は、かかる瑕疵の発見後合理的に実行可能な限り早く行われるものとする。
　買主は、買主にもしくは買主により提供されている仕様書、商品説明書、設計図、資料、サンプルもしくはモデル、または売主の明示もしくは黙示の保証に合致していない対象商品の船荷については、すべてもしくは一部の受領を、拒絶および拒否する権利を保有する。

8．補償
　売主は、対象商品、対象商品の瑕疵もしくは不調、または日本もしくはその他の国における特許、商標、実用モデル、デザイン、著作権、マスク・ワークもしくはその他の知的所有権の侵害を理由とする、またはそれらに起因す

る、あるいは方法を問わずそれらに関連する、クレームもしくは論争の結果生じた、賠償責任、損失、損害、罰金、費用、支出、および支払い（弁護士費用を含む）、または人的傷害、死亡もしくは財産の損害に対して、買主、買主の顧客、対象商品のユーザー、ならびにその社員および役員を防御し、補償し、および免責とするものとする。この補償は、本契約終了後も効力を有するものとする。

9．通則
(1) 本契約もしくは本契約の違反より、または本契約もしくは本契約の違反に関係して発生し、不当に遅延することなく相互の合意により解決できない、すべての紛争、論争、または意見の相違は、日本商事仲裁協会の手続き規則に従い、日本国東京都における仲裁により解決されるものとする。その仲裁裁定は最終的なものであり、かつ、両当事者を拘束するものとし、かかる仲裁裁定の 執行判決は、それについて管轄を有するどの裁判所または裁決機関からも得ることができるものとする。本契約は、国際物品売買契約に関する国際連合条約（以下「CISG」と言う）を適用するものとする。ただし、CISGが適用されない本契約に関する問題は、日本国法に準拠するものとする。FOB、CFR、CIF、FCA、CPT、CIP、DPU、DAPおよびDDPといった貿易条件は、「インコタームズ2020」に従って解釈されるものとする。
(2) 買主が売主に本契約の条件の完全な履行を要求しないことがあったとしても、それは買主のその履行を要求する権利に影響を与えるものではない。本契約の規定の違反に対して買主が権利を行使しなかったからといって、その後のかかる規定の違反に対しても権利を放棄したと見なされるものではなく、またその規定自体の権利を放棄したと見なされるものでもない。
(3) 本契約は、本契約の当事者間におけるすべての合意を構成するものであり、本契約の内容に関する、従来の、または現時点の申し合わせ、合意、または約束の一切に優先する。本契約は、売主および買主の書面による合意のある場合を除き、変更または終了できないものとする。
(4) 売主は、買主の事前の書面による合意がある場合を除き、本契約または本契約の一部を移転または譲渡してはならないものとする。

図表119 ◆ ひと目でわかる輸出取引フロー・チャート

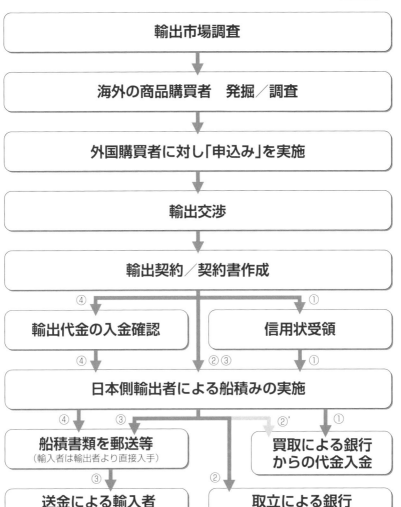

- ① 信用状(L/C)による輸出のケース
- ② D/P、D/Aによる(取立)輸出のケース
- ②' D/P、D/Aによる(買取)輸出のケース
- ③ 電信送金(T/T Remittance)後受けのケース
- ④ 電信送金(T/T Remittance)前受けのケース

特別章 すぐに使える契約書テンプレート ほか

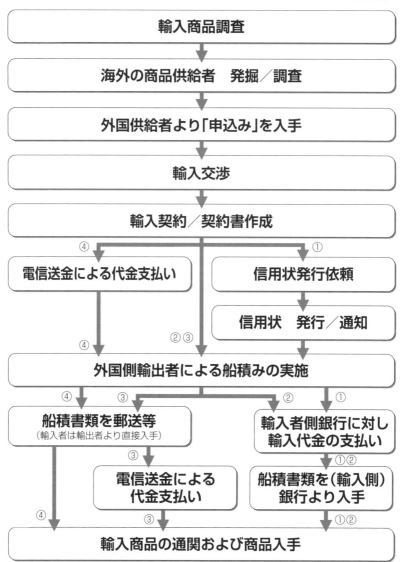

図表120 ◆ ひと目でわかる輸入取引フロー・チャート

① 信用状(L/C)による輸入のケース
② D/P、D/Aによる(取立)輸入のケース
③ 電信送金(T/T Remittance)後受けのケース
④ 電信送金(T/T Remittance)前受けのケース

※③の代金支払いは、商品の通関・入手後になる場合もあります。

索　引

あ

アクセプタンス方式 ……………………… 187
後払い，後払い送金 ……………………… 76
アドバンク ………………………………… 142
アポイントメント・サービス …………… 41, 43
アメリカ・ランド・ブリッジ …………… 213
アメンド書類，アメンドメント（アメンド） …161

い

委託加工貿易 …………………………… 36, 323
一覧払い ……………………… 77, 176, 190
一覧払い（為替）手形
　………… 77, 170, 180, 187, 188, 190, 383, 384, 386
一覧払い信用状 ………………… 116, 147, 386
一手販売権 …………………………… 35, 36
一般事項 ………………………… 40, 43, 50
一般税率 ………………… 337, 339, 341, 343, 345, 348
一般の取引条件 ………… 120, 128 432, 436
インコタームズ
　…… 84, 96, 128, 131, 133, 137, 198, 280, 434, 438
印刷条項 ………………………………… 120
インテリア・ポイント・インターモーダル・サービス… 213
インド ……………………………………… 47
インパクト・ローン …………………… 397
インボイス…139, 153, 168, 218, 223, 224, 229, 293, 359, 362

う

ウィークリー・サービス ……………… 193
ウィーン売買条約 ……………………… 130
受取船荷証券 ……………… 169, 219, 237
受取人 …………………… 142, 165, 239, 255
裏書 ………………… 188, 240, 243, 255, 280
売契約書 …………………… 121, 129, 432
売り手確認条件付き申込み ……………… 54
売り手見本 ………………………………… 58
運送クレーム …………… 408, 410, 411
運送人渡し ……………………… 89, 98
運賃後払い ……………………………… 204
運賃込み ……………………………… 89, 107
運賃トン ………………………………… 68
運賃表 …………………………………… 210
運賃・保険料込み ……………………… 89, 109
運賃前払い ……………………………… 204
運賃明細表 …………………………… 296

え

英トン …………………………………… 67
エコノミー航空便 …………………… 216
エスケープ・クローズ方式 …………… 341
円高損失補填金 ………………………… 201
円約款 …………………………………… 392

お

大阪産業局 ……………………………… 44
送り状 ………………………………… 224
乙仲 ……………………………………… 26
オファー ………………………………… 51
オプション取引 ……………………… 400
オープンL/C …………………………… 147

か

海外事業資金貸付保険 ……………… 287
海外商社名簿 ………………………… 286
海外投資保険 ………………………… 287
海貨業者 ………………… 26, 31, 32, 185, 196,
　197, 219, 259, 260, 293, 295, 297, 300, 303, 331
外貨建て …………………… 64, 335, 392, 393
外銀ユーザンス ……………………… 187
買契約書 …………………… 121, 129, 436

（右段）

開港 ……………………………… 26, 80, 308
外国貨物運送申告書 ………………… 300
外国為替 …………………… 378, 381,388 ,391, 400
外国為替及び外国貿易法 …………… 321
外国為替相場…335, 379, 381, 388, 391, 392, 394, 405
外国為替手形 ………………………… 167
外国為替取引約定書 ………………… 149
外国為替表 …………………… 383, 384
海上運送状 …………… 242, 251, 255, 259
海上保険証券 …………………… 219, 276
（海上）保険申込書 ……………… 218, 276
開設銀行 ……………………………… 141
海損 …………………………………… 263
外為法 ……………… 321, 324, 325, 353
買注文書 …………………………… 122
買い手見本 …………………………… 58
回転信用状 ………………………… 148
買取銀行 ………139, 142, 144 147, 165, 168,
　169, 171, 172, 174, 179, 187, 282, 286, 386, 387
買取扱い ……………………… 179, 180
買取銀行指定信用状，買取銀行無指定信用状…147
開発輸入 ………………………… 36, 38
カウンター・オファー ……………… 51
価格条件 ……………………… 63, 64, 392
各種の付加危険 …………………… 264, 268
確定申込み …………………………… 53
確認銀行，確認信用状 ……… 144, 146, 160
過少申告加算税 …………………… 336
課税標準 ………… 117, 295, 315, 316, 334
課税価格
　… 302, 334, 338, 345, 349, 351, 356, 359, 360, 369
カナダ・ランド・ブリッジ …………… 213
（貨物）海上保険 ………31, 83, 111, 219, 262, 263,
　266, 267, 272, 273, 276, 278, 280, 283, 410, 417
仮インボイス ……………………… 224
為替予約 …………………… 184, 398
簡易契約形式 ………… 120, 121, 123 128
簡易申告制度 ……………………… 308
簡易税率 ……………… 337, 338, 345, 347, 348
関税暫定措置法 ………………… 340, 355
関税定率法 …… 117, 333, 339, 354, 355, 356, 357
関税等の納期延長制度 …………… 301, 317
関税の付帯税 ……………………… 336
関税法 ………… 295, 297, 298, 320, 325, 329, 422
関税割当証明書，関税割当数量 …… 353
関税割当制度 ……………………… 352
間接貿易 ……………………………… 33
還付 ………………………………… 354

き

規格品 …………………………… 59, 60
期間経過船荷証券 ………… 169, 241
企業総合保険 ……………………… 284
企業力 ………………………………… 50
期限付き払い ……………… 77, 176, 190
期限付き払い信用状 ……………… 147
期限付き払い（為替）手形
　…………… 171, 181, 183, 187, 188, 383, 386
期限付き払い輸出手形決済・買相場 …… 387
危険の範囲 ………………… 61, 69, 84, 85
基準相場 …………………………… 379
期待利益 …………………………… 272
基本税率 ……………… 338, 339, 343, 359
基本料金 …………………………… 199
記名式裏書 ………………………… 245
記名式船荷証券 …………… 239, 240, 245
キャッチオール規制 ……………… 321, 322
協会貨物約款 …………………… 101, 267
協定税率 ……………… 338, 339, 342, 343
共同海損 ……… 263, 264, 267, 268, 408, 411
共同海損宣言状 ………………… 264
拒絶 ………………………………… 52
緊急関税 ……………………… 350, 351

銀行間相場 ················· 381, 382, 386
銀行取引約定書 ····················· 149
銀行保証状 ························· 252
金利裁定取引方式 ··················· 390

く

組手形 ····························· 167
クラス別ボックス・レート ··········· 200
グロス・トン ······················· 67
クロス・レート ····················· 379
クーリエ ······················ 216, 217
クリーン信用状 ····················· 189

け

経済産業省 ················ 31, 324, 353
経済連携協定 ············ 24, 363, 368, 372
契約条件不確定申込み ················ 54
ケーブル・ネゴ ················ 164, 174
検疫 ······················ 31, 71, 331
厳格一致の原則 ········ 138, 144, 152, 174
現金売相場 ························· 384
現金買相場 ························· 387
検査証明書 ······ 58, 62, 69, 153, 168, 331, 332
原産地規則ポータル ················· 372
原産地証明書 ············ 32, 153, 168, 296, 308,
315, 359, 360, 361, 362, 363, 368, 369, 372, 374, 436
原産品申告書 ············ 368, 369, 375,376
原産品申告明細書 ············ 369, 375, 376
現実全損 ··························· 264
減税 ··························· 354, 355
限度額設定型貿易保険 ············ 284, 285

こ

航空運送状 ········ 168, 169, 246, 247, 250, 257, 259, 302
航空貨物代理店 ················ 30, 207, 208
航空貨物保険 ······················· 262
航空便 ················ 58, 95, 215, 216, 217
交互計算 ··························· 79
工場渡し ························ 89, 96
厚生労働省 ················ 31, 331, 423
公用インボイス ····················· 224
国際貨物損害保険 ··············· 63, 262
国際協力機構 ······················· 190
国際決済通貨 ··················· 64, 391
国際航空運送協会 ··················· 208
国際商業会議所 ·········· 88, 90, 94, 137
国際諸掛 ····················· 63, 111
国際スピード郵便 ··················· 217
国際宅配便 ············ 216, 217, 222, 253
国際的信用調査会社 ················· 48
国際展示会 ························· 45
国際複合一貫輸送 ·············· 212, 242
国際物品売買契約に関する国際連合条約··· 130, 438
国際見本市 ···················· 45, 318
国際郵便 ············ 216, 222, 254, 302
国情 ······························· 50
国定税率 ············ 338, 339, 342, 344, 351 359
国内為替 ··························· 378
国内諸掛 ················ 63, 111, 117, 204
国内 PL 保険 ······················· 290
国連貿易開発会議 ··················· 149
故障付き船荷証券 ·············· 240, 241
コスト・プラス方式 ········ 110, 111, 113
個品運送契約 ·············· 194, 195, 205
個別延長方式 ······················· 317
個別保険 ··························· 284
個別予定保険 ······················· 273
コール・オプション ············ 400, 403
コルレス銀行 ·············· 142, 178, 187
混載運送状 ························· 250
混載貨物 ············ 194, 202, 208, 211, 247
混載貨物運送契約 ··················· 211
混載業者 ······ 30, 207, 208, 209, 210, 211, 247, 250
混載原票 ··························· 250
コンテナ扱い ··············· 301, 303, 304
コンテナ扱い申出書, コンテナ条約, コンテナ特例法···303

コンテナ取扱手数料 ················· 202
コンテナ・フレート・ステーション··· 197, 202, 280
コンテナ・ヤード ············· 197, 202, 280
梱包建て運賃 ······················· 200
梱包明細書 ········ 153, 168, 218, 219, 222, 229, 232

さ

裁定相場 ··························· 380
最低料金 ··························· 201
在来船 ······ 89, 107, 108, 196, **198**, 200, 205, 219, 220, 238, 411
再輸出免税 ························· 355
先売り御免申込み ···················· 54
先物 ·························· 388, 389, 405
先物相場 ············ 388, 389, 390, 398
先渡し相場 ························· 388
指図式船荷証券 ········ 170, 239, 240, 242, 243
指図人 ····························· 239
サブコン付き申込み（サブコン・オファー）··· 54
サーベイ・レポート, サーベイヤー·········· 412
サレンダード B/L ··················· 255
暫定関税率表 ······················· 340
暫定税率 ············ 338, 340, **343**, 344

し

シー＆エア・サービス ··············· 215
仕入書 ············ 223, **224**, 296, 302, 308
ジェトロ ········ 32, 40, 41, **43**, 44, 45, 46, 49
直物相場 ····· 388, 389, 390, 400, 401, 402, 403, 404
自行ユーザンス ····················· 186
事故通知 ··························· 412
事故摘要 ··························· 240
市況調査 ··············· 40, 41, 42, 43, 51
事前確認及び通関時確認品目 ········· 324
事前教示制度 ······················· 358
シッパーズ・ユーザンス ········ **188**, 395
指定保税地域 ······················· 297
自動車カルネ ······················· 319
支払条件···51, **73**, 76, 123, 172, 177, 221, 222, 253, 254
支払書類渡し ······················· 75
支払書類渡し手形 ··················· 173
シベリア・ランド・ブリッジ ········· 215
資本力 ····························· 50
仕向送金 ··························· 386
仕向地持ち込み渡し ············ 89, 102
シーリング方式 ····················· 341
シール（封印）····················· 304
白地裏書 ················ 243, 245, 254
重加算税 ··························· 336
重量建て運賃 ······················· 200
重量トン ··························· 67
重量容積証明書 ····················· 168
重量・容積建て運賃 ················· 200
収容 ······························· 298
受益者 ····························· 142
従価従量税, 従価税 ················· 334
従量建て運賃 ······················· 200
従量税 ····························· 334
少額輸入貨物に対する簡易税率表 ····· 347
商業インボイス ··············· 223, 224
商業会議所 ············ 41, 45, 361, 368
商業信用状約定書 ··················· 149
商工会議所 ············ 32, 45, 88, 362, 363, 372
仕様書 ······················ 59, **60**, 437
譲渡可能信用状 ····················· 148
承諾 ···········51, **52**, 53, 54, 55, 120, 132, 164, 174
商標 ··············· 58, 59, 128, 359, 433, 437
消費税 ························· 28, 113, 114,
117, 119, 295, **333**, 334, 335, 338, 345, 347, 354
諸掛 ······························· 63
食品等輸入届出 ··············· 118, 423
植物検疫 ··························· 332
植物検疫合格証明書, 植物検査合格証明書··· 332
植物、輸入禁止品等輸入検査申請書 ··· 332
書式の戦争 ························· 129
諸チャージ ························· 199
ショート・トン ····················· 67

書類取引性	138, 139
シングル L/G	252
申告課税方式	335
新日本検定協会	412
信用危険	283
信用調査	48, 49, 50, 51, 418
信用状開設依頼人	141
信用状統一規則	137, 138, 144, 146, 157, 238, 241
信用状取引	30, 74, 136, 138, 140, 149, 156, 167, 168, 170, 172, 174, 189, 218, 222, 228, 238, 241, 243, 247, 253, 254, 257, 267, 272, 276, 280, 362, 384, 386, 396
信用状のない荷為替手形決済	75

す

推定全損	264
数量過不足容認条件	70
スタンドバイ・クレジット,スタンドバイ信用状	189
ステイル B/L	241
ストライキ・内乱等担保	271
スプレッド	389, 390
スワップ取引	405
スワップ・レート	389

せ

税関	28
誠実性	50
製造物責任	31, 289, 290, 423
製造物責任法	289, 424
正本	251, 253, 254, 255
世界貿易機関	342, 348
絶対全損	264
全危険担保	90, 267, 268, 269, 271, 276
戦争危険担保	271
全損	264, 268
全損のみ担保	268
船中検査	300
船舶燃料費調整金	201
専門商社	33

そ

送金決済	30, 73, 74, 75, 76, 77, 137, 177
総合商社	33
総合保税地域	298
倉庫業者	31, 305
相殺	79
相殺関税	336, 349, 350
その他の分損	264

た

対抗関税	351
対顧客相場	381, 383, 386
タイプ条項	120
他所蔵置	298, 299, 301
他所蔵置許可申請書	299, 300
他行ユーザンス	187
ターミナル持ち込み渡し	90
為銀ユーザンス	186
タリフ	210, 211
ダン社	48
単独海損	263, 264, 267
単独海損担保,単独海損不担保	268
ダンピング	350

ち

地域通貨	64
遅延船荷証券	241
地方消費税	113, 119, 333, 347
チャーター輸送契約	210
中国	24, 115, 193, 213, 251, 342
仲裁	128, 427, 434, 438
中小企業・農林水産業輸出代金保険	284, 286
注文請書	122
懲罰的賠償金	290, 425
直接貨物輸送契約	210, 211

直接貿易	33, 34

つ

通貨バスケット方式	406
通貨変動調整金	201
通関士	293, 295
通関用手帳	318
通関用インボイス	224
通知銀行	140, 141, 142, 144, 152, 153, 155, 156, 161
つなぎ融資	189
積卸しコンテナ一覧表	303
積替え	81, 152

て

定期船	193, 200, 202, 205, 416
ディスカウント	389
ディスカバリ制度	425
ディスクレ	161, 164, 174, 175, 252
ディスクレパンシー	139, 161
手形買取依頼書,手形取立依頼書	171
手形取立銀行	144
手形割引手数料	172
適商品質条件	58
鉄道運送状	259
デバンニング・レポート	411
デビット・ノート	276, 296
電信売相場	382, 383, 384, 385
電信買相場	382, 383, 386, 387
電信送金	74, 147, 218, 221, 385

と

ドイツ工業規格	59, 60
同時払い	76
到着即時輸入許可制度	301, 314
到着地コンテナ荷役料	202
動物検疫	331, 332
同盟罷業暴動騒乱担保	271
ドキュメンタリー信用状	189
特殊関税	338, 348, 350, 351, 359
独占権付き販売契約,独占販売権	35
特定委託輸出者	308, 311
特定原産地証明書	360, 363
特定事項	40, 41
特定分損	264, 268
特定輸出申告者	306, 307
特定輸出申告制度	301, 307
特定用途免税	356
特別特恵受益国	341, 342, 343
独立抽象性の原則	138, 144
特例委託輸入者	309, 311, 369
特例輸入申告者	308, 309, 317
特例輸入申告制度	301, 308
ドック・レシート	219
特恵受益国	341, 343
特恵税率	334, 338, 340, 341, 342 343, 359, 360, 363, 372
トライウォール	71
取消可能信用状	146
取消不能信用状	146, 161, 432
取立て	144, 175, 176, 177 178, 179, 183
取立依頼銀行	144
取立銀行	142, 144, 171, 177
トン数	68

な

| 名宛人 | 157, 169, 170, 180, 183, 187, 286 |
| 長尺割増運賃 | 202 |

に

荷為替手形	74, 75, 77, 138, 139, 142, 144, 147, 155, 157, 165, 167, 168, 170, 171, 172, 174, 176, 177, 178, 179, 181, 183, 190, 218, 243, 253, 276, 286, 384, 386
荷為替手形(を利用した)決済	75, 73, 74, 77, 278, 384
荷印	123, 169, 219, 232
日EU・EPA	372, 373
日米貿易協定	372, 373, 375, 376

日本円建て	64, 391
日本海事検定協会	62, 412
日本商事仲裁協会	319, 427, 434, 438
日本政策金融公庫	190
日本貿易振興機構	32, 43, 44
日本貿易保険	179, 283, 284, 286
荷主保険	246, 247, 250
入国者の携帯品・別送品に対する簡易税率表	345
入庫報告書	411
認定通関業者	305, 306, 308, 309, 301, 313, 369

ね

ネッティング	79
ネット上の電磁的記録式契約の闘い	129
ネット・トン	67

の

| 農林物資の規格化等に関する法律 | 424 |

は

ハウス・エア・ウェイビル	250
バース・ターム	205
パッキング・リスト	229
発行依頼人	141, 152, 156
発行銀行	140, 141, 142, 144, 146, 147, 152, 153, 156, 160, 161, 164, 170, 172, 173, 174, 176, 187, 188, 239, 245, 247, 253, 257
はね返り金融	188, 189
反対申込み	51, 52, 53, 54, 110
バンニング	196, 197, 198, 200, 202, 415

ひ

引き受け	75, 136, 167, 172, 173, 181, 188, 190, 217, 283
引受書類渡し	75
引受書類渡し手形	173
非常危険	283, 284, 286
被仕向送金	386
被保険者	102, 280, 282, 284, 286
標準品	58, 59, 60
費用の範囲	84, 87, 97, 108
費用分損	264
品質規格基準書	414
品質条件	57, 58, 58, 60, 61, 62
品質見本	57
品目無差別ボックス・レート	200

ふ

ファーム・オファー	53
フォワーダー	26, 93, 208, 259, 260, 416
賦課課税方式	335, 336
複合運送証券	93, 242
艀舶検査	299, 300
ふ船扱い	300
プット・オプション	401, 402
物品の適合性	132, 133
不定期船	193, 194, 200, 205
不当景品類及び不当表示防止法	424
不当値引, 不当廉売	350
不当廉売関税	336, 350, 351
船積依頼書	219
船積指図書	219, 220
船積重量条件	69
船積証明	92, 93, 169, 219, 238
船積書類発行手数料	202
船積品質条件	61, 62
船積船荷証券	169, 237, 238, 239
船積見本	58
船積申込書,船の手配	219
付保	90, 91, 96, 109, 181, 246, 250, 278, 282, 286, 425
振出人	165, 167
分割船積	81, 82, 152, 156
分損	264, 268
分損担保, 分損不担保	268, 269
ブランド	23, 58, 59

フル・ケーブル・アドバイス	153
フル・コンテナ・ロード	196
プレ・アド	153
ブレイク・ダウン方式	110
フレート・トン	68, 200
プレミアム	389, 390, 400, 401
プロフォーマ・インボイス	224, 228
紛争解決パネル	349

へ

平均中等品質条件	58, 59
並行輸入	36
米国税関	374, 375, 376
米国税関国境保護局	376
米トン	67
便益関税	348, 359

ほ

貿易一般保険	284, 285, 286
貿易金融	30, 186
貿易クレーム	409, 413, 415, 426
貿易実務知識	21
貿易条件	55, 61, 69, 81, 82, 83, 84, 86, 87, 89, 95, 96, 117, 128, 168, 198, 204, 222, 262, 276, 278, 280, 434, 438
貿易取引の3種の神器	20
貿易保険	83, 178, 179, 180, 181, 183, 283, 284, 285, 286, 287
包括延長方式	317
包括保険	284
包括予定保険	273
報復関税	338, 348
法務クレーム	409, 422
保険金額	272, 273, 276
保険契約者	262, 272, 273, 276, 280
保険クレーム	408, 410, 411, 412, 415, 417
保険者	102, 262
保険証券	153, 168, 169, 219, 222, 267, 273, 276, 280, 282
保険条件	55, 101, 170, 267, 268, 269, 271, 272, 276, 279, 282
保険承認状	276
保険追認状	282
保険料	63, 84, 87, 97, 101, 109, 111, 112, 116, 177, 204, 262, 272, 273, 276, 283, 286, 296, 432
保険料率	272, 283
ポジション高	406
補償・決済銀行	144
保証状	164, 175, 241, 251, 252
保税運送	297, 300, 306, 308
保税工場	298
保税蔵置場	297
保税地域	28, 279, 292, 295, 297, 298, 299, 300, 303, 304, 306, 307, 308, 314, 357
保税展示場	298
保存見本	60
ボックス・レート	199, 200
ボート・ノート	411
本船扱い	299
本船貨物受取証	220
本船検査	299
本邦ローン	186, 188

ま

前払い	76, 99, 204, 218, 221, 287
前払い送金(決済)	76, 137
前払輸入保険	287
マスター・エア・ウェイビル	247
マラケシュ協定	348
マリー	399

み

ミニ・ランド・ブリッジ	213
見本売買	57, 60
見本品	57, 58, 59, 60, 414

む

無確認信用状 146
無故障船荷証券 170, 240, 241
無条件免税 355
無申告加算税 336

め

銘柄売買 58
メトリック・トン 66
メール・コンファメーション 153
免税…113, 114, 302, 303, 316, 318, 319, 354, 355, 356

も

申込み 51, 52, 53, 54, 55
持高 406
戻し税 354, 356, 357
元地回収方式 254, 255, 257

や

約束手形 165, 187, 378

ゆ

有価証券…165, 236, 239, 247, 251, 255, 257, 259, 260, 282
郵便期間立替金利 384, 386
輸出 FOB 保険 279
輸出許可（書） 28, 31, 103, 104, 219, 292, 293, 297, 299, 302, 306, 308, 355, 360
輸出金融 189, 190
輸出契約書 121
輸出申告内容 293
輸出通関（手続）…84, 93, 96, 98, 99, 103, 104, 105, 106, 111, 219, 223, 292, 296, 297, 300, 302, 306, 318
輸出手形保険 179, 284, 286
輸出当座貸越 190
輸出入統計品目表 339
輸出入・港湾関連情報処理システム 330
輸出 PL 保険 290
輸出貿易管理令 311, 321
輸出前貸関係準商業手形, 輸出前貸金融 190
輸送費込み 89, 99
輸送費・保険料込み 89, 101
輸入許可……28, 119, 224, 295, 296, 297, 299, 301, 302, 308, 310, 314, 315, 316, 318, 335 ,355, 356, 357, 422
輸入許可前引取承認 315
輸入金融 149, 186, 189
輸入契約書 121
輸入検査申請書 331, 332
輸入検疫合格証明書 331
輸入公表 324
輸入差止申立て制度 423
輸入承認品目 324
輸入申告内容 295
輸入信用状発行依頼書 149
輸入総代理店, 輸入総販売店 35
輸入通関（手続）
84, 93, 98, 103, 104, 105, 107, 276, 295, 296, 297, 300, 302, 309, 317, 318, 339, 340, 357, 363, 369
輸入貿易管理令 302, 321, 324
輸入割当品目 324
輸入ユーザンス 186

よ

要式証券 236, 247
容積トン 67
用船（傭船）契約 194, 195, 205, 210
用船契約書 195
予定保険 273

ら

ライナー・ターム 205

り

陸揚品質条件 61
陸揚重量条件 69
陸上運送状 259
リーズ・アンド・ラグズ 394, 395
リスト規制 321
リストリクト L/C 147
リバースド・インテリア・ポイント・インターモーダル… 214
リファイナンス方式 188
裏面約款 247
リマーク 170, 24, 241, 411
流通証券 236
利用航空運送事業者 209
領事インボイス 168, 224
領事館 40, 46

れ

レス・ザン・コンテナ・ロード 196

ろ

ロイズ 267, 412
ロング・トン 66, 67

わ

和解 427
ワシントン条約 360
割増運賃 199, 201

A

Acceptance 52, 132, 181, 187
Acceptance Rate 384
Accountee 141
Acknowledgement 122
Additional Rate 199
Ad Valorem 200
Advance Sample 58
Advising Bank 142
Air Consignment Note 247
Airmail 217
Airmail with Brief Preliminary Advice 153
ALB（American Land Bridge） 213
Alibaba.com 47
Amount Insured 272
Amount of Insurance 250
Applicant 141, 170, 262
Application for Opening L/C 149
A/R（All Risks） 90, 91, 101, 267, 269, 276
ASEAN-JAPAN CENTER 47
A/S Rate（At Sight Rate） 386, 387
Assured 280
Assurer 262
ATA カルネ, ATA 条約 318, 319
At Sight 77, 170
AWB（Air Way Bill） 168, 246, 257

B

BA 市場, BA 手形 187
BAF（Bunker Adjustment Factor） 201
Banker's Acceptance Bill 187
Bank L/G 252
Bank Reference 49, 50
Base Rate 112, 199
BC ユーザンス 188
Beneficiary 142, 157
Bill Bought 179
Bill of Exchange 165
Bill of Lading 219, 233
Bill for Collection 178
B/L 168, 219, 233, 246, 251, 253
B/L Fee 202
Blank Endorsement 243
Booking 219
BP 承認（制度） 301, 315
Buyer's Sample 58
Buying 381

C

CAF (Currency Adjustment Factor) 201
Carriage in a General Ship Contract 194
Cash Buying Rate 387
Cash Selling Rate 384
CBP 376
CCC 条約 303
Certificate of Origin 168, **359**
CFR (条件) 83, 87, 89, 95, **107**, 108, 109, 198, 204, 262, 273, 278, 279, 280, 282, 434, 438
CFS (Container Freight Station)
.... 197, 198, 202, 219, 238, 297, 304
CFSチャージ(Container Freight Station Charge) ... 202
Chamber of Commerce (& Industry) 45, 157
Charter Party Contract 194
CHC (Container Handling Charge) 202
CIF 価格 272, 276, 296, 334
CIF (条件) ...61, 83, 87, 89, 90, 91, 95, 109, **168**, 198, 204, 223, 262, 272, 276, 278, 280, 296, 334, 434, 438
CIP (条件) ...81, 83, 87, 89, 90, **91**, 101, 102, 109, 111, 113, 117, 198, 204, 262, 272, 276, 280, 434, 438
CISG **130**, 438
Claim Note 412
CLB (Canadian Land Bridge) 213
Clean B/L 170, **240**
CMI 統一規則 257
Collecting Bank 142
Collection 175
Combined Transport B/L 242
Commercial Bill 165
Commercial Invoice 223
Commodity Box Rate 200
Confirmed L/C 146
Consolidated Cargo 194
Consulate 46
Consular Invoice 168, **224**
CPT (条件) 61, 81, 83, 87, 89, 99, 100, 101, 112, 198, 204, 262, 273, 280, 434, 438
Credit Agency 48, 50
Customer's Rate 381
Customs Invoice 224
CY (Container Yard) ...197, 198, 219, 238, 297, 304

D

D/A ...75, 77, **173**, 177, 181, 183, 188, 190, 222, 254, 286, 386
DAP (条件) 61, 93, **102**, 103, 434, 438
DAT (条件) 90, 104
DDC (Destination Delivery Charge) 202
DDP (条件) 93, 103, **105**, 434, 438
DHA (Designated Hozei [Bonded] Area) ... 297
DIN 59, **60**
Dirty B/L 240
Document Fee (Doc. Fee) 202
Documents against Acceptance 181, 183
Drawee 167
Drawer 165
DTHC 202
DPU 61, 90, 93, **104**, 61, 434, 438
D/P 75, 77, 173, **177**, 178, 179, 180, 181, 183, 190, 222, 254, 286, 386

E

ECHC (Empty Container Handling Charge) ...118, **202**
Economic Partnership Agreement 343
Electronic Ruling [eRuling] Template 376
EMS (Express Mail Service) 216, **217**
Endorsement 282
EPA 24, **343**, 360, 363, 368, 369, 372, 373
EPA (/FTA 協定)税率 ...334, 343, **359**, 360, 361, 368, 369
Exchange Quotation 384
Expected Profit 272
Export Contract 121
Export Declaration 293
EXW (条件) 89, **96**, 97

F

FAF (Fuel Adjustment Factor) 116, **201**
FAK Box Rate 200
FAS (条件) **106**, 107, 204
FAQ (Fair Average Quality Terms) 58
Favor Contractus の原則 131
FCA (条件) ...61, 83, 89, 92, 93, **98**, 99, 100, 101, 107, 115, 116, 198, 204, 262, 272, 273, 276, 279, 280, 434, 438
FCL (Full Container Load) **196**, 198, 411
FI (Free In) 206
FIATA 250, **260**
FIO (Free In & out) ,FO (Free out) 206
FOB 価格 95, 296
FOB (条件) ...61, 83, 87, 89, 95, **106**, 107, 108, 198, 204, 223, 262, 272, 273, 276, 278, 279, 280, 282, 434, 438
FOB 保険 **279**, 282
Forward Rate 388
Foul B/L 240
F.P.A. (Free from Particular Average) ...**268**, 269
FRC (Fuel Recovery Charge) 201
Freight Collect , Freight Prepaid 204
FT 68
FTA (Free Trade Agreement) 343
Full Endorsement 245
Future 388

G

GMQ (Good Merchantable Quality Terms) ...**58**, 59
Grade 59, **60**

H

HDA (Hozei Display Area) 298
HMW (Hozei Manufacturing Warehouse) 298
HS コード **339**, 340, 373
HW (Hozei Warehouse) 297

I

IATA (International Air Transport Association)
.... **208**, 210, 247, 250
ICC (→国際商業会議所) 88, 137
ICC (Institute Cargo Clause) **267**, 268, 269
ICC(A) 90, 91, 101, **269**, 270, 271, 276
ICC(B) **269**, 270
ICC(C) 90, 109, **269**, 270
IHA (Integrated Hozei Area) 298
Import Contract 121
Import Declaration 295
INCOTERMS **84**, 434
Inspection Certificate **62**, 168
Insured 280
Insurer 262
Inter-Bank Rate 381
Insurance Certificate 276
Invoice 139, 168, **223**, 293, 296, 302, 308
I/P 168, 276
IPI (Interior Point Intermodal) 213
IQ (Import Quota) 353
Irrevocable L/C 146
ISO 60, **212**
ISO4217 64
Issuing Bank 141

J

JAS 法 424
JCAA 319
JETRO (Japan External Trade Organization) ...**43**, 44
JIS 60

K

Keep Sample 60

L

Landed Quality Terms 61

Landed Weight Terms 69
L/C (Letter of Credit) ...30, 74, 136, 157, 253, 286
L/C at Sight 77, 116, 147, 384
L/C with Usance 147
LCL (Less than Container Load) ...196, 197, 411
LDC (Least Developed Countries) 341
Letter of Indemnity 242
L/G (Letter of Guarantee) 175, 251, 252
Local Currency 64
Liner 193
Liner Term 205
LT 66, 67

M

Mail Days Interest 384
Marine Insurance 262
Marine Insurance Application 276
Minimum Charge 201
MLB (Mini-Land Bridge) 213
M/R (Mate's Receipt) 220
MT (M/T, Metric Ton) 66, 67, 112, 200
M3 .... 66, 67, 68, 112, 116

N

NACCS 293, 295, 296, 308, 314, 330, 369
Negotiating Bank 142
Negotiation 172
NEXI (Nippon Export & Investment Insurance) ...283
Nippon Automated Cargo and Port Consolidated System 330
Notify Bank 141
NVOCC (Non-Vessel-Operating Common Carrier) 212, 213, 215, 259

O

Offer subject to ~ , Offer without Engagement ...54
Official Invoice 224
On Board Notation 169, 219, 238
On Board B/L 93, 237
Open Account 79
Open Cover (OP, Open Contract, Open Policy) 273
Opener 141
Opening Bank 141, 170
Order Confirmation 122
Order B/L 170, 239

P

Partial Shipment 82
Piece Package Unit Basis 200
PL 訴訟, PL 法 424
PL 保険 83, 289, 290, 425
Policy of Marine Insurance 276
Presentation 171
Provisional Insurance 273
Punitive Damages 290, 425
Purchase Contract 121
Purchase Order 122

Q

Quantity 66
Quotation 53

R

Rail Waybill 259
Rate of Insurance Premium 272
Received B/L 93, 237
Rejection 52
Refinance 188
Revocable L/C 146
Revolving L/C 148
RIPI (Reversed Interior Point Intermodal) ...214
Rider 282

S

S/A (Shipping Application) 219
S&A (Sea & Air Service) 215
SAL 便 (Surface Air Lifted) 216, 217
Sales Contract 121
Sample 57, 59
SCC カルネ 319
Seller's Sample 58
Selling 381
Set Bill 167
Shipment (Shipment by Air) 80, 81
Shipped B/L 93, 169, 237
Shipped Weight Terms 69
Shipping Documents 222
Shipping Mark 219, 232
Shipping Sample 58
S/I (Shipping Instruction) 219, 293
SLB (Siberian Land Bridge) 215
S/O (Shipping Order) 219, 220
Special Charge 199
Specification 59
Spot Rate 388
SRCC 265, 266, 267, 271
SRCC Clause 271
ST 66, 67
Standard Quality 58, 59
Straight B/L 239
Supplier 45
Surcharge 116, 199
SWB (Sea Waybill) 242, 251, 255

T

THC (Terminal Handling Charge) 202
TIR 条約 303
T.L.O. (Total Loss Only) 268
TPP-CP 372, 373
TQ (Tariff Quota) 352
Trademark 58, 59
Trade Reference 49
Tramper 193
Transferable L/C 148
Transshipment 81
Truck Waybill 259
T/T (Telegraphic Transfer) 74, 385
TTB (Telegraphic Transfer Buying Rate) ...382, 386, 387
TTM 384, 386, 387
TTS (Telegraphic Transfer Selling Rate) 384, 385, 386, 382
Type 59, 60

U

UCP 137, 157
UCP600 137
Unconfirmed L/C 146
UNCTAD 269, 340
Usance Buying Rate 387

W

W.A. (With Average) 268, 269
War Clause 271
Weight Basis 200
Without L/C at sight Buying Rate 387
W/M (Weight & Measurement Basis) 200
Write-Off 79
WTO (協定) 税率 342, 344, 345, 348, 359

Y

YAS (Yen Appreciation Surcharge) ... 116, 201

Numbers

3C's 50
40cft 67

〈著者紹介〉

中矢 一虎 （なかや・かずとら）

◎──1958年大阪生まれ。1981年神戸大学法学部（商法専攻）卒業。
◎──住友商事に入社後、会社派遣のフランス留学を経てパリに6年、ロンドンに2年駐在して主に化学品の貿易取引に携わる。
◎──1998年に独立。現在は中矢一虎法務事務所（司法書士 行政書士）代表。司法書士・行政書士として国際契約書の相談・作成を行うほか、中堅・中小企業の国際業務顧問、コンサルタントとして活躍する。各種学校、企業団体、商工会議所、日本貿易振興機構（JETRO）等での貿易関連講座・講演等も多数行う。
◎──（公財）大阪産業局貿易専門アドバイザー、大阪市立大学商学部講師。
◎──主著は『貿易書類の読み方・作り方』（ぱる出版）、『貿易実務ハンドブック』『貿易実務の基本と三国間貿易完全解説』（中央経済社）、『最新 貿易実務入門と英文契約書の読み方』（創元社）など。
◎──（独立行政法人）日本貿易振興機構（JETRO）貿易実務オンライン講座「英文契約書」の監修者。

〈連絡先〉 中矢一虎法務事務所（司法書士 行政書士）
　　　　　国際法務株式会社
　　　　　電話番号：06-6242-6718
　　　　　ホームページ：http://nakayakazutora.com/
　　　　　メールアドレス：kazutora@silver.ocn.ne.jp

輸出入実務完全マニュアル　最新版

2020年3月22日　第1刷発行

著　者──中矢　一虎
発行者──八谷　智範
発行所──株式会社すばる舎リンケージ
　　　　〒170-0013　東京都豊島区東池袋3-9-7　東池袋織本ビル1階
　　　　TEL 03-6907-7827　FAX 03-6907-7877
　　　　URL http://www.subarusya-linkage.jp/
発売元──株式会社すばる舎
　　　　〒170-0013　東京都豊島区東池袋3-9-7　東池袋織本ビル
　　　　TEL 03-3981-8651（代表）
　　　　　　03-3981-0767（営業部直通）
　　　　振替 00140-7-116563
　　　　URL http://www.subarusya.jp/
印　刷──ベクトル印刷株式会社

落丁・乱丁本はお取り替えいたします。
ⓒ Kazutora Nakaya 2020 Printed in Japan
ISBN978-4-7991-0889-5